SIETE PESADILLAS

Jaime de Armiñán

SIETE PESADILLAS

ESPASA

ESPASA ☺ NARRATIVA

Director Editorial: Juan González Álvaro
Editora: Constanza Aguilera Carmona

© Jaime de Armiñán, 1998
© Espasa Calpe, S. A., 1998

Diseño de la colección: Tasmanias
Ilustración de cubierta: Tasmanias
Realización de cubierta: Ángel Sanz Martín

Depósito legal: M. 30.169-1998
ISBN: 84-239-7941-5

Impreso en España/Printed in Spain
Impresión: Huertas, S.A.

Editorial Espasa Calpe, S. A.
Carretera de Irún, km 12,200. 28049 Madrid

A Elvira de Armiñán y Murillo,
sevillana.

ÍNDICE

Sirva mi humilde persona —o no tan humilde— para abrir las puertas de esta historia donde se mezclan los testimonios del señor Martín González Chamorro, ilustre notario de Madrid y doctor en Derecho, y de don Leopoldo Arruza, comisario de policía ya retirado. Ambos caballeros hablan en primera persona, porque están contando su peripecia, si me permiten decirlo así. Conocí al señor González Chamorrro en 1937 y al comisario Arruza muchos años después, cuando ya me había abandonado la juventud, pero no las ganas de vivir que conservo intactas. Más adelante nos veremos y hasta entonces dispongan ustedes de su afectísima,

Luz Ángela Castañón Spencer

Hotel Palace. Habitación 1937. 28004 Madrid

I

Soñar pesadillas

(Testimonio del notario González Chamorro)

Eran las tres de la mañana del día 22 de agosto y aún no me había decidido a dormir, por miedo a lo que yo me sé, que se encadenaban una tras otra, sin piedad, metódicamente, como si fueran alemanas o peor aún, prusianas de los tiempos de Bismarck. Yo me estaba guardando mis vacaciones para el mes de octubre, como hago todos los años, y disfrutaba de mi casa, de mi piscina e incluso de mi despacho refrigerado, y desde mañana de mi soledad doméstica. La notaría en verano, sobre todo en agosto, es zona pacífica, el señor notario firma de doce a una —como mucho—, luego se toma un aperitivo y se va a casa, sin buscar tópicos ligues veraniegos: se va a casa a leer, a ver la tele, a rascarse la tripa y a dormir, si pudiera. Germán Posadilla —mi triste compañero y oficial de recurso— guarda la viña y me hace la pelota, como siempre, y mi señora, Veracruz Mondéjar, se marcha con sus amigas y no vuelve hasta finales de septiembre. Todo sería perfecto, si no fuera por lo que yo me sé, que me atormentan más que nunca y que ni me atrevo a nombrarlas.

«Venía una brisa suave por la ventana abierta y de cuando en cuando el aviso ronco de la baliza, porque la niebla entraba por la boca del puerto, donde seguía, abandonado, solo y descalzo, el cadáver de la dama gris perla.»

Ya había leído aquella novela y además la recordaba perfectamente: el asesino era el doctor Fisher, nada que ver con el indisciplinado campeón de ajedrez. A mi alcance tenía una revista más que atrasada, un número de *Paris Match* del año 93, donde venía una foto provocativa de Sarah Ferguson, que siempre me ha gustado mucho, porque yo tiendo a las finas, a las de ojos azules y, si es posible, a la realeza. La duquesa de York sale de un automóvil y enseña las piernas hasta más allá de lo permitido, pero no le importa. Todo un lujo, y así le ha ido, pobrecita mía. Diez páginas más allá el inevitable artículo sobre el pelma del comandante Cousteau y sus benéficos tiburones blancos, y a la vuelta un reportaje que trata de la violencia en la infancia con fotografías de niños culpables que de mayores fueron asesinos y luego torturados y ajusticiados como Dios manda: hay dos fotografías de niños y de adultos con grandes ojos llenos de asombro o de miedo, que a estas horas ya no lo sé: el niño Edison Rudy Fernández, hispano, y el niño George Pitard, negro de color y alma, ambos ajusticiados a hora fija. Medio aburrido empecé a leer: «la violencia y la crueldad con los niños queda marcada en la química del cerebro y esos cambios bioquímicos pueden ser la vía por la que un niño se convierte en un adulto violento e incluso en un asesino. En un estudio realizado en la universidad de Massachusetts con hámsters, según el cual los animales que fueron sometidos a amenaza y agresiones durante la infancia se desarrollaron como adultos agresivos e incluso potencialmente crueles. Los niños maltratados por el entorno familiar o incluso por otros niños de su edad sintetizan menos cantidad de vasopresina, que facilita la agresión.» Como es lógico tiré *Paris Match*, porque sólo me faltaba eso: conejos de Indias, hámsters o como se diga, sabios americanos, portorriqueños y negros, la universidad de Massachusetts, vasopresina, serotonina, malas traducciones y la contención de los impulsos agresivos. Apagué la luz y traté de dormir, imaginando idílicos paisajes, ríos rumorosos, bodegones del XVIII y Sarah Ferguson bajando del automóvil, y era yo quien se asustaba del fotógrafo, porque mi hermosa enseñaba más allá de lo permitido. Poco a poco me fue viniendo el sueño, mientras oía el grito de un mochuelo y de lejos el canto de un ruiseñor, que estos jardines tienen sus ventajas.

A las seis de la mañana sonó el teléfono junto a mi cama: era Gaspar Arenales, aún prisionero del efecto que decimos *jet lag*. Se disculpó por llamar tan temprano o tan tarde, pero había perdido el compás del sueño y no podía dormir. Luego, extrañado de mi silencio, me pidió perdón, pero el caso es que yo le agradecía aquella llamada casi insultante, que me libraba de Arenales-niño, mi verdugo, mi más querido y odiado amigo de la infancia. Gaspar Arenales quería que fuéramos de excursión al puerto de los Cotos, en la sierra del Guadarrama, así como suena. Yo intenté decirle que me parecía una extravagancia, pero él insistía con su voz, de nuevo, presente y reía como si el proyecto de aquel paseo serrano fuera algo así como un viaje al mundo de los sueños, y vaya una palabra que había elegido, y no me pude negar, como si volviéramos a tener trece o catorce años o menos. Revivo el diálogo que ahora me sé de memoria, cuando yo me negaba a cumplir ciertos detalles, que me parecían más que ridículos, y él insistía y casi suplicaba, hasta que protesté, ya en la zona pastosa de los peores recuerdos:

—¡No, en el bar Chiquito de ninguna manera, ni lo pienses!

La voz de Arenales me respondió con dolorida insistencia:

—¡Pero si siempre quedábamos en el Chiquito!

—¡Siempre era en 1943!

—¡43, 44, 45!

—En el vestíbulo de la estación de Chamartín, en uno de los bares o cerca de las taquillas, y lo tomas o lo dejas.

—El tren de la Sierra sale de la estación del Norte.

—¡Ya no existe la estación del Norte!

—¿Y no sería mejor el bar Chiquito?

—En el vestíbulo de la estación de Chamartín a las diez y media o me voy al despacho.

—Bueno, llevaré la máquina de fotos.

—Procura que sea de un modelo del 42 —le dije entonces tratando de ser molesto.

Gaspar Arenales calló durante unos segundos y estuve a punto de colgar, pero el aliento de mi amigo —seguramente emocionado— no me daba tregua. Por fin volví a oír su voz:

—Ya sé que estás enfadado conmigo, pero es que soy muy perezoso para el teléfono y además desde Kenia cuesta un dineral.

Preferí no contestarle y de nuevo se produjo el silencio, hasta que Arenales me confesó:

—Oye, te quiero, ¿sabes?, y estoy muy contento y muy feliz de volver a verte.

—También yo te quiero, Gaspar, pero déjame dormir.

Colgué el teléfono, desencajándome la mandíbula en un bostezo interminable, y miré el reloj de la mesilla: eran las seis y diez de la mañana, entraba luz en mi alcoba y oía cantar a las alondras. No se cómo, ni de qué forma, me vino la séptima pesadilla, a cambio de las bonitas piernas de Sarah Ferguson, detalle que no me confieso ni a mí mismo. Estaba en un jardín vagamente situado en San Sebastián con mi amigo Gaspar Arenales, que me propuso un juego divertidísimo. Yo tenía que cavar un hoyo, como los condenados a muerte en las películas de aventuras, y meterme dentro, dejando fuera la cabeza. Primero me negaba, luego suplicaba llorando, pero los razonamientos de Gaspar y alguna amenaza, que me torcía la voluntad, me obligaban a obedecer. Ya estaba enterrado y Arenales reía, y entonces vinieron las hormigas gigantes, que me comían las mejillas y los ojos y me entraban por la boca y por las orejas. Gaspar seguía riéndose, hice un esfuerzo para despertarme y aterrado me senté en la cama, encendí la luz y me toqué la cara: la aspereza de la barba me calmó, porque aquello era una pesadilla. Cuando estaba a punto de apagar la luz apareció el niño Gaspar Arenales con pantalones cortos muy planchados, boina roja, yugos de jefe de centuria, bota buena, camisa azul y puñal al cinto; intenté esconderme en la cama y entonces comenzaron a subir por las patas las hormigas gigantes. No podía moverme, porque la sábana de arriba me acogotaba igual que la tierra del jardín y Gaspar se reía y levantaba el brazo al estilo falangista.

Aquella llamada —como las tarjetas de navidad, algunas cartas y la presencia física de Arenales cuando lo encontré en

Buenos Aires y lo presentí en Nueva York— me llevaron tiempo atrás y pensé lo que hubiera sido de mí si Arenales no deserta en el campamento de La Granja y se instala en Kenia, y ahora se me viene encima, espero que por poco tiempo. A mi vuelta de Nueva York y después de soñar pesadillas durante más de una semana, consulté con mi amigo, el psiquiatra Enrique Morrión, cocinero, buen cazador y hombre muy ilustrado. Por consejo de un colega, notario de Valladolid y aficionado a la psiquiatría, yo había leído algunos libros de Basel, Kaplan y Vartanian y, por supuesto, de los queridos Freud y Jung, y estaba convencido de que el origen de mis pesadillas y obsesiones tenían una indudable raíz sexual, que me avergonzaba sin remedio, porque no era capaz de tomar el camino de la verdad y ni siquiera confesarme aquellas tendencias. El doctor Enrique Morrión me tranquilizó diciendo que —para mi desgracia— yo era un macho sin remedio, y me aconsejó que no leyera libros complicados y que olvidara al momento a Basel, Kaplan y Vartanian, dedicándome a *Las tardes de La Granja,* del encantador Dueray-Duminil o *Cuentos pornográficos,* de Carlos Marcucci. El doctor Morrión era un gracioso y así pretendía calmar mis ridículos miedos sexuales, y al mismo tiempo me estaba diciendo que un psiquiatra amigo es un psiquiatra prohibido. A pesar de todo, cuando llegaron las pesadillas del verano le volví a consultar, le conté mis noches de angustia y hasta qué punto me torturaba el niño protagonista de mis sueños. El doctor Morrión me dijo que no me preocupara, que en quince días de vigilia fallecía, sin remedio —se refería a mí—, a no ser que matara al fantasma, y me recomendó *Caperucita roja y el lobo feroz,* versión Walt Disney, y *Noches lúgubres,* de José Cadalso. Después me recetó unas pastillas para dormir y otras para alegrarme las mañanas, frecuentes masajes, sauna y duchas muy frías, nada de cenas pesadas y poco alcohol a partir de las diez de la noche; por último me recomendó una temporadita de descanso en cualquier playa del mar Caribe —solo, naturalmente—, mucho sexo, preferentemente practicado con mujeres, ejercicio físico y gran cantidad de fruta a excepción del coco, que sube el colesterol. Una semana después —para mi vergüenza, pero en descargo por mi terror a las noches interminables— fui a visitar a la bruja Reliquia Correas, de nacionalidad uruguaya y residente en Madrid, calle de Postas. Me la había recomendado una juez inestable, muy aficionada al más allá, con la que tengo singular confianza.

Debo aclarar ahora que, entre mis defectos o virtudes, se halla la atracción que me produce el mundo quimérico, herencia de mi abuela Marita y de mi ama María del Alcorque, de quienes saqué variadas supersticiones, y cito alguna como simple información: salir o entrar con el pie derecho, jamás un paraguas abierto en casa, ni zapatos colocados al revés, nunca dos monjas de espaldas, de ningún modo un sombrero encima de la cama, y mucho cuidado con espejos rotos —hay que echarlos al mar o al río—, sal derramada o escalera que cierre el paso. Por estas y otras razones —lo escribo conscientemente— fui a ver a la bruja Correas y más tarde acepté sus amables sugerencias, aunque mucho me contrariaban.

Reliquia Correas es joven, rellenita, de ojos grises y muy repintados, cara redonda, boca de piñón, pecho poderoso y sonrisa acogedora, y tiene un gato persa, como es natural. Me sentó a una camilla, me agarró las manos y comenzó a resobar yemas, montes y valles, y luego trabajó con granos de trigo, de maíz, de centeno y canicas de cristal de colores, novedad en brujería. Me explicó que una vez conocidas mis mullidas manos y mis dedos flexibles aquel sistema era más adecuado que el tradicional tarot o la bola de cristal. El caso es que averiguó mi profesión, mi estado civil, número de hijos y algunos detalles que me sorprendieron. Me dijo también que no dormía —quizá me delataran las ojeras y no las bolitas— y que veía el principio de mis pesadillas como un cuento infantil, ilustrado, de hace tiempo, y que todas, y mi daño si es que lo sufría, eran causadas por un niño negativo, por un niño que sólo existía en mis recuerdos —tres bolitas verdes y una amarilla juntas— o tal vez hubiera muerto. Aquel niño —según la bruja Reliquia Correas— también podía ser un fantasma o un espectro esquinado, y que yo tendría que matar al fantasma o al espectro, en sentido literal, y si sabía dónde encontrarlo o daba con su rastro, encargarle misas perfumadas y obligatoriamente en latín. Por último me recomendó que todas las noches, antes de acostarme, tomara una infusión de uva del diablo, valeriana y col marina. Comprendí entonces que la hechicería y la psiquiatría eran ciencias paralelas y que las visitas al doctor Morrión y a la bruja Correas se juntaban en un cambio de agujas: debía tomar tranquilizantes, beber poco y matar al fantasma: ¿pero cómo se mata al fantasma de alguien que ni siquiera está muerto?

Y así seguí dando vueltas en la cama, tratando de dormir, arrepintiéndome mil veces de haber quedado con Arenales en la estación de Chamartín, hasta las ocho de la mañana cuando los mirlos cantan y los gorriones arman su correspondiente jaleo.

Como siempre al despertarme, y ahora es un decir o un farol, besé la estampa de mi antecesora, la beata Dionisia Chamorro, natural de Roquetas (Almería), que fue sordomuda y monja y en 1809 no dijo a los franceses donde estaba escondido el tesoro de las madres pompilianas y murió martir y violada por los mamelucos. Este beso nunca lo olvido y a su milagrosa influencia atribuyo gran parte de mi buena suerte, aunque en cuestiones de pesadillas la beata Dionisia resulta ineficaz.

En el cuarto de baño me sorprendieron mis ojeras, los ojos enrojecidos por falta de sueño y la barba, que me crecía más que de costumbre, y la ducha de agua caliente, larga y muy fría después —consejos del doctor Morrión—, apenas me espabiló. Me peiné con mi colonia de siempre, la que me molesta tanto que me quiten mis hijos cuando están en casa, me eché un colirio, me puse mi bata de cachemir —tonos ocres, morados y azules— y me calcé las babuchas amarillas, las que me compré en Kairouan (Túnez), y arrastrando los pies, me dirigí al porche donde desayunamos cuando hace buen tiempo, y ya estaba desayunando Veracruz Mondéjar, la madre de mis hijos, que aquel día se marchaba a Ibiza a pasar un mes de vacaciones en la casa que tenemos en Cala Salada, lugar que ocupamos por riguroso turno. Veracruz tiene una tienda —*boutique* se dice— de selectísimos productos de alimentación, en sociedad con su amiga, Teruca Pina, y justo es reconocer que les va divinamente, pero a la mía le ha dado por engordar y ha echado buenas caderas y distinguido culo, aunque sigue conservando sus hermosos ojos negros y sus labios de reina de la vendimia. Lo malo es que está completamente loca, que tiene el humor según le da, que menudea en llantos, ríe cuando no corresponde, persigue a sus hijos y a mí me trae frito. Sin embargo yo la quiero, sobre todo en sus frecuentes y largas ausencias y entonces nos escribimos cartas de amor a diario —guardo más de cien— como novios, como si nuestro amor fuera imposible, diciéndonos lindezas o procacidades y luego, a la vuelta, dormimos en alcobas separadas, nos ignoramos e incluso peleamos a diario. Si yo conservo mi matrimonio es por las referidas ausencias de Veracruz y gracias al género epistolar, y tengo pensado que un día dejaremos de vernos, para siempre, pero seguiremos escribiéndonos hasta el fin de nuestras vidas, manteniendo el calor y la fidelidad, que tan difícil nos resulta guardar entre cuatro paredes y tan hermoso luce en los buzones de correos, nunca —por supuesto— por fax, internet, ni ningún invento electrónico, ni muchísimo menos por teléfono.

Veracruz me observó con cierta curiosidad, y aunque no abrió la boca debió de pensar que tenía muy mal aspecto, y yo le dije que llevaba siete noches sin pegar ojo y que cuando conseguía dormir me acosaban horrendas pesadillas:

—Si tú supieras lo que es no dormir... —murmuró Vera untándose una tostada con *foie gras* de oca landesa.

Pompeya Camila Wellington —la chica dominicana que sirve en casa— me trajo un café muy negro, mezcla de caracolillo, moca y manizales, un huevo pasado por agua, zumo de naranja, aceite de oliva, sal gorda y panete de la *boutique* de mi mujer, que —tras un largo silencio— se sirvió una lonchita muy fina de *tête de moine,* un queso suizo de notable calidad. De últimas informé a Vera de que me iba a Salamanca por un tema insoslayable de fincas y que ya no nos veríamos hasta su vuelta de Ibiza. Veracruz se encogió ligeramente de hombros y se sirvió una segunda taza de té: *English breakfast tea,* una punta de *earlgrey* y un pellizco de té aromático al mango, sabia mezcla que, como la del café, domina Pompeya Camila Wellington. No es necesario que añada que los desayunos, sobre todo en verano, eran los momentos más tranquilos que vivíamos en casa, y para mí, personalmente, la comida más señalada del día (nunca meriendo).

Volví a mi cuarto y me vestí con ropa de campo: pantalones de dril, camisa verde de manga corta, una cazadora liviana, botas buenas de suela de goma, gorro blanco con cinta negra, modelo falso flexible, que había comprado años atrás en el valle de Ordesa, y un chubasquero de plástico en su bolsa, porque el hombre del tiempo anunciaba tormentas y lluvia en la sierra y sólo me faltaba eso. Salí de casa —por delante el pie derecho— sin llamar la atención, procurando que no me vieran, ni Veracruz, ni Pompeya Camila, ni Manolo, el chófer-jardinero. La calle estaba solitaria y en la avenida de Los Madroños tuve la suerte de encontrar un taxi, que me llevó a la estación de Chamartín. No quería que nadie supiera que aquel lunes iba de excursión a la sierra y mucho menos que me pillaran vestido de *boy scout*. Aunque por principio y por egoísmo razonable rechazaba la nostalgia y en este caso —una vez más— me imponía su voluntad Gaspar Arenales, no pude por menos de evocar el tiempo de la niñez, cuando vivía en la inconsciencia o en simples sensaciones de aburrimiento, miedo o enfermedad. Me parecía absurdo ir a la sierra, sobre todo teniendo tres coches en el garaje de casa y uno de ellos todo terreno.

II

EL ASESINO XARRADELL

(Testimonio del comisario Arruza)

Tomé el metro en Ventas dirección Callao. En las taquillas de la plaza de toros había sacado un tendido alto del tres para la corrida de la tarde y todavía no sé los motivos, porque nunca he sido aficionado a los toros y mucho menos en el mes de agosto. Digo yo que sería por gozar de mi libertad, porque aquella semana estaba solo en Madrid y no tenía que echar cuentas de nadie. Mi hija Pilar y mi nieta —la niña Marga— se fueron a pasar ocho días a Llanes (Asturias) con la esperanza de encontrar sol y buen tiempo, y yo, por fin, respiraba a gusto, pese al calor sofocante que por entonces padecíamos en Madrid. Quizá sí hubo un motivo para ir a la plaza: aquel domingo toreaba un chico mejicano de nombre Silverio Arruza, tal vez nieto del famoso *Ciclón,* el de la época de Manuel Rodríguez, *Manolete.* Mi nombre también es Arruza, aunque no tengo nada que ver con Méjico, ni muchísimo menos con el célebre torero, que entre otras cosas se llamaba Ruiz Camino y tenía raíces españolas, de Santander, según creo recordar. Sólo una vez, en mi vida, vi a Carlos Arruza, precisamente el año 1952, en la Monumental de Barcelona, pero tuve que salirme en el cuarto toro por razones de servicio. Pensando estas cosas, sobre todo dejando pasar el tiempo, entré en un vagón del metro y me senté. Como iba completamente vacío saqué de inmediato un abanico, algo que en público me cuesta trabajo, pero que refresca mucho. En Andalucía es corriente que los hombres se abaniquen —sobre todo los viejos—, pero en Madrid parece una rareza, y a mí no me gusta dar que hablar. En Diego de León entró una gorda con una niña tan gorda como ella, una pareja de aburridos mascando chicle y un señor de negro, que se sentó frente a mí; así que tuve que guardar el abanico. Algo le ocurrió al señor de negro, porque casi de inmediato se sobresaltó y yo lo noté por el gesto nervioso de las manos y la mirada huidiza: estuvo a punto de levantarse y de cambiar de asiento, pero se contuvo. ¿Por qué se inquietaba aquel señor de negro? Tenía que ser yo la causa, pero no lo conocía de nada. Con curiosidad, procurando no ser insolente, ni mal educado, lo miré con disimulo. Era un anciano de piel sonrosada, nariz aguileña, cara larga y muy arrugada y barba y bigote blancos, perfectamente recortados. Sus ojos, azules y apagados, estaban casi sin luz, como si vieran poco, y sus manos —ahora con manchas y deformadas por la artrosis— debieron de ser, en tiempos mejores, finas y delicadas. Iba vestido con un traje muy usado, con rodilleras y brillo en los codos, los zapatos también parecían muy viejos y vanamente trataba de tapar un pie con otro, consiguiendo sólo moverlos como un niño de visita. Me fijé en que en la solapa llevaba una cinta de seda roja y pensé que el desafortunado anciano era caballero de la Legión de Honor. Por no ofender cambié la mirada y la dirigí a la pareja de jóvenes aburridos, que se besaban con aplastante aburrimiento. Entonces noté que el anciano de la Legión de Honor me estaba mirando a hurtadillas y yo me volví: fue sólo un instante, pero en aquellos ojos azules sentí un brillo burlón, un guiño familiar, algo que me llamaba desde alguna parte, de muy lejos. Yo soy muy buen fisonomista, estoy acostumbrado a ver rostros distintos y a clasificar rasgos en fichas y fotografías, pero el viejo me equivocaba, porque seguramente era un espejismo. Lo más probable es que lo hubiera visto en algún anuncio de la tele, porque aquel ejemplar de caballero tronado era ideal para un *casting* —como dicen ahora— de embajada, perfume exquisito, portería de hotel y automóvil de lujo. Pero tampoco iba a perder el tiempo con el viejo, aunque a mí me sobra el tiempo. Miré el reloj, la una y veinticinco en punto, y me dije que era una hora espléndida para tomar una caña, y así decidí bajarme en Alonso Martínez y puse proa a La Cruz Blanca, uno de los locales donde mejor tiran la cerveza en Madrid. En el amplio vestíbulo de la estación un negro vendía tabaco de contrabando, un mendigo pedía limosna a gritos y un ciego tocaba el *Ave María*, de Schubert, al violín, ante la indiferencia de unos pocos descreídos de domingo. Me subí a la escalera mecánica y a punto estaba de sacar el abanico cuando alguien me preguntó:

—¿Por casualidad es usted el comisario Arruza?

Era el viejo de la Legión de Honor y sólo le faltaba el sombrero, que se hubiera quitado de haberlo tenido.

—Yo soy el asesino Xarradell.

¡Bendito sea Dios, el asesino Xarradell! ¿Cómo pude olvidar sus ojos inocentes y culpables, tan azules, sus largas manos y aquella su nariz de ave rapaz? Claro que nos separaba una cadena perpetua y un rostro antes juvenil; pero seguían allí los ojos, aunque faltaban pestañas y cejas pobladas. Me vino a la memoria la madrugada en que le conmutaron la pena de muerte: desde hoy, comisario, siempre que me presente a usted seré el asesino Xarradell, y yo le respondí, medio en broma, que no era necesario presumir, y él me dijo, entonces, que aquello era un título y un honor.

—Te encuentro muy bien.

—Estoy mejor desde hace seis o siete años, señor comisario.

Advertí que mi frase —además de impertinente— era una idiotez y que su respuesta me ponía en el sitio merecido y, ya un poco azarado, le pregunté si le apetecía tomar una cerveza.

—Prefiero un café con leche, señor comisario.

Me había jugado la cerveza, porque una invitación es una invitación y en La Cruz Blanca no dan café con leche. Con toda naturalidad el asesino Xarradell se dirigió al infecto bar que hay en el interior de la estación de Alonso Martínez. Lo de infecto no lo digo por menospreciar a la clientela y al pálido camarero, ni como indicio de suciedad alguna, lo digo porque el olor sigue siendo el del metro y porque desde allí se oye el triste violín y los lamentos de los falsos mendigos, pero sobre todo porque no hay luz, porque parece que estamos en la antesala de un infierno oscuro y húmedo. Sin embargo, Xarradell parecía encontrarse a gusto, seguramente porque el sol dañaba sus opacos ojos azules. Se acodó —en la barra— con toda naturalidad, pidió un cortado y yo, en plena decepción, uno solo.

—Parece que no pasan los años por usted, Xarradell —mentí cortésmente.

Inmediatamente volví a arrepentirme de mis palabras. No sabía qué decir, estaba torpe y espeso, y maldecía mil veces haber tomado el metro en Ventas y, más aún, bajarme en Alonso Martínez, por una estúpida caña de cerveza, como si no hubiera cerveza en mi barrio. Xarradell no quería nada, sólo manifestarse, aparecer como una sombra acusadora, y allí estaba yo, soplando un café, de charla con un tipo al que había mandado al garrote vil treinta años atrás. Recordé entonces su nombre completo, Santiago Xarradell Ruiz, y casi todo lo que me dijo en aquellas largas noches de insomnio provocado —en una comisaría de Málaga— cuando lo detuvimos, tratando de huir a Tánger. Xarradell era de familia de comerciantes de Reus, burgueses y catalanistas, católicos y conservadores con alguna excepción a la regla, según iba recordando yo sus crueles confidencias. Convicto y confeso, después de tres días y tres noches sin dormir, setenta y dos horas de gritos, amenazas, promesas, pactos y silencio, sin tocarle un pelo, que de eso me precio. Xarradell me tendió la mano con inesperada timidez y me preguntó si tenía inconveniente en estrechársela. Dos años después fue juzgado por un tribunal implacable, que le condenó a morir a garrote vil.

Ahora hablábamos del tiempo —cuando uno piensa una cosa y dice otra—, de lo bien que está Madrid en agosto, de París —donde vivió tantos años Xarradell—, de la Barcelona que volvió a encontrar el mar y de las vueltas que da el mundo.

La noche anterior a la ejecución —precisamente en el penal de Ocaña— fui a visitarlo y en una sala, alumbrada por una bombilla de veinte vatios, estuvimos charlando más de tres horas, bajo la vigilancia de un carcelero medio dormido. Le había llevado un regalo, que luego me avergonzó: una botella de whisky, para pasar el mal trance, y una caja de yemas de Santa

Teresa, para endulzar la espera. No me acordaba de que Xarradell era diabético y que los condenados a muerte no pueden tomar alcohol, ni recibir alimentos de fuera del penal, y así me bebí la botella de whisky —de doce años— y me zampé la caja de yemas. Observé que el condenado lucía una cintita roja y me dijo que era la Legión de Honor, que un día le concedieron los franceses por haber traducido impecablemente a Anatole France, Bourget, Collette Willy y otros, y me pidió —como si yo mandara algo— que le dejaran morir con ella puesta. Me lo dijo con lágrimas en los ojos y ahora estábamos hablando de la gente de Madrid, que antes era tan abierta y ahora es muy seca, aunque Madrid sigue teniendo su encanto, y de lo mucho que ha cambiado Barcelona después de la olimpiada.

—Yo no he ido a Barcelona después de la olimpiada —dijo Xarradell.

—Ni yo tampoco.

A Xarradell no le importaba ir al infierno, ni al cielo, lo único que le importaba era su Legión de Honor y, sobre todo, que los franceses no se enteraran del trance, que mucho les gusta degradar a la gente y recuérdese, al efecto, el caso Dreyfus. Y seguíamos hablando de intrascendencias, del AVE y de toros: en Cataluña no hay afición a los toros, quitando a Balañá, y en París, menos. Me cago en Francia y en todos los franceses, desde Juana de Arco al general De Gaulle. Era injusto y desproporcionado, pero Xarradell merecía un silencio y una condecoración que le ayudara a morir. Pensé entonces ¡viva Francia!, desde François Villon a Baudelaire.

A las cinco en punto se rompió el hechizo, porque acababa de llegar un telegrama del ministro de Justicia —puede, incluso, que fuera del jefe del Estado— donde se le comunicaba al director de la prisión el indulto del 12.367, Santiago Xarradell Ruiz. Entonces concluyó mi visita y percibí en los ojos del reo un matiz sombrío, quizá porque le daba pereza seguir viviendo. El caso es que veinte años después, veintisiete o treinta cumplidos, le pusieron en la calle.

—A partir de hoy, señor comisario, si es que volvemos a vernos, me presentaré como el asesino Xarradell, tarjeta de visita que usted se ha ganado a pulso. A sus órdenes.

Y ya no volví a verlo, hasta que me sorprendió entre las estaciones de Diego de León y Alonso Martínez. Xarradell inició entonces una excursión de cortesías afirmando que, si yo no le llego a mirar en el metro, él nunca se hubiera atrevido a presentarse, y que aprovechaba la ocasión para darme las gracias por el indulto, que atribuía a mi poderosa influencia en el Ministerio de la Gobernación. Mentira —no se lo dije—; el asesino Xarradell sabía de sobra hasta dónde llega el poder de un desgraciado comisario de policía y, si salvó el pellejo, sería por intercesión del romano pontífice, el partido comunista o monseñor Escrivá de Balaguer. Entre sorbo y sorbo de café me preguntó cómo me iba y yo le contesté que pasable —ya jubilado— y que estaba pensando en escribir mis memorias, otra mentira.

—¿Salgo yo? —me dijo con encantadora timidez.

—Xarradell, mis memorias, sin usted, estarían medio secas.

Aquello pareció llenarle de orgullo y yo me vi obligado a preguntar en qué se ocupaba:

—Sigo en lo mío, en mi gran obra, ya sabe usted, y de momento, traduciendo libros del francés y, a veces, del ruso, siempre que hayan sido traducidos previamente al francés, pero voy perdiendo vista, señor comisario; me quedo ciego sin remedio y no tengo quién me ayude.

Me dio un poco de pena y le dije que eso no tenía importancia, que con toda facilidad podría seguir dictando a cualquiera, pero ante su gesto de cansancio y la estupidez del consuelo —él era traductor y no autor— rectifiqué, añadiendo que las cataratas —no habíamos hablado de cataratas— se operaban en un plis-plas, y para gratificarle puse sobre el tapete una desgracia inventada:

—Yo me estoy quedando sordo, Xarradell: no oigo casi nada.

El asesino sonrió y, a partir de aquel momento, me hice repetir cada una de sus frases. Por último, poniéndome el reloj delante de las narices, quiso saber la hora. Las dos menos diez. Pues me va usted a tener que perdonar, señor comisario, porque tengo una cita en la ONCE. A continuación sacó una tarjeta y me la entregó, diciendo que si alguna vez lo necesitaba no dejara de llamarle, y que si no estaba en casa me sería fácil dar con él en la cafetería Dalla's, en la calle de Segovia, que preguntara por Justa Benítez, que ella le daría razón sin falta. Me alejé del asesino Xarradell y, ya fuera de sus aguas territoriales, le dije que no gastaba tarjeta de visita, y él me respondió que aquello no tenía la menor importancia, que la reina de Inglaterra tampoco gastaba tarjeta de visita y era la reina de Inglaterra. Yo —que había oído perfectamente— hice gestos de incomprensión y él —que no me veía— levantó los brazos y movió las manos, echándome cordialmente de su presencia.

Cinco semanas después —como se verá por lo que sigue— utilicé la tarjeta de Santiago Xarradell y fui a visitarle a su casa de la plaza de la Cruz Verde, no lejos de la calle Segovia. Fui nervioso, como si acudiera a una cita de amor, subí las escaleras y toqué el timbre del piso, segundo izquierda, que antes era principal.

Creo que ahora —dada la importancia que este querido asesino tiene en la historia que me ocupa— debo insistir en algo de mucho fuste: yo perseguí a Xarradell tres años y me enfrenté a él durante setenta y dos horas mondas y judiciales: cuando estaban dando las once de la mañana en el reloj de la catedral de Málaga —no recuerdo si era el reloj de la catedral o de una iglesia más particular— alzó una mano y me dijo:

—Está bien, comisario, me rindo: yo maté a Florita y a su amante el pianista Valentín *Carajo*.

—No me mientas a estas alturas, Xarradell.

—Corujo, comisario, pero siempre le llamé *Carajo* y a veces *Carajillo* y ya ve usted cómo me lo agradeció.

Le ordené que firmara el pliego y que descansara de momento, que ya hablaríamos después, y él me dijo que prefería contármelo todo, que tenía tiempo de sobra para dormir el sueño eterno y habló como si acabara de despertarse y se hubiera dado la mejor ducha de la provincia. En aquellas horas, contando las setenta y dos que marca la ley, supe más de Xarradell que de mí mismo, y me dejó una mezcla de admiración, de atontamiento general y de humildad, que todavía no lo entiendo por los siglos de los siglos. Yo le puse a Xarradell la negra corbata del *garrrote* al cuello —y le añado una erre, porque no le sobra— y se la puse por juramento profesional, pero bien pensado tenía sus razones, las que salen del corazón ofendido, de las tripas maltrechas y de las traiciones nunca asumidas. Gitano era mi abuelo *Colorao*, y si no era gitano tenía todo el derecho a serlo, y engañado, robado, burlado y escarnecido, fue el asesino Xarradell, que en setenta y dos horas me contó mil años y me los contó por su orden. De esta historia de cuerpos nunca hallados, poco pienso decir por respeto a Xarradell, que mató por amor, por venganza y por asco de seguir viviendo. Los cuerpos de los traidores viajaron en un baúl, armario —desde Pamplona a La Coruña— y hocicaron en las calderas de la fábrica de conservas Boga-Boga —Tuy (Pontevedra)— entre mejillones en escabeche, sardinas en aceite, ventresca de atún, berberechos al natural, anchoas en vinagre y pulpo a la gallega. El crimen fue un admirable ejemplo de astucia y precisión, y muchos clientes de Boga-Boga se comieron los cuerpos de Florita y el pianista Valentín Corujo, o *Carajo*, como gustaba llamarle su matador; pero a nadie le hicieron mal, porque las proteínas humanas se digieren divinamente y nada más pienso añadir, que ahora soy partidario de Xarradell y, sobre todo, le admiro en la jubilación. Y, de cuando en cuando, me viene el tango, que recuerda su triste historia, y me viene gozosamente:

> *La prueba de la infamia*
> *la traigo en la maleta,*
> *las trenzas de mi china*
> *y el corazón de él.*

La biografía de Xarradell —limpia hasta la fecha de los referidos asesinatos— fue incluso brillante. Sus padres quisieron hacer de él un hombre de carrera y así estudió Filosofía y Letras en Barcelona y aprendió la lengua francesa en París, ciudad donde residió más de veinte años. En París comenzó a traducir a Anatole France —al catalán y al castellano— a Colette Willy, Barbusse, Paul Bourget y otros escritores franceses de finales y principios de siglo. Hizo también incursiones en los clásicos y empezó su más querida obra: la versión española de *La Chanson de Roland*, partiendo de un códice de San Millán de la Cogolla

(Logroño), exhumado por el señor Dámaso Alonso en 1954, que prueba que —a mediados del siglo XI— ya se conocía un *cantar de Roldane* en España. Tradujo también las fábulas de Florián, apólogos que —en su día— fueron su perdición, y casó con Flora Panales —en 1952—, que no tuvo hijos, pero sí abortos. El dinero de las traducciones no le daba para vivir con decoro y aun trabajó de maestro de escuela, de *negro* de escritores conocidos y colaborador de casas editoriales, dedicándose especialmente a diccionarios y enciclopedias o como lector de originales. Su prodigiosa memoria le llevó al entonces sindicato vertical de teatro, circo y variedades, y así presentó su espectáculo *Las fábulas del profesor Xarradell,* con la bella Florita y el pianista Valentín Corujo, que le acompañaron hasta el antedespacho de la muerte pelona. Él mismo me contó cómo era aquel culto espectáculo, que se iniciaba con un popurrí de canciones de moda, interpretadas por el pianista Valentín Corujo, entretenimiento que daba paso a un bailecillo de la bella Florita Panales —señora de Xarradell—, que llevaba un vestido negro, pierna al aire, directamente inspirado en la película *Gilda,* que en cierto momento perdía la falda y parte del corpiño, según pintara la censura del lugar. Después —ayudado por la bella Florita y acompañado por el pianista Corujo— Xarradell presentaba su insólito número: las fábulas de Florián, de La Fontaine, de Samaniego o Iriarte, a elegir. Pasaba los libros al público —mientras Florita se contoneaba por la pista o escenario— y algún espectador iniciaba la lectura, que el profesor Xarradell continuaba de memoria, un prodigio, algo nunca visto. Lo malo es que, mientras Santiago Xarradell se concentraba, el pianista Corujo y la bella Florita se comían con los ojos, hasta que sucedió la desgracia, apasionada y culta desgracia.

En aquella mi primera visita, frente a una taza de té frío con limón y hojas de menta, empecé a hablar, pensando que habíamos cambiado —con reservas, claro— los papeles de antaño. Santiago Xarradell me escuchaba un poco sorprendido y tan incómodo como yo:

—Como todas las semanas fui a visitar la tumba de mi pobre Margarita, que murió de cáncer en 1985. Margarita está enterrada en la Sacramental de San Isidro, en el lujoso panteón de sus padres —mis suegros— donde yo no quiero que me metan de ninguna forma, ni sentado, ni de pie, ni acostado, y así está escrito en mi testamento y mando que me quemen, como a una bruja, y que hagan desaparecer mis cenizas, porque esto de las cenizas es un engorro para los deudos y yo no quiero que las aventen en Aranda de Duero ni las echen a las aguas del Mediterráneo, y mucho menos que las guarden en una consola de la salita. Usted sabe que yo estaba adscrito a la Brigada de Homicidios y ahora le digo que me jubilé en 1989 y creo recordar que entonces era presidente del gobierno don Felipe González y alcalde de Madrid don Juan Barranco.

El asesino Xarradell me miró con sus estancados ojos azules y yo dejé de hablar durante unos instantes, pensando que me había metido en un gran charco: si continuaba por aquel camino —que yo había elegido libremente— tendría que hacer confidencias a Santiago Xarradell, cosa que no me gustaba en absoluto. Puede que bastaran confidencias a medias e incluso sería más útil simplificar y dejar la historia en su puro esqueleto, pero el caso es que, ya en la feria, me gusta adornarme y, aún más, oírme hablar antes de que todo se cierre y me oscurezcan las tinieblas. El asesino, que es un hombre agudísimo, me propuso, entonces, que usara una grabadora y yo le dije que no quería dejar huellas en el aire, ni muchísimo menos en los papeles, que ya estaba harto de folios y de informes, que lo confiaba a su excepcional memoria y, sobre todo, a su buen criterio.

—Pero yo no soy el de antes, comisario.

—¿Le queda algún libro de fábulas por ahí?

Xarradell me miró con expresión divertida y, si no fuera por las circunstancias particulares, me atrevería a decir expresión cómplice. Luego se levantó y sin dudar, ni errar el camino —moviendo la cabeza con falso disgusto— fue hacia uno de sus estantes de bien selectos libros y se trajo un volumen: eran las conocidas fábulas de Florián, traducción del mismo Santiago Xarradell, Barcelona 1951, que yo abrí al azar, como el público de años atrás: fábula XXXI. El asesino se concentró unos segundos y luego comenzó a recitar en voz baja y un poco emocionada:

— Título: *El zorro disfrazado. Un zorro de gran seso y mucha astucia/ en cierta corte de un león servía / y aunque desempeñó por largos años/ empresas a su celo cometidas...*

—¡Empiece usted por el verso noveno de la fábula XVIII! —le interrumpí.

Xarradell me miró, dijo que valía y comenzó a mover los labios y a contar —en catalán— con los dedos. Al llegar al *nou*, me sonrió:

—*¡Señor milano, ojalá!/ Dijo el pichón con vehemencia./ ¡Cómo! replica indignado/ el milano: ¿esta verdad/ el sacrilegio ha dudado?*

Poco a poco me fui perdiendo en la fábula. Yo conocía muy bien aquellos ojos, donde no había miedo, ni rencor, ni orgullo; los ojos que empezaron a sonreír —recitando— como si un duende hubiera abierto una ventana al paisaje: era todo un espectáculo y comprendí entonces por qué aquel hombre no se había vuelto loco o imbécil en la cárcel y por qué salió, después de veinte años —iba buscando la palabra— con tan encantadora pureza.

—*Cuántos, como este milano, / disfrazaron su intención/ con traje de religión.*

Eran los versos de Florián, uno a uno, que yo terminé leyendo:

—*¡Oh, cuántos papagayos como éste/ conozco yo! Pero callar elijo.*

Xarradell me miró con malicia y manifestó que había un pequeño error, porque así terminaba la fábula XXV, cuyo título era *El Papagayo,* pero no la XVIII, y yo cerré el libro, diciendo: ¿Para qué necesitamos una grabadora?

III

El tesoro escondido

(Testimonio del notario González Chamorro)

A don Otto le gustaba mucho hablar de la muerte, de los bandidos, de los guerrilleros —que entonces se llamaban maquis—, de las doncellas casquivanas, de los alpinistas románticos e incluso de los fantasmas, pero sobre todo le gustaba hablar de los montes Carpetanos, que se extienden desde el Cerro de Cabeza Bermeja, en Toledo, hasta el Pico del Grado, en la unión de las provincias de Guadalajara, Segovia y Soria, hoy comunidades de Castilla-La Mancha y Castilla y León; es decir —aquí a don Otto se le llenaba la boca de almíbar serrano—, el Guadarrama, lo que nosotros llamamos la sierra, porque sólo hay una en el mundo, que ni Alpes, ni Cárpatos, ni Urales, la pueden igualar. ¡Ni siquiera los Andes, ni el Himalaya y así lo afirmo, porque yo he subido al temible Aconcagua y a la montaña más dañina del mundo, el K-2, y a la más alta, la que los ingleses bautizaron como Monte Everest! Don Otto, que era aficionadísimo a golpearse con un dedo en el pecho y a decir yo de continuo, se reía a carcajadas y nosotros nos dábamos codazos, porque en 1945 todavía faltaban siete años para que Sir John Hunt y el *sherpa* Tensing alcanzaran el Techo del Mundo. ¡No os deis codazos, ignorantes! ¡Yo mismo, Otto Schultz, natural de

Oldenbürg (Alemania), subí al Techo del Mundo con los desventurados, Irvine y Mallory, en 1924, sin ayuda de oxígeno, ni zarandajas! ¿Y sabéis lo que contestó Mallory cuando le preguntaron por qué razón quería llegar a la cumbre del Everest? ¡Porque está ahí! ¡Ésas y no otras fueron las palabras de aquel inglés singular!

Don Otto cuidaba el idioma castellano, que había aprendido al través —y así lo dijo siempre— de sus lecturas y de las enseñanzas de los maestros, y podía citar de memoria a Unamuno, a Miró, Azorín, Ayala y Baroja, regodeándose en el don de lenguas, privilegio de su misteriosa estirpe que siempre disimuló, más por cobardía y miedo atrasado que por propaganda y eficacia real.

Don Otto, que fue íntimo amigo del famoso alpinista y actor alemán Luis Trenker e incluso, según él mismo se encargaba de propalar, amante secreto de Leni Riefenstahl, tenía una papelería ilustrada en Segovia y un Adler destartalado con el que subía a la sierra todos los fines de semana. Según decían los maliciosos, nunca le faltaba gasolina, porque era agente nazi y protegido de Franco; aunque otros malintencionados decían, a su vez, que no se llamaba Otto Schultz, sino Samuel Bergman, judío y escapado de Alemania, agente inglés y protegido de Mr. Eden.

Era un viejo muy alto, enjuto, de piel rosa y delicada y completamente calvo a la manera del actor Von Stroheim. Despreciaba el esquí alpino y era partidario de la especialidad de fondo y todos los domingos del año, mientras hubiera nieve, hacía una marcha de veinte kilómetros y en cuanto desaparecía la nieve se dedicaba a subir, en solitario, a las cumbres del Guadarrama, una y otra vez y así un año tras otro, hasta su muerte. Adoraba España, pero sobre todo Castilla y hablaba con meticulosa precisión germana y divertido acento que jamás le abandonó. Al llegar al punto de referencia y con verdadera emoción recitaba:

> *Cerca de Tablada*
> *la sierra pasada*
> *falle me con Aldara*
> *a la madrugada.*

Ni Schiller, ni Goethe, ni ninguno de los grandes poetas germanos, se pueden comparar con el Arcipreste de Hita, ni muchísimo menos con Quevedo el grande, al que no merecéis, ni vosotros, ni vuestros padres. Y ahuecaba la voz. Entonces pensábamos que, efectivamente, don Otto era judío, porque aquellas palabras no podían salir de boca de ario y muchísimo menos de nazi. Y luego, en los anocheceres de buen humor, mientras se bebía un vaso de vino tinto de Valdepeñas —su única debilidad conocida—, se recreaba al recordar los nombres de los arrogantes picos carpetanos, que parecían de su familia: Peñalara, Mujer Muerta, Montón de Trigo, la Peñota, Cabezas de Hierro, Maliciosa, Siete Picos y el Yelmo. También nos hablaba de George Borrow, *don Jorgito el inglés,* autor de *La Biblia en España*, que casi se sabía de memoria don Otto, quien gritaba a veces: ¡Abajo los frailes! ¡Abajo la superstición! ¡Viva Inglaterra! ¡Viva el Evangelio! Y luego se recreaba describiendo su sierra querida de la mano de *don Jorgito*: la sierra, y os hablo de 1840, no era como ésta, aquéllas eran montañas de verdad con bosques impenetrables, fieras variadas, lobos, zorros, águilas imperiales y osos de gran tamaño. *Don Jorgito* subió desde Segovia por el puerto que llaman de Peña Cerrada, a tres leguas del Guadarrama, y estaban los caminos infestados de ladrones, los montes cubiertos de árboles milenarios y de lejos se veían llamaradas, que nacían de inmensas hogueras: son los carboneros, decía *don Jorgito el inglés,* y han asesinado y robado a muchos viajeros en estas horribles soledades. Hace un siglo de todo aquello y así era la sierra del Guadarrama, donde según *don Jorgito el inglés,* llegaban los jabalíes hasta el pueblo de La Granja y dejaban las huellas de sus colmillos en las columnas de los soportales de la plaza mayor. Entonces siempre hacía una pausa dramática y el muy bellaco nos miraba con disimulo, esperando que alguien le pidiera la historia del «Cancho de los muertos», su mayor éxito. Y, claro, alguien se la pedía: yo mismo.

Él había leído el relato en un libro titulado *La Pedriza del Real de Manzanares* —del señor don Constantino Bernaldo de Quirós—, pero lo contaba como si un aldeano o pastor de aquella sierra le hubiera confiado el terrible suceso. Debió de hacer lo mismo el señor Bernaldo de Quirós y otros escritores que afirmaron haber escuchado el cuento a los que por allí andaban monteando, y yo, después, también lo dije, porque la historia viene de lejos y bien me la pudo contar el bisnieto de uno de aquellos pastores. Siempre empezaba igual don Otto: en la Pedriza quedan aún huellas de sus antiguos amos, los señores bandidos, y la garganta, a la orilla izquierda del río, clavada tiene tres cruces en memoria de los hermanos Ganga, asesinados por los bandidos. Ya sabéis que Peñalara —o Peña del Ara— es la montaña más alta de todo el Guadarrama, nada menos que 2.430 metros. Esta cumbre se levanta muy cerca de aquí, en la bifurcación orogénica del Puerto de los Cotos con Cabezas de Hierro y el hermosísimo valle del Lozoya. Es cierto que carece de formas raras o curiosas, pero es la montaña, por así decirlo, la «Diosa Madre del Mundo» de la sierra del Guadarrama, y no os riáis, que yo he subido al Kilimanjaro y sé lo que me digo. Las laderas de Peñalara son suaves y atractivas, pero muy peligrosas cuando salta la ventisca y se cierra la niebla y allí, incluso en los días más cálidos de agosto, siempre hay nieve —lo que se llama nieves eternas— en los circos morrénicos, en los glaciares y, sobre todo, en la cumbre, que muchos de vosotros habéis conquistado. Grandes peligros tienen los barrancos, las quebradas, los riscos y los abismos y entre los piornos y los canchales siempre se escondieron bandoleros y rufianes y aun ahora —que yo los he visto— hay partisanos comunistas que a veces se enfrentan a la guardia civil. Aquello era cierto, o al menos se decía entonces, y más de una vez hemos salido de excursión con la esperanza de encontrar a los fantásticos partisanos, que sobre todo mi amigo Gaspar Arenales buscaba con verdadero afán. Os estoy hablando del más audaz de todos los bandidos, de Luciano *El Bizco*, jefe de los peseteros, hombre sanguinario y terrible, que no era bizco sino apuesto y buen mozo, aunque de origen humilde. Este *Bizco* robó en Segovia a una bellísima señorita de nombre Fuencisla Ruiz, que prendada de los encantos del bandolero —dos noches después del suceso— cayó en sus brazos sin ningún remordimiento ni problema de conciencia. Los salteadores tenían la guarida donde ahora está, más o menos, el refugio Zabala, y con el buen tiempo se solían ausentar por motivos de trabajo o profesión. Aquella noche *El Bizco* tuvo que bajar

38

a La Granja y encomendó a sus lugartenientes —los hermanos *Zapirón* y *Miraflores*— el cuidado de la señorita Fuencisla Ruiz. Al llegar a este punto don Otto sonreía con malicia y nosotros rebullíamos inquietos, porque ya venía la parte verde. Los dos bandidos no eran ajenos a los encantos de la dama, que superaba en mucho las bellezas aldeanas, más ordinarias y toscas, a las que estaban hechos los forajidos. Los hermanos *Zapirón* y *Miraflores* sortearon turno de bellaquería y ganó *Zapirón*, el primero en mancillar la honra de la amante del capitán, y luego *Miraflores*, que haría lo propio, y así lo intentó *Zapirón*, pero la dama era recia y decidida, se defendió como una tigresa y pidió ayuda. *Miraflores*, celoso de su hermano y arrepentido quizá o asustado por las consecuencias del innoble acuerdo, tomó partido por la señorita y entonces aparecieron las facas. *Miraflores* degolló a *Zapirón*. Cuando regresó la banda, Luciano *El Bizco* se enteró de los hechos y dictó sentencia: el muerto, bien muerto estaba y *Miraflores*, condenado a llevarlo al risco de Claveles y allí, por orden de Luciano y en presencia de la dama ofendida, fue arrojado al vacío el cadáver del traidor. Entonces dijo *El Bizco* que lo sabía todo por labios de su amante: la justicia al muerto hecha está, pero aún resta el desleal, que intentó quedarse con aquello que se le confió. ¿Qué pena merece *el Miraflores*? ¡La muerte! ¡Sea! Y fue hasta el judas, que temblaba de miedo al borde del barranco, y sonriendo le aplicó sólo un dedo al pecho y aquel levísimo empujón bastó para que *Miraflores* perdiera pie. Aquí don Otto siempre hacía una pausa dramática y nosotros, como si no conociéramos el cuento, aguantábamos la respiración hasta que recobraba la palabra... ¡Perdiera pie y cayera al fondo del barranco! Otra pausa. Pero en su trágica caída *Miraflores* tuvo tiempo de agarrar al *Bizco* de la muñeca y así los dos, rebotando contra las rocas, fueron a unirse a *Zapirón*. Después de estos espantosos sucesos se dispersó la partida, no sin antes abandonar a su suerte —en el puerto del Reventón por más señas— a la señorita Fuencisla Ruiz, causante de la malaventura. Al llegar a este punto las chicas protestaban: ¿Por qué siempre son culpables las mujeres? ¿Qué había hecho Fuencisla Ruiz? Ella estaba en casa de sus padres y la raptaron los bandidos. Su única culpa fue enamorarse de *El Bizco*. ¡Las mujeres son culpables de los devaneos de los hombres y de los desastres acaecidos con posterioridad! Nuevas protestas y gritos, incluso voces ordinarias y alteradas. Si queréis lo dejamos aquí mismo, que ya va siendo hora de dormir y éste es un club deportivo. Pero como aún faltaba lo mejor, las protestas callaban y la expectación crecía: siempre igual un año tras otro, hasta que cumplimos diecinueve. La dama *andó* desorientada —aquella era la única falta en el pulcro lenguaje de don Otto— hasta que el pastor *Tamaño* dio con ella casi en las tapias de los jardines de La Granja. Entonces Fuencisla Ruiz, medio desnuda y aterida de frío, le contó sus penas, y *Tamaño* abandonó cabras, perros y ovejas y la llevó a Segovia. Dicen que, entre los pinares de Valsaín y la ciudad de Segovia, *Tamaño* y Fuencisla Ruiz afilaron los cuernos de los difuntos bandidos. Don Otto aquí —para jugar con el atento público— se tomaba un respiro erudito y, sabiendo que el interés iba por otros caminos, se recreaba en la suerte y, estirándose las mangas del jersey, decía con voz de conferenciante: «Val Suaín es muy rreal monte de osso e de puerco en verano e a las vezes en yuierno». Val Suaín, valle de las sabinas —siempre con uve— que mucho abundaban en la provincia de Segovia por la parte de Pedraza, de Arcones y de Prádena. Ya sabéis, puerto del Paular o de los Cotos y aquí estamos, primera fuente del Eresma, valle del Lozoya, hacia el monasterio del siglo XVI, que conocéis bien. Y entonces protestábamos nosotros: ¡XIV! ¡XIV! Y don Otto se echaba a reír, para continuar luego: ¡XIV! ¡En aquel valle los amantes cumplieron su destino y pagaron sus culpas! No tenía más remedio que coger al toro por los cuernos, porque ya alguno comenzaba a bostezar. ¡Los padres de la dama ofendida, por llamarlos de algún modo... ¿Recordáis, ignorantes? ¡Los padres de la señorita Fuencisla Ruiz fueron felices al recuperarla e intentaron quedarse con *Tamaño,* ofreciéndole casa y alimento de por vida; pero *Tamaño* —que ya conocía a la señorita Fuencisla— rechazó honores y premios y volvió junto a sus cabras en los canchales de Peñalara, entre piornos y jaras, como toda la vida hizo. Años después, en el puerto del Reventón, el pastor *Tamaño* fue muerto a pedradas por el cabrero *Mierdecita,* que también era guapo y apuesto, y se ignora por qué razón Fuencisla Ruiz no se metió monja, como era costumbre entre las de su clase. Al llegar a este punto del relato siempre se reían las chicas, y a la más hermosa —Paulita o Emilia— le guiñaba un ojo don Otto. Sin embargo —tronaba la voz del anciano alpinista, que aún guardaba el último cartucho en la recámara— hay quien asegura, y yo estoy en lo mismo, que la hermosa Fuencisla Ruiz también murió despeñada en el risco de Claveles o quizá en el puerto del Reventón, y su esqueleto o su fantasma pasea errante por cotas, cumbres y neveros, causando el horror y el espanto de todos aquellos que tienen la mala fortuna de verlo; pero también hay quien dice que un pastor, más arrojado que sus compañeros y de nombre *Gurriato*, encontró la túnica que llevaba el esqueleto y entre sus dobladillos escondidos, cien monedas de oro, que están enterradas en un lugar recóndito, entre Matalpino, la Peña del Mediodía, el collado de Val de Halcones, el Boalo, Robledillo, Matachivas, Cabeza del Guijar, Cueva Valiente, la Morcuera, Rascafría, las Guarramillas o Maliciosa. Al llegar a este punto solíamos protestar, porque don Otto nos estaba tomando el pelo, mezclando tan variados lugares, o quizá nos quería decir, simplemente, que el tesoro estaba enterrado en algún punto de los montes Carpetanos.

Lo chocante es que aquellos cuentos, que se apropiaba don Otto Schulz, podían ser ciertos —incluso en la zona fantasmal— y que su descripción del Guadarrama, que hoy nos parece tan exagerada, no era entonces ningún disparate. Yo he oído contar que, a principios de siglo y muchos años después, había lobos, zorros, nutrias, linces y ardillas en los pinares de Valsaín, y ricas truchas y cangrejos —de los auténticos— en los ríos y riachuelos de la sierra, y desde luego nieves perpetuas, como decía don Otto, en las laderas y en los ventisqueros del norte. Hoy, en la cumbre de Peñalara, en vez de nieve hay plásticos, botellas de coca-cola, botes de cerveza, y se encuentran condones y jeringuillas entre las jaras. Por fortuna don Otto no pudo asistir a la decadencia de su querida sierra, porque murió despeñado —a la edad de setenta y nueve años— en el collado de la Ventana.

En las vacaciones de Semana Santa, en Navidad y a fin de curso, al borde del verano, íbamos al puerto de los Cotos lo que Ricardo Alonso —que era medio memo— llamaba la pandilla, palabra que siempre me ha ofendido. La *bande*, como dicen los franceses y aún es peor, llegó a este mundo de la mano de los Alonso: Paulita, Celinda y el citado Ricardo. Paulita, a los catorce años, era un bombón de chocolate, y Celinda, mucho más gordita, un silencioso ejemplar, un peligro oculto. Las dos hermanas iban a un colegio de monjas que estaba en la calle Goya y a la salida acudíamos algunos chicos de la academia Arzanegui y otros del Ramiro de Maeztu, el Pilar o el Calasancio. Casi todos al rico olor de Paulita, que coqueteaba con instintivo y perverso talento. Las niñas llevaban uniforme azul y se hacían las estrechas, aunque, según Gaspar Arenales, estaban deseando darse el morro con todos. A mí, aquellos encuentros, me traían al fresco, entre otras cosas porque no me interesaban las chicas y además Paulita ni siquiera me veía; pero cumpliendo una triste obligación iba todas las tardes —para acompañar a mi amigo Gaspar Arenales, que necesitaba alguien que le riera las gracias—. Lo malo es que del acecho, a la salida del colegio, pasamos a citas consentidas. Muchos domingos, a las doce en punto, nos encontrábamos en el paseo de Rosales y nos poníamos a dar vueltas, como si fuéramos de pueblo, hasta que a las dos nos marcábamos una triste caña —con su correspondiente tapa— y a casa. Claro que había que ver a Paulita en el paseo de Rosales, sobre todo con buen tiempo. Llevaba una falda de cuadros por encima de la rodilla —que era una rareza entonces—, medias blancas y un jersey ceñido, casi siempre de color rojo. Debajo del jersey le estallaban dos tetas que eran algo extraordinario, y, como es lógico, ella lo sabía. Las tetas de Paulita —de las que acabó apoderándose mi amigo Gaspar— se hicieron famosas en el paseo de Rosales y confirmaron la justeza del refranero castellano: «tiran más dos tetas que dos carretas».

Las mujeres, además de tetas, tenían cuernos de demonio, porque encarnaban la tentación y la caída en los insondables abismos del averno, y el sexo era pecado y motivo de censura en el cine y en todas partes. Sin embargo, a mí no me daba miedo el infierno, lo veía muy lejos, y tampoco tenía prejuicios religiosos, porque en mi casa —exceptuando a los abuelos— fuimos tibios de conciencia. No me picaban los ardores de la pubertad y, en todo caso, los toreaba mirando artistas de cine, en traje de baño, o escuchando las inocentes obscenidades de mis compañeros de la academia Arzanegui. Salvo una o dos veces —memorables, desde luego—, nunca me dio por lo que los curas llamaban placeres solitarios y malsanos —que incluso podían llevar a la muerte— ni por escaparme en imaginativos viajes eróticos, ni mucho menos por ir de putas, ya que la indiferencia me inflaba el ánimo a dos bandas. Así estaban las cosas por el paseo de Rosales y yo, sin saberlo, olfateando cómo se me venía el sexo, quizá representado por el misterioso cuerpo de Paulita. Si quiero ser honesto, a la indiferencia, que al fin y al cabo es pluma con la que me adorno, debo añadir, por sinceridad conmigo mismo, que las mujeres siempre y desde chico me produjeron verdadero terror, terror que fue aumentando con los años y que, como era de esperar, arruinó mi matrimonio nunca disuelto. De todas las mujeres que he tenido, de todas, que no fueron muchas y sin contar a mi madre, sólo se salva una, la que más peligro tiene, la que me nombró notario y me hizo un hombre. Y también me daba miedo.

Tal día como hoy se les ocurrió a los hermanos Alonso dar un guateque en su casa, que estaba en la calle Ferraz, y allí conocí a Cándido Olmedilla, a la rubia Emilia Dalmau —casi tan buena como Paulita—, a Julia Soriano, a Ramón Ceballos y a los Merino (Modesto y Juan). Estos nombres, que parecen vulgares, eran los que se manejaban entonces, y a nadie se le ocurría poner a sus hijos Jonás, Vanessa, Noemí, Soraya, Ingrid, Jonatan o Miriam.

El piso de los señores Alonso producía espanto, con sus mil espejos por las paredes, las tapicerías en burdeos, marrones o verdes, los retratos del señor y de la señora —ella con mantilla negra y él de uniforme desconocido—, la Sagrada Cena, de plata de ley, y la mesa de caoba barnizada a muñequilla. En todos los guateques —que es palabra en desuso— se bebía *cup,* o sea, vino blanco con gaseosa, un poco de vermú rojo (optativo), algunas gotas de traidora ginebra, azúcar y frutas cortadas en pedacitos y se bailaba con la música de la orquesta Mantovani, Bonet de Sampedro y los Siete de Palma, Bernard Hilda, Antonio Machín, Xavier Cugat, Charles Trenet y en esta ocasión con discos que trajo Emilia Dalmau, uno de ellos *Bésame mucho* —que estaba prohibido— y otros de Glenn Miller, *Serenata a la luz de la luna*, *Chatanoga*, *La jarrita marrón* y *Adiós*. En los años cuarenta y hasta mucho después, los guateques se organizaban para que los sedientos jóvenes de aquella España pudieran estimularse casi en secreto y por eso poníamos música propicia y lenta.

No había forma de acercarse a Paulita, ni a Emilia Dalmau, que por buena y novedad no daba abasto, y aunque mi intención era mantenerme en un discreto segundo plano, al observar que Celinda estaba olvidada en un rincón, me fui a ella con ánimo de entretenerla y de comerme una medianoche, no de bailar. Celinda lo tomó por otro lado y haciendo un dengue abrió los brazos, y yo me la encontré en medio del camino: era cosa lenta y pastosa —*La mer*, de Charles Trenet— y me resigné, sin poner mal gesto, pero ante mi sorpresa Celinda me estrujó, como si quisiera traspasarme. Yo sentía su pecho acelerado de una forma nueva y sus muslos entre mis piernas, que no sé como nos podíamos entender, claro que aquello no era baile, era moverse despacio. Celinda empezó a canturrear *bésame, bésame mucho, como si fuera esta noche la última vez*. Cantaba más para ella que para mí, y a través de sus manos —al través, hubiera dicho don Otto— me venía su calor, hasta encenderme la cara, que seguramente estaba roja, como la suya, porque al rozarnos las mejillas me subía toda la sangre y me daba vergüenza. *Quiero sentirte en mis brazos, tenerte muy cerca, verte junto a mí.* Entonces noté que algo inesperado me crecía, de forma brava e imparable, igual que por las noches cuando estaba solo y angustiado en la cama y me sorprendían las humedades. Aquella sensación me dejó confuso y quise apartarme, pero Celinda, sin hablar, decía que no y que no, y allí estaba su cuerpo junto al mío que, al compás de la música, se rozaba muy despacio. Toda una novedad. Cerré los ojos y me dejé llevar por lo presentido: por el sexo que nacía aquella tarde de junio en el barrio de Argüelles. *Piensa que tal vez mañana tú estarás muy lejos, muy lejos de aquí.* El sol se había puesto y el salón de los señores Alonso —medio rojizo ya— se iba oscureciendo tipo Velázquez. Incluso cerré los ojos, ya no me importaba nada, ni tampoco a Celinda, que me acariciaba el cuello, como sin darse cuenta. Un escalofrío y *bésame, bésame mucho, que tengo miedo, mi vida...*

Entonces se encendió la luz eléctrica: la señora de Alonso estaba en la puerta, sonriendo un poco tensa. Creí que había un apagón, chicos. Olmedilla se lanzó a besarle la mano y yo me puse detrás de una butaca, más muerto que vivo. La madre de los Alonso —que era alta, rubia y tenía muy buen cuerpo— probó la copa de Celinda, se pasó la lengua por los labios y quiso saber si el *cup* tenía ginebra. Nada de ginebra, ni una gota, mamá: vino y mucha gaseosa, mamá. La señora cambió de tema y se puso a buscar un disco, preguntando si teníamos pasodobles. El pelota de Olmedilla le tendió, sonriendo como un coyote, *Islas Canarias*. La madre de los Alonso puso *Islas Canarias* y me sacó a bailar y por poco me muero del susto. A trompicones recorrimos el salón un par de veces y luego —dando una frívola carrerita— fue hacia la puerta, se volvió y medio en broma, medio en serio, nos dijo:

—Chicos... No se os ocurra fumar, ni apagar la luz, que Dios y yo lo vemos todo.

Y se fue, dejando el ambiente helado, como si la bruja de los ventisqueros volara por la calle de Ferraz.

Cuando don Otto se fue a la cama quedamos un tanto sobrecogidos, pero con cierta excitación, difícil de archivar, que disimulaban algunas sonrisas suficientes: la verdad es que don Otto era un maestro que sabía retirarse a tiempo. Allí estábamos Gaspar Arenales y yo con los hermanos Alonso —Paulita, Celinda y Ricardo—, Cándido Olmedilla, Emilia Dalmau, Julia Soriano, Ramón Ceballos y Juan y Modesto Merino. La pandilla, según el cursi de Ricardo Alonso; la *bande*, en versión francesa. Cuatro y seis, que no hacían pareja a las claras, porque sobraban dos chicos. Más adelante supe que no sobraba nadie y que estas cosas no son tan sencillas como parece. Como era pronto para irse a la cama, Emilia Dalmau propuso que jugáramos a *frío, frío*, un viejo juego que tenía cierto componente erótico, como las prendas o incluso el zurriago, el parchís o la oca. Se hicieron papelitos con los nombres de todos, se doblaron y Emilia Dalmau

—que era la *madre*— los escondió en su regazo, tapándolos con un jersey. Yo era el encargado de sacar uno y llevé la mano al lugar justo —me atrevo a decir que candorosamente— mientras alguien se hacía cargo de un viejo aparato de radio, que había en Cotos y estaba conectado con Radio Madrid, desde donde Eduardo Ruiz de Velasco retransmitía música moderna en *Casino fin de semana*. Noté el calor que desprendían los muslos de Emilia Dalmau, mientras sus ojos verdes —llenos de reflejos luminosos— me miraban burlones. Extendí la mano y sin querer abarqué una de aquellas piezas únicas y suaves. No me atrevía a moverme y ella —las chicas fueron siempre mayores y más sabias que los chicos de su edad— parecía divertirse conmigo e incluso se movió un poco, y luego se hizo atrás, buscando la manera de alargar la ceremonia inicial, preguntando o proponiendo modificaciones al juego, mientras con la mano izquierda —sin que nadie lo viera— se levantaba la falda. De aquella forma di con el muslo desnudo de Emilia Dalmau —que me seguía mirando con sus reflejos verdes— y allí dejé la mano, aterrada, hasta que muy despacio la fui moviendo. Emilia cerró las piernas y yo pensé: qué putas son las chicas. Luego —mucho tiempo después— pensé también que no sirve de nada la censura, ni las prohibiciones, y que a los quince años terminan siendo iguales tanto los sometidos a una dictadura hipócrita, como los que se pueden besar en el metro. Lugares comunes, perogrulladas, pero así es la vida. Yo, que nunca fui un ejemplar marcado por el sexo, debo gran parte de mi experiencia a las chicas de la *bande*, sobre todo a Emilia y a Celinda, con las que, ni entonces ni después, me acosté, porque aquéllas eran palabras mayores.

Por fin tenía entre las manos el papelito doblado, que luego me guardé como si fuera la llave del cofre del pirata: estaba escrito mi nombre. Abandoné el cuarto, mientras mis compañeros decidían qué acción me encomendaban. Aquel juego del *frío, frío, caliente, caliente*, tenía una variedad: en lugar de decir las palabras mágicas alguien manejaba la música —subiéndola y bajándola— para orientar al que se quedaba. Salí al vestíbulo y cerré la puerta. Brillaba la luna y la busqué: estaba muy baja, redonda como un queso de luz, iluminando los montes del Guadarrama. Me acordé entonces del lobo humano y escuché, pero no se oían aullidos espantosos, sino el grito de un mochuelo. Nada se movía, luego el silencio fue total y desechando la encantadora presencia del lobo humano, pensé en el fantasma de la señorita Fuencisla Ruiz, que me daba mucho más miedo.

Emilia Dalmau manejaba la radio. Yo —que sabía ciertos trucos— extendí la mano hacía los Merino y la música de Antonio Machín —*espérame en el cielo, cariñito adorado*— dejó de sonar. Frío, frío. Señalé al grupo donde estaba Celinda. Las estrellitas de Emilia brillaban más que nunca. Me dirigí a Celinda y la música iba subiendo. Caliente, caliente. Ya sé lo que me mandan estos miserables: tengo que darle un beso público a Celinda. Caliente, caliente. Con mis labios rocé su mejilla. Todos rieron y la música dejó de sonar. Yo me desconcerté. Frío, frío. Después miré hacía Gaspar Arenales y Paulita Alonso, que estaban juntos, y el bolero volvió a sonar indicándome el camino. Otra vez la maldad de las chicas: coloqué mis manos sobre los hombros de Paulita y Antonio Machín se calló la boca. Estaba claro: Gaspar Arenales era el protagonista y le tenía que dar un beso, qué funesta idea. Prefiero perder. De todas formas quise comprobar la peligrosa situación y le tendí la mano; Gaspar me la estrechó y la música dejó de oírse. Frío, frío. Menos mal. Sobre la mesa había un cuchillo de postre, un libro y unas gafas. Señalé el libro —el bolero sonaba imperceptiblemente—, luego las gafas, sin novedad, y el cuchillo: la música ascendió de tono, miré a Emilia, que apenas podía contener la risa, y tendí la mano hacia el cuchillo de postre... *si no fuera pecado segaría mi vida...* ¡Caliente, caliente! Ya está: tenía que matar a mi mejor amigo de una puñalada y no me disgustó el pensamiento: con gesto trágico alcé el cuchillo y se lo clavé en el corazón. Gaspar se llevó la mano al pecho y cayó muerto, de espaldas, como en el teatro. Risas y aplausos y *espérame en el cielo* a todo trapo. No me dio tiempo de gozar mi triunfo porque, como solía ocurrir en estos casos, apareció don Otto en pijama de franela:

—¡Esto es un club deportivo, no un cabaret! —siempre empezaba igual su número—. ¡Los socios tenemos derecho a dormir y se callan ustedes —ahora nos llamaba de usted— o lo pongo en conocimiento de la junta directiva!

La tradicional bronca de don Otto Schultz solía echar el telón en el chalé Cotos.

Las habitaciones tenían tres camas de hierro, estrechas y de colchón de borra, un armario rústico —de madera pobre— dos sillas y un lavabo, y estaban en el piso de arriba, en el pasillo, cerca de los dos cuartos de baño, provistos de ducha, pero nunca de agua caliente. Por la ventana entraba la luz de la luna y por las rendijas se colaba el viento, silbando ligeramente, porque aunque estábamos en junio hacía frío. Yo no podía dormir y tampoco me atrevía a dar vueltas en la cama, para no despertar a Ceballos y a Gaspar, que respiraban —al menos uno de ellos— acompasadamente. Me estaba desvelando, como si fuera viejo, e intentaba recordar la suavidad de la piel de Emilia y me llevaba a la nariz los dedos que la tocaron y que yo tuve la precaución de no lavar; era un juego peligroso, porque de ahí a pasar la noche en vela había un suspiro. Y Celinda me miraba inquieta y mosqueada: por primera vez en mi vida me sentía como un seductor, un seductor de película americana, de los que llevan fraque, chistera y corbata de lazo. Entonces Gaspar Arenales, en voz muy baja, me preguntó si estaba dormido y yo le dije que no.

—¿Qué te parece si vamos mañana a Peñalara?

—Bueno.

—Vamos a Peñalara y enterramos un tesoro.

—¿Qué tesoro?

—Eso ya se verá.

Seguíamos siendo pequeños: un tesoro en Peñalara y los muslos de Emilia Dalmau; cuántas emociones y qué diferencia —me refiero a Gaspar Arenales— que ahora me pedía opinión y rara vez me llamaba *Pitito caca seca*. Cerré los ojos y —como en las películas— volví atrás. Yo quería dormir y no acordarme de aquel Gaspar Arenales que me torturaba sin motivo. Fin de curso, tres asignaturas suspensas, verano en Madrid, Madrid de posguerra y ya de nuevos ricos. Me parecía enorme la piscina *Victoria*, donde entrábamos gratis porque el padre de Arenales era vicepresidente de la nueva Federación Castellana de Natación. La piscina estaba construida en forma de ele y tenía el agua muy azul, aunque sabía mucho a cloro y yo sé lo que digo porque tragué litros y litros. Al principio no había mucha gente, casi todos eran chicos que se hacían los fuertes y se metían poco en el agua y chicas que se daban mucha crema, miraban de reojo y ésas sí que no entraban en el agua ni por casualidad. Las chicas iban en grupos o de tres en tres, como si trataran de protegerse, y también había putas, según mi amigo Arenales, que las conocía de memoria y se acercaba a mí, para decirme al oído: mira ésa es puta y cuesta veinte duros, si tienes veinte duros te la puedes tirar. No sé si era verdad, pero por lo menos aquéllas eran las que más llamaban la atención. A eso de la una o la una y media llegaban algunos señores mayores con tripita y bigote fino, que estaban muy morenos y paseaban por donde las chicas y decían cosas entre dientes o se acercaban a las otras ante la mirada ávida de Gaspar, que me daba codazos y me guiñaba un ojo. A las doce empezaba a sonar la música por los altavoces y ya no paraba en toda la tarde o se interrumpía sólo para dar avisos a los señores que había en la piscina o notificar las llamadas al teléfono. Al principio no teníamos amigos, pero pronto nos juntamos con otros chicos: Serrano, Carrasco, Lapesa, Torróntegui, Giménez y Chozas. Nos conocimos porque Gaspar Arenales y Serrano se pegaron y ganó Arenales. Entonces se le ocurrió decir que yo era su esclavo y para demostrarlo me obligaba a andar de rodillas o a cuatro patas y a llamarle amo. Otra de las cosas que más le gustaba a Gaspar Arenales era darme ahogadillas, hasta que casi no podía respirar y chulear, tirándose de cabeza, desde el segundo trampolín, para que lo vieran las chicas. Una vez me dijo que subiera al tercer trampolín —que estaba a diez metros— y yo no quería, pero me agarró una oreja y me la retorció, obligándome a subir por la escalera. Desde arriba se veía la piscina pequeña y la gente, que no nos hacía caso, menos los amigos y alguna de las chicas que nos miraban. Me dijo que me tirara, pero que no hacía falta que fuera de cabeza, y yo le contesté que no y le llamé cobarde y mariconazo, y entonces me agarró otra vez la oreja: ¿Por qué? ¡Porque lo mando yo! Y me fue empujando hasta el borde del trampolín. Por los altavoces tocaban *Allá en el rancho grande*, que desde entonces no puedo oír sin estremecerme. Miré otra vez a la piscina y pensé que me estrellaría contra el suelo, pero le obedecí, porque no tenía otro remedio, y entré en el agua como un clavo y di con los pies en el fondo. Al sacar la cabeza los chicos aplaudían y luego empezaron a gritar: ¡Otra! ¡Otra! ¡Otra! y Arenales me llamaba: ¡Sube! ¡Sube! Me obligó a tirarme todas las veces que quiso. La última me dijo: desnúdate; que te vean en pelota las chicas, las putas y todo Madrid. Y me estaba sonriendo. Yo no quería, pero Arenales me lo mandaba. Entonces me desnudé y él, cuando me vio la pilila, gritó: ¡Mirad, chicas, no tiene pelitos! Me dio tanta vergüenza, que me tiré de cabeza y salí corriendo de la piscina cuando ya era de noche y todo Madrid estaba destruido como en la guerra. Lo último forma parte de una pesadilla, que se me ha repetido muchas veces, incluso cuando fui mayor.

A pesar de que don Otto decía que la ascensión a Peñalara no era recomendable sino a montañeros avezados y de resistencia física probada, lo cierto es que —con buen tiempo y pocos años— resultaba un paseo campestre, al que hacían honor la tortilla de patata y los filetes empanados. Incluso Celinda Alonso, que estaba gordita o mejor dicho, suculenta, subía hasta los dos mil metros sin dificultad, y Cándido Olmedilla —que era un petimetre— alcanzaba la última cota silbando. Y yo no digamos, delgado como un lápiz, fibroso y siempre disimulando mis fatigas, que lo mismo podía caminar diez horas o quejarme durante un mes entero y, por supuesto, Gaspar Arenales, que en cincuenta metros nos sacaba veinticinco de ventaja. Curiosa expedición aquella emprendida en el mes de junio de 1945, al solo objeto de enterrar un tesoro en el pico de Peñalara.

Desayunamos con don Otto Schultz —que como en parecidas ocasiones, no mencionó el incidente de la noche anterior— huevos con patatas, picatostes fritos en aceite de soja y un repulsivo café con leche, porque la posguerra poco se notaba en el chalé de Cotos, gracias a las gallinas, al trigo y a las vacas de El Paular, aunque el café era un auténtico desastre, mezcla de achicoria, malta y algarrobas tostadas con un poco de miel. Don

Otto, al descubrir en la cocina que Lola —la encargada del chalé— estaba haciendo tortilla de patata y filetes empanados, más que reprocharnos lo que él consideraba una falta de respeto al Guadarrama, nos despreció con verdadero asco, aunque —por si alguna vez retornábamos al buen camino— dijo que a la montaña había que llevar frutos secos, higos —también secos—, chocolate, limones y naranjas (vitamina C), agua en su justa medida, y glucosa, mucha glucosa. Ricardo Alonso, que además de cursi era un chulito relamido, le dijo que la próxima vez íbamos a llevar fabada, impertinencia a la que don Otto no se dignó contestar. Se puso un sombrero verde —tan viejo como él mismo— cogió el enorme morral, donde estaban todas sus pertenencias y mudas, y se fue en silencio, camino esta vez de Cabezas de Hierro. Veinte pasos más allá se volvió:

—¡Tened cuidado con el maquis, listos; pero sobre todo mucho ojo con el fantasma de la señorita Fuencisla Ruiz!

Y riendo, sin añadir palabra de más, don Otto Schultz o Samuel Bergman, según los gustos o el viento que soplara, espía nazi, agente británico o las dos cosas juntas, hombre irrepetible al que no he olvidado ni olvidaré jamás, se alejó camino del valle del Lozoya y de sus queridas montañas. Hace tiempo que murió, pero queda su huella: en el Collado de la Ventana —grabado en la piedra— hay un recuerdo anónimo que puso quien yo sé: «A don Otto, tu sierra querida».

Hacía una mañana espléndida, uno de esos días de luz intensa del Guadarrama, de azul oscuro en el cielo, sin una sola nube, con brisa del norte, olor vario a retama, jara, cantueso y yerba de primavera, con un lejanísimo balar de ovejas y esquilas medio presentidas en el valle, el grito disconforme de una corneja, que vuela sin dar con el almuerzo, y el valiente canto del mirlo. Verde el campo, grises y ocres las rocas de la ladera próxima, húmedos los brotes y al fondo casi el violeta de las montañas de la otra vertiente y las manchas de nieve, las «nieves perpetuas» como decía don Otto. Ni un motor, ni una voz, sólo el ruido de los pasos. Avanzábamos en fila india —ahora sé que en fila irrepetible— por la loma que pronto nos ocultaría la carretera de El Paular y el chalé de Cotos. De pronto, al cretino de Ricardo Alonso —quizá me pareciera cretino por el simple hecho de tener unas hermanas tan especiales— se le ocurrió cantar *Montañas nevadas*, pero Celinda, que estaba en el mundo, lo mandó callar, y él, que era medio indeciso, obedeció. Recordé entonces las palabras de don Otto: no os merecéis esta sierra. ¿Y tú, viejo indecente, espía, invasor, vendido, judío, nazi, mentiroso, te la mereces? Por poco tropiezo con una bote de sardinas miau, abanderado de la mierda que se nos venía encima. De una patada aparté la lata miau y por no mirar a la montaña, miré a una nube blanca, porque entonces yo era casi tan redicho y tan cursi como Ricardito Alonso.

Íbamos entre pinos, en dirección a Dos Hermanas, bordeando el barranco donde está la Laguna Grande, de la que nace el río Peñalara, que más lejos se une al arroyo Guarramillas, para formar el río de la Angostura. Poco a poco, resoplando, comenzamos a subir una meseta pedregosa, desde la que veíamos —a la izquierda— los famosos pinares de Valsaín y a la derecha los de El Paular. Más adelante encontramos el refugio Zabala, que ya estaba abandonado: era aquel refugio una especie de ermita minúscula, con una chimenea medio atorada, lleno de letreros en las paredes, que iban desde puta a viva Franco, a la hoz y el martillo y al romántico corazón atravesado por una flecha. Aún nos quedaba un buen trecho de subida fuerte, entonces sin caminos, ni senderos y sólo guiados por la presencia de la cumbre de Peñalara. Seguimos por un portillo, que conocíamos de sobra, y desde allí a la meseta de Dos Hermanas y por fin al pico. Pero antes Gaspar Arenales nos detuvo ante el último pino.

—¿Por qué no grabamos aquí nuestros nombres?

A las chicas les pareció una idea maravillosa, a los chicos una forma de marcar su territorio y a mí una estupidez, pero como siempre me callé la boca. Con mayor o menor gracia, con salero o con mala pata, profundamente o en la superficie, pusimos nuestros nombres pensando, quizá, que así nos hacíamos inmortales, y luego enterramos un tesoro entre las piedras, junto a un vale del chalé de Cotos, un real cada uno, o sea veinticinco céntimos, once monedas agujereadas, dos setenta y cinco pesetas.

Gaspar Arenales, que fue el primero en alcanzar la cumbre, como era de suponer, escapó corriendo hacia el borde del precipicio desde donde fueron arrojados al vacío los hermanos *Zapirón* y *Miraflores* —uno vivo y otro muerto—, al trágico barranco donde perdió la vida el *Bizco,* y ante el horror de los chicos y los gritos de las chicas, saltó a las piedras, alzó los brazos y empezó a contonearse como un mariquita:

—¡Yo soy Fuencisla Ruiz, la maldita —gritaba—, la culpable de las muertes de los bandidos *Zapirón* y *Miraflores,* la mujer que traicionó al más valiente de todos, al *Bizco,* el rey de los bandidos! ¡A mí los maquis, a mí los maquis! ¡Yo soy Fuencisla Ruiz, la maldita!

La verdad es que parecía una *vedette* de revista —en un escenario sin fondo— cuando su figura se destacaba sobre el horizonte, en la línea azul del cielo y saltaba y corría como si estuviera echándole un pulso a la ley de la gravedad, cosa que era muy cierta, porque el imbécil se jugaba la vida por hacer una gracia. Nosotros no sabíamos si reír o suicidarnos y yo me sujeté a una piedra, porque se me iba la cabeza. Con voz aguda e irreconocible lo llamó Paulita y entonces gritó Arenales:

—¡Adiós, amado pueblo! ¡Adiós, Paulita! ¡Adiós, adiós! ¡Recordad siempre así a la hermosa y desgraciada señorita Fuencisla Ruiz!

Y saltó hacia atrás —ridículamente— desapareciendo de nuestra vista, y aquello ya no era ridículo, aquello era más que trágico.

Corrí hacia las piedras del barranco y me asomé: a un metro, tirado en un saliente, sin poder contener la risa, estaba Gaspar Arenales, que se llevó un dedo a los labios indicándome que guardara silencio. Yo me volví y grité:

—¡Era mentira! ¡Está aquí!

Gaspar reapareció y sus ojos brillaban de furia.

—¡Eres un mamonazo, un chivato y un cagao!

No conseguía entenderlo, éramos mayores y aquellas bromas terribles, que me amargaron la infancia y que no me dejaban dormir por la noche, habían pasado hacía tiempo. Gaspar Arenales era mi amigo y ahora se revolvía otra vez, como si no hubiera crecido. La sangre me subió a las mejillas y sin importarme el vértigo, ni el vacío, ni el barranco y olvidando el miedo, salté a la piedra. Celinda gritó, y su grito, recogido por el eco, se fue entre las peñas y volvió hasta nosotros. Apenas escuché la voz de Julia Soriano: ¡No seáis gilipollas! Era la primera vez que oía decir un taco a una chica.

—Te has vuelto muy valiente, Pitito: anda, ve a casa con tu madrinita a que te limpie la caca seca... —Gaspar me sonreía, dándome con un dedo en el pecho—. Empújame, échale huevos, maricón, mira qué fácil es, que no te verás en otra... —y me volvió a tocar con el dedo—. Dame como si yo fuera el *Miraflores*, claro que antes de caer te llevo al barranco, como si tú fueras el puto *Bizco*.

Se echó a reír con alegría, jugando, y saltó de las piedras, con toda naturalidad, como si no hubiera ocurrido nada. Entonces yo miré al fondo y sentí que la frente se me llenaba de sudor, que las palmas de las manos estaban húmedas, que me temblaban las piernas y no podía moverme. Al abrir la boca —para que me entrara aire— me vino una arcada y tuve que cerrar los ojos: alguien me agarró del cuello y una mano tiró con fuerza de mí. El que me sujetaba era Juan Merino y el que me sacó del vacío Gaspar Arenales. Me quedé encogido en el suelo, sin moverme, muerto de vergüenza y pensando que más me hubiera valido rodar por el precipicio.

IV

LA SACRAMENTAL DE SAN ISIDRO

(Testimonio del comisario Arruza)

E ra el atardecer de un jueves de agosto que fue especialmente caluroso, como si las tormentas de la semana anterior en lugar de refrescar el ambiente lo hubieran metido
en un cueceleches. Yo me había puesto un traje de mil rayas de
los que ya no se llevan —que por cierto, saca de quicio a mi hija
Pilar, a quien cariñosamente llamo el *fúrer*— y lo uso en verano,
como siempre, porque estoy cómodo dentro y por la misma razón gasto tirantes y zapatos de los que llaman mocasines, ya
muy viejos y por viejos bien adaptados. Por supuesto, no llevo
armas, porque yo soy un artista y no un policía de película americana. Lo que sí llevo es una tumbaga con un buen brillante en
el centro, que fue orgullo de mi abuelo el *Colorao*, panadero y
cazador furtivo, que murió ahogado por un hueso de liebre en
1930. Aquel jueves —mientras caminaba por la Sacramental de
San Isidro— iba dándome aire con el abanico, costumbre que
adquirí en mis tiempos de inspector en Sevilla. Curiosamente
en Aranda de Duero, lugar donde nací, no me hubiera permitido la licencia; pero, claro, Castilla es Castilla.

Como se sabe, la Sacramental de San Isidro y San Andrés, el
cementerio más antiguo de Madrid, era el lugar preferido por la

aristocracia para celebrar sus bailes de difuntos, sus homenajes o banquetes e incluso las bodas y las fiestas de primera comunión de los niños prematuramente muertos de viruela. Un lujo de mármol y piedra de Colmenar con la firma del autor, don José Alejandro y Álvarez, y la fecha, final del siglo XIX y principios del XX; en definitiva, un quiero y no puedo del *Père Lachaise*, de París, en cuanto a tumbas y, sobre todo, a huéspedes se refiere.

Antes de salir de casa eché una mirada al espejo, que tiene en su cuarto de baño mi hija Pilar, y me vi un poco disminuido y algo ridículo de carnes. He perdido estatura por culpa de la dichosa columna vertebral, traidora herencia de mi madre, aunque me sigue quedando brillo en los ojos, que vienen de mi padre —fusilado en Burgos el uno de octubre de 1936, con motivo del advenimiento del general Franco a la jefatura del Estado.

El asesino Xarradell —sentado en su descolorida butaca de siempre— se mordió los labios, tratando de disimular un bostezo, gesto que advertí fácilmente, y como ya no estábamos en la comisaria de Málaga, ni nos juntaba el husmeo de un crimen, ni las obligaciones propias de mi cargo, me disculpé y le dije que podía abreviar. Él me dijo, entonces, que por la noche durmió mal —algo que a mí me importaba poco— y que aquello era cosa de viejos, pero le gustaba oírme hablar, por lo excéntrico del tema y más que nada por la compañía, que estaba solo y aburrido casi siempre y sin gente humana al alcance; claro que —después de treinta años en el trullo— le daba un poco lo mismo. Sin embargo, y tratando de facilitar el buen fin de aquella experiencia, me preguntó —y no era la primera vez— por qué no lo escribía todo por su orden, y yo le dije que si había rechazado el magnetofón, también rechazaba la escritura, en primer lugar porque no me daba tiempo y, en segundo, porque estaba harto de redactar informes y elevarlos a la autoridad competente y, en definitiva, porque yo también vivo dudando muchísimo; pero que si él no quería colaborar, habíamos terminado y tan amigos. Entonces levantó una mano —como si pidiera la vez— y yo no di la venia: Xarradell, si he admirado a una persona en mi vida, a lo largo de toda mi carrera y en contra de mis principios naturales, es a usted. Enrojeció como una amapola y apenas le oí murmurar: pero si yo soy un asesino, comisario. Quizá había ido demasiado lejos y ya me batía en retirada, cuando añadió: estaba usted hablando de sus ojos. Aquellas setenta y dos horas los tuve encima de mí, no me dejaban esconderme, ni dormir, y los odié a muerte tanto cuando eran aburridos como inocentes, terribles, crueles, astutos, perversos, dañinos o bondadosos al final, y ya no hubo remedio. Yo me trataba de escapar, imaginando las fábulas de Florián, pero sus ojos no me daban cuartel y yo no podía cerrar los míos. ¿Se figura usted a quién me recordaba, señor comisario? A un artista de cine, a Fernando Rey, pero haciendo de malo, más que de malo, de canalla infame. Lo que yo no sabía es que habían fusilado a su padre en Burgos, lo siento mucho. Asentí con pesar histórico: fusilado y tirado a la cuneta, con un número puesto encima, por el delito de votar al Frente Popular. ¿Por qué a Pamplona? Porque veníamos de trabajar allí, señor comisario: en San Fermín se mueve mucho dinero. ¿Sabe quiénes toreaban la tarde en que se descubrió el baúl? Nunca fui aficionado a los toros. Sin embargo, se llama Arruza. Nada que ver con los toros, Xarradell. Antonio Bienvenida, Antonio Ordóñez y Diego Puerta, con toros del conde de la Corte. Por la mañana uno, de nombre *Ojeroso*, mató a un turista yanqui en la calle de la Estafeta. ¿Y el baúl? Era un hermoso baúl-armario de mi abuela comprado en Nueva York; me hubiera gustado que me enterraran dentro, fue una debilidad.

Callamos entonces, los vencejos de los tejados de la plaza de la Cruz Verde se acostaban ruidosamente, yo recordé que Margarita llamaba a los vencejos «avionetas» y le quité los ojos —que no se me entienda mal— al asesino Xarradell, quien se miró entonces las manos y dio fin al interludio: es usted libre de hablar o de callar, comisario, pero le advierto por última vez que ya no soy el mismo y le digo, de nuevas, que me siento orgulloso de tenerlo en casa y que no me importan sus aburridas digresiones. Yo le miré entonces y advertí que sus ojos, casi velados de luz, no parpadeaban. ¿Por qué me dirigía al asesino Xarradell, precisamente al asesino Xarradell? Por una vez en mi vida fui sincero conmigo mismo: porque ya era viejo, porque estaba solo, porque no tenía quien me escuchara, ni medios, ni poder, ni juventud y, sobre todo, por aquellas setenta y dos horas inolvidables. Y por casualidad, porque lo había encontrado en un vagón del metro cuando más aburrido estaba. Amén.

Me refería antes a mi madre y a la triste herencia que me dejó —vértebras poco de fiar— y a los dientes y a las muelas, que siempre los tuve sanos, aunque algo separados y vienen de mi abuelo materno, el cabo Andrés Ríos, nacido en Arévalo y guardia civil de por vida, y al buen pelo, castaño en tiempos y ahora gris, herencia de mi abuela *Pringá*, emparentada con los *coloraos* de Aranda de Duero. Luego están los detalles propios de la vejez: en la cama me dan frecuentes calambres, sufro insomnio, a veces taquicardia, tengo un ligero remusgo en el estómago, que seguramente es un cáncer mortal, me duelen los riñones y, en primavera, me produce alergia el polen del *pan y quesillo*. Por otra parte, la cabeza me funciona y aún me queda paciencia y buen humor. Pero estoy cansado, cada vez más harto de mis similares, y así ando por estos barrios sin notarme y pensando en voz alta, aunque puedo asegurar que no es por ruina, sino más bien por hartura. No me da miedo la vejez y, mucho menos, la muerte, que llevamos pegada al culo —como decía mi abuelo— desde el primer llanto al último suspiro.

Fue precisamente el cabo Andrés Ríos quien me mandó a la capital para que me hiciera un hombre de provecho. Mi padre estaba ya en la tumba, mi madre seguía sin enterarse de nada y la abuela *Pringá* —el talento de la familia— de acuerdo, sobre todo por quitar una boca de la mesa. Llegué a Madrid para trabajar en la taberna, que tenía un paisano en la calle del Olivar, pero resultó que aquel mismo día lo habían fusilado en la cárcel de Porlier. Con un chorizo y un queso, que le llevaba de obsequio, me alimenté cinco días, durmiendo en zaguanes y portales, y menos mal que todavía andábamos por septiembre. Cuando me quedé sin el chorizo y el queso, me dio miedo robar y vergüenza pedir limosna y así fui de un lado a otro sin ningún motivo, ni orden, ni caminar derecho, hasta que un día —precisamente en la Cuesta de Moyano— perdí el *oremus* y me vine al suelo. Inmediatamente fui rodeado por un grupo de curiosos, que se animaban unos a otros con deseo de intervenir y frases como «pobre criatura, eso es que tiene hambre» o «hay que avisar a los laceros», hasta que un señor de aspecto distinguido rompió el cerco, me llevó a una caseta de libros viejos, me dio un trago de Quina Santa Catalina —que me puso del otro lado— y un bocadillo de falsa cabeza de jabalí. Aquel caballero se llamaba don Valentín San Roldán y fue para mí como padre y madre juntos. El señor don Valentín San Roldán —viudo desde el año 1923— siempre vistió de negro, hasta el día de su muerte en 1951. Le gustaban mucho las cigalas, las mujeres y los libros, y se había inventado un traje —negro, por supuesto— que tenía un dispositivo en el cuello, tirando del cual se quedaba en pelotas, y que le servía para sus conquistas y más que nada para sorprender a las señoras distraídas. Era también un hombre cultísimo y muy gracioso, dentro de su tristeza y amargura cotidianas; loco por Madrid, por los viajes en tren y muy religioso, especialmente devoto de la Virgen de la Paloma. Gracias a don Valentín yo estoy vivo y, en vez de convertirme en un torturador o algo así, acabé haciendo de mi capa un sayo, como él solía decir.

Aquel día me recogió y me llevó a su casa de la calle de Piamonte —donde vivía el escritor Enrique Jardiel Poncela— y aquel mismo día me dejó al cuidado del piso, porque tenía un baile particular.

El piso de don Valentín era curiosísimo: alcoba muy grande con muebles barnizados a muñequilla, los mismos que venía arrastrando desde el día de su boda, un comedor de tintes dramáticos —que nunca usaba—, largo pasillo, varios cuchitriles, un cuarto de baño mal oliente, una enorme cocina de carbón —que jamás encendía— y un despacho desorganizado, donde había libros de todas clases, periódicos de antes de la guerra, montones de fotografías y auténticos ejercitos de cucarachas. Durante cinco o seis días dormí en el despacho, tapado por una manta cuartelera y sobre un colchón de ejemplares de *Informaciones* y *La Voz*, y luego me destinó a la caseta de la Cuesta de Moyano, que a diferencia del piso de Piamonte estaba ordenadísima. En aquella caseta, donde se vendían libros viejos, aprendí a leer desordenadamente. Yo dormía en un jergón, me

lavaba en un bar —donde don Valentín me abrió una cuenta—
y recibía un real diario para mis gastos particulares. A las diez
en punto llegaba la empleada, una señora viuda, que me enseñó
a regatear con los clientes y que de cuando en cuando se ocupaba de mi sobre-alimentación, como decía ella. Poco tiempo
después, don Valentín —que conocía mucho a un comisario de
nombre Fagoaga— me metió de recadero en la Dirección General de Seguridad— y andando el tiempo saqué plaza en unas
oposiciones restringidas, a pesar de que era hijo de fusilado,
pero más que nada gracias a la influencia de don Valentín, a los
buenos oficios del comisario Fagoaga y a la heroica presencia de
mi tío el cabo Ríos, de la guardia civil. Desde tal fecha y hasta
1951 —año de la muerte de don Valentín San Roldán— almorcé
una vez al mes con él y en los últimos tiempos tuve el honor de
poderle invitar de cuando en cuando.

Aquella tarde iba murmurando: ¿Quién te manda venir al
cementerio, si Margarita ya no te echa de menos? Pobre Margarita, muerta cuando más tenía que vivir. Un día revientas, Leopoldo, que ya no andas para sofoquinas y luego a casa y otra
vez en manos de Pilar, llamada el *fúrer.* Sin embargo, a pesar de
todo me siento un poco joven, al menos por dentro, y sigo considerando un auténtico atropello la jubilación, que me llegó a
los funestos sesenta y cinco años, cuando ya había sentado la
cabeza y era el más hábil, el más listo e imaginativo de los policías
de Madrid, y muchas veces sonrío, frente al espejo del cuarto de
baño, y digo: vosotros os lo habéis perdido, cretinos, porque
aún ahora, ya camino de los ochenta, os doy tres vueltas y os
doblo antes de llegar a los mil metros. Pero luego, cuando me
miro las manos y los ojos sin pestañas y el estómago me da pun-
zadas, pienso ya que no tengo días. Qué solos se quedan los viejos, que viven con jóvenes. *La noche se entraba, reinaba el silencio;
perdido entre las sombras, medité un momento: ¡Dios mío, qué solos se
quedan los muertos!* Y entonces, una señora acalorada, que llevaba un ramo de flores en las manos, se cruzó conmigo y yo levanté la voz: *¿Vuelve el polvo al polvo? ¿Vuela el alma al cielo?
¿Todo es vil materia, podredumbre y cieno?* La señora de las flores
aceleró el paso, pensando —seguramente— que yo era uno de

los muchos locos que suelen andar por los cementerios: un loco que además iba abanicándose.

Siempre fui aficionado a la poesía, que me trajo problemas en mis años jóvenes, cuando trabajaba de inspector de segunda y mis compañeros dieron en murmurar que era maricón, porque sólo los maricones leen versos, y con el comisario Barnola tuve un disgusto grande: estaba completamente prohibido leer poesías de rojos —verdaderos libelos, según el comisario— y muy rojos eran Antonio Machado, Miguel Hernández y, sobre todo, Alberti y Neruda, que decían auténticos horrores del generalísimo. El comisario Barnola tuvo el tupé de recomendarme los libros de Rafael Duyos, Ochaíta y Pepe Carlos de Luna, y yo le dije: con todos mis respetos, señor comisario Barnola, en la comisaría manda usted, pero en mis libros mando yo. No es verdad: esas palabras nunca salieron de mis labios, me limité a entregar las poesías de los poetas rojos.

Mis visitas al pretencioso mausoleo, que ocupan los padres de mi pobre Margarita, donde también ella está enterrada, no sólo eran debidas a mi pena incurable y al aburrimiento, sino al instintivo deseo de huir de casa y escapar del cerco del *fúrer* —mi hija Pilar— y de la tiranía de la niña Marga, mi queridísima nieta. Pilar —que es funcionaria del Banco de España y sigue siendo una belleza— me manda un día sí y otro no al Mercado de San Miguel y todos al jardín de infancia, donde retoza y empieza a vivir la niña Marga. Son obligaciones de abuelo, que yo me salto siempre que puedo, pero que no me importan, ni mucho menos me humillan; sobre todo las del mercado, donde soy experto en pesca, hortalizas y frutas y donde encuentro alivio profesional, porque mucho me complace estudiar las caras de los clientes y advertir miradas huidizas, temerosas e incluso trastornadas, de presuntos carteristas, timadores o tironeros, que entran allí al olor de marujas erráticas, bolsos mal cerrados, jubilados inocentes o ancianas desmemoriadas. Aquel género sí que lo entiendo y más de un delincuente veterano me ha reconocido, entre la clientela habitual, para dar luego el queo a sus colegas. Yo no les hago caso: me limito a pasear entre los puestos, con sonrisa perdida, mirando distraído algún modelo de cartel de comisaría que se manda mudar y no vuelve a poner los pies en el mercado. Una mañana observé cómo un joven de aire enfermizo metía mano en el bolso de una morena, que andaba confundiendo el rape con el mero; disimuladamente le agarré el cuello y con dos dedos —pulgar e índice— le apreté la zona de los ganglios y le dije al oído: tienes mucho que aprender, bonito, cierra tú mismo el bolso y lárgate. Casi al instante sentí la punta de una navaja en los riñones y con la mano izquierda me saqué del bolsillo la pluma Mont Blanc —que es mi mayor tesoro— y se la metí en la entrepierna, advirtiéndole que podía volarle los huevos en un plisplás: luego le rogué que tirara la navaja al suelo y le dije a la señora del bolso que aquel día los salmonetes eran de toda confianza, y me hice acompañar del pobre chorizo hasta el bar de la puerta, donde tuve el gusto de invitarle a un café con leche para pedirle después que corriera la nueva de que San Miguel estaba bajo la protección del ex-comisario Arruza, pero que no se fiara de aquellas letras inseparables, porque en cuestiones de buen orden los ex tenemos muy mala leche.

El asesino Xarradell iba a decirme algo, pero calló a tiempo y me dejó continuar:

—Éstas son las cosas que a uno le hacen vivir. El *fúrer* no lo sabe, no sabe que a mí me disloca el mercado de San Miguel y que no me importa llevar a la niña Marga al jardín de infancia.

Sin dejar de abanicarme con la mano derecha, me sequé el sudor con la izquierda y miré las copas de los cipreses, por donde ya se filtraba el sol poniente, mientras —formando una auténtica algarabía— se peleaban los gorriones por una rama donde dormir. Al bajar los ojos, observé el paisaje que me rodeaba: frente a mí se alzaban cuatro falsas columnas dóricas, una lápida inclinada de mármol negro y la patética figura de un ángel lloroso. Sobre el mármol —en letras doradas— pude leer: familia Arenas de Torres y debajo *sic transit gloria mundi*. El ángel lloroso, que sostenía en la mano derecha una corona de espinas, estaba firmado por el escultor Mariano Benlliure. Todo aquello era muy raro, porque el mausoleo de la familia Arenas de Torres no lo imaginaba yo en el camino que conduce a la tumba de mi

Margarita, que está en la segunda ampliación o patio del Santísimo Sacramento. Lo más seguro es que te hayas ido, sin querer, a la parte antigua; porque era allí donde estaban las crujías porticadas y el claustro neoclásico, que tengo un plano y se llaman patios de San Andrés, San Pedro y San Isidro. Eché, entonces, a la izquierda por el camino que va al patio de Santa María de la Cabeza, donde —según mis cálculos— a unos sesenta metros encontraría el mausoleo de mis suegros —los señores de Molina— que está enfrente de la familia Izaña-Abreu, pero no fue así: había llegado a la recargadísima tumba del olvidado poeta Ricardo Rivas, *verba volant, scripta manent*, 1854-1921. «Las palabras vuelan, pero los escritos permanecen». No quiero ser cruel, pobre poeta Rivas, pero tus escritos volaron contigo. Una columna truncada, un Cristo yacente y un sepulcro deshecho, confirmaron mis sospechas: yo, el comisario Leopoldo Arruza, de infalible sentido de la orientación, que conocía de memoria la Sacramental, se había perdido sin remedio, y lo que es peor: no tenía ni zorra idea de dónde estaba la tumba de Margarita. Di la vuelta y retomé el camino de la salida —porque ya era muy tarde— y veinte metros más lejos me detuve: sobre una sepultura dormía un perro. Me acerqué muy despacio, diciéndole —para que no se asustara— bonito, bonito tú. El perro era muy pequeño, de pelo corto y dorado, morro y hocico negro, grandes orejas caídas y rabo en forma de rosca; un indigno mestizo y que Dios me perdone. A mí siempre me han gustado los perros y más me hubiera gustado tener uno con quien charlar y sobre todo para ir de paseo, pero el *fúrer* se opone y dice que los perros son para el campo, que en la ciudad resultan un engorro. El de la tumba abrió los ojos, que eran muy grandes, negros, inteligentes, un poco saltones y parecían entregados. Luego me enseñó los dientes, sin ofender, pero marcando el territorio. Junto al perro había una lata redonda con agua y sobre la tumba quedaban flores. Me agaché y siguiendo una costumbre adquirida, guardé en el pañuelo unos pétalos amarillos y otros rojos y violetas, que seguramente pertenecieron a una corona funeraria. Por último me puse las gafas y leí: familia Gutiérrez del Arroyo. El perro se levantó dispuesto a defender a la familia Gutiérrez del Arroyo o a alguien de aquella familia en particular, y yo le sonreí y le hice ruidos amistosos, con ánimo de tranquilizarlo, de tranquilizarla, porque era perra y llevaba una cadenita plateada al cuello. Me fijé entonces en que tenía una herida en la cabeza, como si le hubieran golpeado con una piedra o un palo, y advertí el hocico reseco, signo evidente de calentura. Volví a llamar a la perra, animándola en tono cariñoso y decidido a llevarla a casa, aun en contra de tener una agarrada con Pilar, pero el animal retrocedió, enseñándome otra vez los dientes, que por cierto eran blancos y jóvenes. Si tuviera algo de comida te venías conmigo o quizá no. Yo he leído muchas historias de perros, historias que no eran inventadas, ni de cuento, emocionantes, ejemplares, como hubiera dicho mi Margarita. Esta perra guarda a su amo, enterrado entre flores blancas, amarillas, rojas y violetas y se está dejando morir, pero no puedes evitarlo.

—Mañana —le dije— te voy a traer jamón de york, leche y aspirina y te voy a llevar al veterinario, para que te cure la cabeza: ahora duerme bien y procura no pensar en nada.

Y tiré en dirección a la puerta de salida, porque las sombras eran cada vez más densas y no me hacía feliz la idea de quedarme a pasar la noche en la Sacramental de San Isidro. Antes de llegar a la verja me salió al encuentro Fulgencio Majada, el *Coco*, un hombre bajo, recio, de ojillos maliciosos, barbilla partida, barba cerrada, brazos muy largos y piernas cortas, merecedor del apodo que luce con orgullo. El *Coco* es uno de los cuatro guardas del cementerio y en los años cincuenta fue condenado por robar en unos almacenes de grano y romperle la cabeza a un brigada de intendencia. Yo lo conocí de limpiabotas, en un café que luego se convirtió en bingo, y volví a encontrarlo ya de guarda en la Sacramental. De su triste pasado —también fue contrabandista y torero cómico— sólo conserva el mote y la afición al vino de Valdepeñas. Algo alterado me dijo que se disponía a salir en mi busca, porque iban a cerrar y yo, sin reparar en aquel cortés primer aviso, le pregunté por la perra de la tumba:

—Es un caso muy triste, que a mí me tiene muy preocupado, don Leopoldo. El amo de esa perrita, que ni come, ni bebe, ni hay quien la quite de la tumba, se mató el otro día en la sierra de Guadarrama, y es que hay animales con más sentimientos que los humanos, que si lo echan por la tele no se lo cree ni Dios.

La verdad es que la noticia no me sorprendió mucho y menos aún el mal concepto que tenía el *Coco* de los humanos.

—¿Quién le ha puesto agua?

—Un servidor y mi nieto que también le llevó albondiguillas, pero no las quiso ni oler.

—¿No se te ha ocurrido avisar al ayuntamiento?

—Con su permiso, don Leopoldo, prefiero dejarla morir en paz —dijo el *Coco*, que siente una admirable afición al melodrama.

V

El entierro de Gaspar Arenales

(Testimonio del comisario Arruza)

Vivo en la casa, que fue de mis suegros, en la calle de Relatores de Madrid. Mi piso está reconstruido y es precisamente el cuarto izquierda, pero el inmueble no tiene ascensor, lo cual —según el fúrer— es una verdadera bendición de Dios, porque me obliga a subir cuatro pisos andando y eso es buenísimo para el corazón. Todos los días me trabajo la dichosa escalera dos o tres veces y me paro, a resoplar, en los descansillos que conozco de memoria: Pensión Trinidad y Doctora Antonia Frisos, ginecóloga. Filatelia Isabel II, colecciones completas y sellos sueltos y Venancio Carrasco Fuentes, Centro Podológico integral y cirugía del pie. Y ya frente a mi casa Bous y Pastec, compañía de servicios. Ignoro lo que hay en los pisos de arriba y en las buhardillas, porque nunca he pasado del cuarto, ni pienso arriesgarme a la excursión.

Me gusta la calle de Relatores, que empieza en la de Atocha y termina en la Plaza del Progreso, y, dada mi querencia a la historia de Madrid —y ésa es otra, que me hace buscar libros de lance en la Cuesta de Moyano—, a las jugosas anécdotas y a los cotilleos de la Villa, conozco bien los barrios del centro y las callejas y plazuelas de la época de los Austria. En la taberna de abajo —llamada ingeniosamente Mi Oficina— ya no me dejan hablar del tema, pero en la pensión Trinidad —de toda confianza— aún me escucha Linda Lebreles, la patrona, criolla nacida en Trinidad (Cuba) y establecida en Madrid en 1979, cuando yo estaba destinado en Bilbao. Cuando Linda se estableció en la calle de Relatores no había cumplido treinta años y era una hermosa amulatada de cuello largo, muslos prietos, pantorrillas recias, pechos firmes, redondas caderas, dientes muy blancos y labios gruesos. Quizá esta descripción pueda parecer demasiado minuciosa e incluso apasionada, pero hay que tener en cuenta que yo —por mi profesión— estoy hecho al informe de comisaría, que debe ser ajustado y técnico. Con Linda Lebreles me permito algunos interludios históricos y me hago el sufrido cuando ella me pregunta: ¿Relatores no son los que cuentan cuentos? Yo suspiro lleno de santa paciencia y haciéndome de rogar le digo: los que cuentan cuentos y los letrados que hacen relación de autos en la audiencia, que estaba aquí cerca. Entonces Linda —si anda de buenas— me ofrece un daiquiri hecho con ron ligero, limón y azúcar, cóctel más habanero que de Trinidad, y a mí se me suelta la lengua. En esta calle vivía la influyente condesa de Miranda. ¿Tú conocías a la condesa, mi amor? No es que yo sea el amor de la señora Lebreles, es que así hablan las cubanas. No, no la conocía: cuando vine aquí ya se había mudado. La condesa de Miranda tenía un palco que daba a la iglesia del convento de la Trinidad y estaba paralítica y sus criados la llevaban en una silla de terciopelo verde con ruedas de plata, y dicen las crónicas que en su palacio se alojó Felipe IV y, también, la venerable madre sor Jesús Mariana de San José, fundadora de las agustinas recoletas y priora primera del convento de la Encarnación. Y Linda Lebreles, entonces, me suele mirar con sus grandes ojos negros y me pone una segunda dosis de daiquiri: todo en plan amistoso y limpio, más que limpio, aséptico de hospital.

El asesino Santiago Xarradell —que mirándose las manos escuchaba en silencio al comisario— debió de pensar que aquel testimonio dejaba entrever algo más que un informe de comisaría de barrio, pero calló la boca y escondió su sonrisa.

Según me contó la señora Lebreles, venía directamente de Miami, donde jugaba al frontón, porque en tiempos fue profesional de la pelota vasca. Me dijo que su papá era español, nacido en Valladolid, y quiso dejar bien claro que en Valladolid es donde se habla el mejor español de toda España. Dudó mucho si poner a la pensión —de nombre— Trinidad o Valladolid, pero se decidió por Trinidad, que le parecía más chévere. Es un establecimiento de toda confianza donde la dueña, a pesar de haber recorrido toda América, Filipinas, Hong Kong y Macao, ser pelotari y amulatada, hace alarde de decencia sin ponerse moños: no admite parejas sospechosas y mucho menos alquila habitaciones por horas. Casi todos los huéspedes son estables y en más de una ocasión —lo digo con franqueza— he dormido allí, por culpa de mi hija Pilar, que a veces es insoportable. He dormido en la pensión Trinidad como un huésped más, que quede bien claro el matiz y, sobre todo, el buen nombre de doña Linda Lebreles, a quien no se le conocen devaneos ni frivolidades, y eso que a muchos de sus huéspedes no les hubiera amargado un dulce.

Mi piso —así como el resto del edificio— era de los padres de Margarita y fue el lujoso regalo de boda con que obsequiaron a su hija, aunque apenas pudimos vivir en la calle de Relatores, por causa de mi trabajo; especialmente este pobre oficial tan errante como el judío del cuento. Mi boda con la señorita Molina no fue bien recibida por la familia de la presunta doncella y mucho menos por sus padres: un policía de pueblo, sin porvenir alguno, se casaba con la hija de unos dignísimos propietarios, cuando bien podía haber aspirado a la dulce mano de un ingeniero de montes, un agente de cambio y bolsa e incluso un militar de estado mayor. Claro —y perdón por el pegote— que no contaban con mis ojos pardos, con mi pelo suavemente ondulado, mis largas piernas y mi extraordinario parecido a Fernando Rey.

El asesino Xarradell le miró atónito. Durante treinta años —peregrinando de penal en penal— había pensado muchas veces en el comisario Arruza, pero nunca calculó hasta qué punto era vanidoso y fatuo aquel curioso funcionario y singular adversario. Además ahora se atrevía a mencionar a Fernando Rey, a quién Xarradell aludió poco antes. ¿Era casualidad o Arruza se parecía al actor Fernando Rey? No quiso mirarlo entonces, prefería escuchar, porque un trato es un trato y además tenía mucho que retener.

Y lo que es la vida, la propiedad de la calle de Relatores perdió todo su valor por culpa de los inmortales arrendatarios que ocupaban el inmueble desde los años treinta. Los señores de Molina malvendieron el edificio —a excepción de nuestro piso— y vivieron gracias a mi ayuda, hasta después de la muerte de Margarita, a quien no quise sustituir, porque una cosa son amores de entrepaños y otra, señora nueva, que bastante carga tengo con el *fúrer* y la niña Marga.

El piso de Relatores es grande y está reformado en la parte noble, o sea, el salón de respeto o cuarto de estar; mi osera o despacho —a la que nunca quise renunciar—, la alcoba del *fúrer* y su cuarto de baño, por supuesto. Un largo pasillo lleva a los dormitorios, incluida la habitación de invitados, que ocupan los amigos de Pilar o Jacobo, su hijo mayor, cuando viene de Barcelona. Al fondo de toda la zona de servicios, el *fúrer* instaló la gran cocina, el *office,* y una despensa con congelador.

Como siempre —debido a la escalera— entré en casa un poco sofocado y llamé a Pilar y a Marga, pero no me contestó nadie. Pilar había salido y la niña, tumbada en un sofá, dejaba correr las imágenes de la tele. Marga ha cumplido cinco años y ya apunta la belleza maliciosa de su madre, que a los nueve era una mocita inquietante. A mí me recuerda —aunque nunca se lo he dicho al *fúrer*— a las niñas que retrataba Lewis Carroll, el de *Alicia en el País de las Maravillas,* sobre todo a Irene McDonald, que tengo en una postal que compré en la calle de San Bernardo. Marga habla divinamente cuando le da la gana, y ya sabe preguntar con intención. De modo que entré en el cuarto de estar y quise saber dónde estaba su madre y ella me respondió —¡oh, milagro!— que había ido al cine con Julio, su último novio. Yo, entonces, le dije que si quería cenábamos fuera y ella me contestó —un nuevo milagro— que su mamá había dejado cena en la cocina.

—Pues que se la coma mañana.

E invité a la niña Marga, aunque ella sabía de sobra que no saldríamos del portal, que nos bastaba con bajar cuatro tramos de escalera.

El comedor de la pensión Trinidad tiene seis mesas, con sus correspondientes sillas, y está adornado con la reproducción de un retrato de José Martí (1853-1895); otro de Linda Lebreles, vestida de pelotari, en Miami, con Cantinflas, 1974; un mapa de Cuba libre (1900) y fotografías de La Habana y Trinidad, años veinte. Sobre un recio aparador riojano, del XIX, hay cerámica antillana, mezclada con piezas de Puente del Arzobispo y la Cartuja de Sevilla y dos banderitas entrelazadas de Cuba y España.

Aquella noche de verano sólo había dos mesas ocupadas, una por el señor Terreros, antiguo agente de aduanas, y otra por tres jóvenes cubanos, sin duda protegidos de la señora Lebreles, que se acercó, solícita, para informarnos:

—De primero tenemos acelgas rehogadas sin jamón o sopa de fideos con poca grasa; de segundo, pescada frita (congelada) o tortilla paisana, y de postre, yogur o melón.

La niña Marga me lanzó una patética mirada y Linda sonrió, añadiendo que también tenía arroz con leche, canela y miel, y el otro arroz a la cubana con frijoles, carne picada y plátano frito, y la niña Marga sonrió como si le hubiera venido Dios a ver o el mismísimo Ochún, que hubiera dicho la señora Lebreles.

—¿Te gustaría tener un perro?

—¿De qué raza?

—De ninguna: es un perro vagabundo.

La niña Marga —entre desdeñosa y desengañada— me recordó que su mamá no nos dejaba tener perro, y yo —picado imprudentemente en mi amor propio— dije que aquella era mi casa y que hacía lo que me daba la gana, declaración que obligó a la niña Marga a ocultar su inocente mirada en el plato de arroz con leche:

—¡Tú eres un asqueroso pispajo que ni siquiera sabe leer, y además una racista, porque si te traigo un pomerania o un perro tranvía, te los tragas como hay Dios!

La niña Marga —ofendida— calló durante cuarenta y ocho horas; pero a mí me quedaban veinticuatro más, según el penúltimo zurcido que hicieron los legisladores al Código Penal.

Al día siguiente compré una caja de aspirina infantil, ciento cincuenta gramos de jamón de york, un litro de leche entera, y guardándolo todo en una bolsa de plástico me fui a la Sacramental de San Isidro. Curiosamente encontré con facilidad el mausoleo de la familia Gutiérrez del Arroyo, donde seguía la perra tumbada sobre la losa. Me acerqué a ella y mirando alrededor —por si alguien me tomaba por loco —dije en voz alta:

—Por mí muérete o vive, pero lo que estás haciendo es una gilipollez y parece mentira que hagas gilipolleces a tu edad.

Yo suponía que era esforzada y sensible, pero quizá sólo le moviera el instinto. De todas formas, a los niños y a los perros e incluso a los pájaros, a los viejos y a las monjas, les hablo como si fueran personas mayores, procurando no utilizar diminutivos ridículos ni palabras engañadoras.

El asesino Xarradell, que escuchaba atentamente el relato de don Leopoldo Arruza, levantó los ojos con histórico asombro y luego tuvo que ocultar culpable sonrisa, carraspeando y tapándose la boca con la mano. Se veía sentado en una tiesa silla de palo, en el centro geográfico de un despacho grisáceo, de paredes desconchadas, con setenta horas de sueño encima, soportando los gritos, casi la furia irracional del comisario jefe, que alternaba amenazas con ruegos y, en aquel entonces, con ridículos diminutivos. Por lo visto los presuntos no estaban clasificados en la categoría de niños, perros, pájaros, viejos o monjas. Pero el asesino Xarradell no quería que su imaginación se distrajera y apretó los puños y se mordió los labios, como en las películas. Don Leopoldo le miro un segundo y, aunque pudo desviar el tema, siguió su relato:

—Según mis cálculos —le dije a la perra—, debes de llevar aquí cinco o seis días, estás herida y tienes fiebre: lo más probable es que no llegues al jueves. ¿Crees que morir ayuda en algo a tu amo? ¿Le piensas devolver la vida con tu muerte? Al contrario, mientras le sigas recordando, él vivirá en ti; te parecerán tópicos o palabras vanas, pero así es: yo vengo a ver a mi Margarita, de cuando en cuando, y la mantengo viva, porque ni mi hija, ni mi nieta y no digamos Jacobo, el nieto mayor, la recuerdan. Si me dejara morir ella desaparecería, para siempre, porque tú también sueñas con tu amo y no hace falta que me lo digas.

La perra abrió los ojos, que estaban húmedos. Entonces le pasé la mano por la cabeza y toqué su cicatriz —que tenía la sangre seca— aunque me pareció que el cráneo seguía entero.

—¿Cómo te lo has hecho? Los perros no se caen. ¿Te han dado un palo o una pedrada? ¿Te atropelló un coche o han querido matarte o las dos cosas juntas? Mira lo que te voy a decir, por si no lo sabes: la herida está infectada y tienes fiebre, y le vas a dar la razón a quien sea, y te voy a decir otra cosa: puedo estar aquí sentado horas y horas, sin parar de hablar, hasta que te rindas. Una vez interrogué a un criminal durante casi tres días y acabó confesando de plano y te prometo que, sin tocarle un pelo de la barba, a pocas se vuelve loco. Ya sabes que hay policías que torturan y ni siquiera dan agua: yo no paro de hablar y vuelvo siempre al principio del libro. En el caso de las *hermanas sardineritas* casqué cincuenta y siete horas, aunque —de cuando en cuando— me relevaban mis inspectores y, por supuesto, lo que no permito es que duerma el sospechoso. Lo siento: la comisaría no se ha hecho para dormir. Y ahora te vas a tragar dos aspirinas a mi salud.

El caso de las *hermanas sardineritas* era inventado y yo se lo contaba a la niña Marga como si fuera un cuento de Perrault o de Andersen y estaba dispuesto a colocárselo a la perra, pero me pareció inútil, porque quizá ella no lo hubiera comprendido. Así que fui a lo práctico, que no estaba en la Sacramental de juglar, sino de médico de urgencia. Saqué tres aspirinas de la caja y me llevé una a los labios, para que la perra tomara confianza, diciéndole:

—Para que veas que no quiero envenenarte, porque tampoco eso va en mis cálculos.

Sentí entonces que alguien —entre las tumbas— se movía cautelosamente a mi espalda y pensé —desechando la idea del ladrón de cadáveres— que sería algún curioso, porque menudo papelón estaba haciendo aquel anciano de palique con un perro moribundo.

—Perdona y piensa en las ventajas que tienes. A los niños antiguos no nos iban con estos melindres: ricino y paso atrás, lavativa, aceite de hígado de bacalao o cataplasma de antiflojistina, y ahora aspirina dulce y antibióticos y así nos salen de maricones.

Le puse un comprimido a la altura del morro y la perra volvió la cabeza con cierto asco.

—No seas terca, como te llames, vas a tomarte la medicina y no se te ocurra morderme, porque te muerdo yo la yugular.

Agarré el hocico y forzando la voluntad de la perra, presioné con los dedos índice y pulgar por los carrillos, como me habían enseñado a hacer en los cursos obligatorios de la Dirección General de Seguridad (DGS); el animal abrió la boca y en su lengua —amarillenta y reseca— dejé dos aspirinas, cerrando de nuevo y apuntando con el morro hacia las copas de los cipreses: no tuvo más remedio que tragar y entonces, aprovechando su notoria debilidad, pregunté:

—¿Cómo te llamas?

—Benito —dijo alguien a mi espalda.

Era una vocecilla rota, medio cascada, como la del gnomo de un bosque asturiano que se suele esconder entre las grandes raíces y los troncos de los castaños o debajo de una seta; pero no estábamos en Asturias, ni en el bosque, sino entre tumbas nobles de próceres de enciclopedia ilustrada y familias bien de apellido compuesto. Entre un ciprés y el enterramiento del general Santiago Alcántara de la Vega, famoso emboscado en Melilla —durante la heroica campaña de Marruecos— surgió un niño que andaba fuera del tiempo y de las costumbres decentes. Pese al calor iba vestido con pantalón de pana, aunque aliviaba los pies con alpargatas negras y toda la zona del pecho con camisa blanca, bastante limpia para su edad, que sería —más o menos— de ocho años. Tenía la cara redonda y aplastada, orejas de soplillo, los ojos achinados, el pelo revuelto, las patas cortas y los brazos largos. Aunque yo suponía quién era, se lo pregunté por si hubiera error:

—El *Coco Chico*.

El *Coco Chico*, nieto de Fulgencio Majada, uno de los cuatro guardas de la Sacramental.

—¿Cómo sabes que se llama Benito?

—Porque sí.

—¿Le has dado de comer?

—No; me dio la comida un señora, pero se la comió la urraca.

—¿Y cómo llegó hasta aquí?

—Con el entierro.

—¿Dónde está tu abuelo?

—Abajo.

—Pues dile que venga antes de que me vaya.

Le ofrecí una moneda de cien pesetas y el *Coco Chico* —sin manifestar ningún entusiasmo— se limitó a manosearla con suficiencia. Comprendí que habían subido los precios y saqué otra de quinientas, que me arrebató con admirable velocidad.

—Dame el cambio, listo.

Coco Chico me devolvió los veinte duros, se guardó las quinientas y entre tumbas se fue corriendo, saltando de losa en losa como en un juego antiguo. Ya me hubiera gustado, a la edad del *Coco Chico*, tener un cementerio tan elegante a mi disposición. Luego volví a interesarme por la pobre Benito, que después de meter el hocico entre las manos se había hecho una rosca. Oye, no creas que aquí se despide el duelo. Sin mover la cabeza me echó un reojo y advertí que tenía las pupilas dilatadas, seguramente por efecto de la fiebre. Yo saqué el jamón de york y con ademanes un poco untuosos se lo ofrecí: ahora te vas a comer el jamón de york y no me hagas perder la paciencia ni repetir lo de antes. Benito me dirigió una mirada melancólica, donde había un punto amargo, como si dijera: me habría gustado conocerte antes, pero así es la vida. Y yo —modesto especialista en perros, mujeres y criminales— aproveché la debilidad y le acerqué el jamón. Benito levantó las cejas, que eran redondas, pequeñas y rojizas, y olió con disimulo la comida, mientras yo silbaba —muy despacio— el *Vals de los patinadores*, que interrumpí al observar cómo la perra volvía a cerrar los ojos. No, ni se te ocurra, mientras yo me ocupe del caso, quedan prohibidas las pijadas y la huelga de hambre. Benito no contaba con semejante tozudez y debió de pensar que más valía seguir la corriente y así abrió la boca y en plan gato enfermizo —con elegante desgana— se comió cien gramos de jamón de york. Bien hecho y ahora te vas a beber esto. Tiré el agua del bote, lo llené de leche y se lo ofrecí a la perra, que se levantó con inseguridad, como si hubiera estado dentro de la tumba en vez de echada en la losa. Apenas se podía aguantar sobre las patas y daba dolor ver los pelos empobrecidos, sucios de sangre reseca, aquella piel pegada a los huesos y la tripa hundida, tan vacía. Muy despacio se acercó al bote, metió la lengua con precaución —como si arrimara un dedo al fuego— y después, entre dengues de princesa, comenzó a beber.

—Le juro a usted, por mis muertos, que no lo hubiera hecho más bien el San Francisco de mi pueblo.

—Ni un cachondeo, *Coco*, que me conozco y como vuelvas a jurar por tus muertos rompo la norma y te doy una hostia.

Fulgencio Majada, el *Coco*, según costumbre y pasado el pronto, aguantó en respetuoso silencio, mientras su nieto *Coco Chico* llevaba los ojos —intencionadamente— de la perra a mi persona y de mi persona al seto vecino. Cuando estaba a punto de sonar el gong quise saber el nombre y apellido del que yacía dentro del hoyo, y Majada me negó la información alegando falta de medios. Yo le pregunté si recordaba los sótanos de la DGS y él me dijo que hay cosas que no se pueden olvidar y habló con toda facilidad:

—Ya sabe usted que en San Isidro escasean los entierros por aquello del espacio, y por eso, los que se producen, llaman la atención del público en general, digo del público que viene a pasear e incluso de los guardas titulados. La tumba, como se puede ver, es propiedad de la familia Gutiérrez del Arroyo, y el muerto será pariente, sobrino segundo o algo así, y ya le dije que se mató en la sierra de Guadarrama.

Entonces, yo quise saber cómo fue el entierro y el *Coco*, que nada del otro mundo y de propinas muy flojo, de los peores. Vino un matrimonio como de sesenta años, que debían de ser los Gutiérrez del Arroyo, y no lloraron y ni siquiera llevaban gafas de sol. También se personó una morena, bajita, guapa, muy buena ella y ésta sí que llevaba gafas, pero tampoco lloraba, aunque se la veía penar. Yo le pregunté si asistió alguien más y él me dijo que la perra, que estaba escondida detrás de un árbol y añadió que trajeron una corona de flores amarillas, rojas y violetas, pero sin dedicatoria, y un ramo de flores blancas, como los que se ofrecen a los niños. Luego quedó en silencio y no le faltó más que firmar la declaración. Traté de llevarme a Benito, pero la perra —más animada— me enseñó los dientes. Entonces, *Coco Chico* decidió intervenir en la encuesta:

—Vino la señora de las albondiguillas.

—¿Quién es la señora de las albondiguillas?

—La que dio albondiguillas a la urraca.

El niño señaló al seto que tenía a su izquierda y yo me acerqué: entre las plantas había una urraca tiesa y cubierta de hormigas. Agarrándola de un ala, se la enseñé a *Coco Chico*, que asintió con gravedad, y el abuelo *Coco*, que estaba acostumbrado a negar y a proclamar su inocencia inútilmente, afirmó que no sabía nada de aquella urraca y que todo eran fantasías del niño propiciadas por el abuso de la tele. Yo sacudí las voraces hormigas, que invadían el cadáver del pájaro, y lo guardé en la bolsa del jamón de york. Después, haciéndome el despegado, me alejé de la tumba, mientras Benito —que aún no estaba madura— volvía a echarse en el mármol.

—Mañana vendré a buscarte.

En la oficina de la Sacramental —inesperadamente alterada por las novedades del entierro— el guarda mayor, a instancia de el *Coco*, me facilitó los datos del difunto. Era aquel guarda —años atrás ganchero en el río Sella— don Rafael García Celorio y estaba allí desde los tiempos de Franco, que en premio a muchos salmones bien trabajados, se lo trajo a la capital. La verdad es que ni el número cuatro, ni el dos, ni siquiera María Barriga, la secretaria —una de las mujeres más flacas de Madrid— pusieron trabas a mi curiosidad, suponiéndome jubilado harto de jubilación o quizá nostálgico de pasadas emociones y algo había de eso, pero también un cierto martilleo en la cabeza y —a pesar del calor— un tenue escalofrío en la zona del ombligo.

Yo no creo en percepciones extrasensoriales, ni mucho menos en la inspiración divina, ni siquiera en soplos misteriosos, pero creo en la intuición, que en mí se manifiesta con golpes en las sienes, como si alguien me estuviera llamando, y en el referido escalofrío del ombligo. Nunca se lo he dicho a nadie —muchísimo menos a mis jefes y compañeros—, ni siquiera lo comenté con mi Margarita, porque un policía debe ser realista y tener los pies en la tierra y no la cabeza a pájaros. Claro que a la intuición —si es que lo puedo llamar así— hay que añadir el trabajo, el oficio, la tozudez y la paciencia. Todo eso está muy bien, pero desde que vi a la perra —la que se deja morir en la tumba de los Gutiérrez del Arroyo— me empezaron a latir las sienes y a llegar los fríos por el ombligo, como en el caso de *Maripiojos*, que me llevó de rebote a un inolvidable exilio en la isla de Fuerteventura.

Mi abuelo el *Colorao* solía decir que en todas las cocinas hay un puchero que huele a podrido y en este cementerio me parece que hay una tumba en las mismas condiciones, y no me refiero al patio y a sus vecinos, que así huelen de ordinario, sino a otra cosa muy distinta. Quizá no hubo accidente en la sierra del Guadarrama, pero la única que lo sabe es Benito, si es que acompañó a su amo en aquel su último paseo.

Saqué el abanico y empecé a darme aire, mientras la señorita Barriga leía una ficha: Arenales Medrano, Gaspar, natural de Madrid, hijo de Ricardo y Dolores, de estado soltero y profesión explorador. Aquel dato hizo sonreír a la señorita Barriga, mientras el *Coco* parecía prendido en el vuelo de mi abanico y el guarda mayor decía: o sea, periodista y fotógrafo. La secretaria siguió leyendo: residente en Nairobi (Kenia) y con pasaporte español número etc., etc. Falleció a consecuencia de las lesiones producidas en el cráneo, o sea, rotura sin remedio por accidente fortuito sufrido el 22 de agosto del año en curso, en el monte Peñalara de la sierra del Guadarrama. Firma el doctor don Javier Hontanares, colegiado número etc., etc. El finado Arenales Medrano recibió sepultura en esta Sacramental de San Isidro, en el módulo etc., etc., patrimonio de la familia Gutiérrez del Arroyo, desde 1905, a perpetuidad y por voluntad de su titular y legítima propietaria doña Juliana Puente y Gutiérrez del Arroyo, que acredita ser etc., etc.

Yo escuchaba en silencio, pasando la mirada de las baldosas rojas del suelo a un botijo blanco de barro y tratando de eludir la mirada ávida de la señorita Barriga. No sabía que dieran tantos detalles en los cementerios y, por mi parte, ya no necesitaba más. El eficiente García Celorio me dio copia del documento y yo le informé de que estaba jubilado y no tenía obligación de entregarme ningún papel:

—Para mí es un honor colaborar con la justicia —dijo el guarda como si estuviera haciendo una película de abogados.

—Según a lo que usted llame justicia y colaborar, mi querido amigo.

Y después abandoné la Sacramental de San Isidro, no sin antes ordenar al *Coco* que le pusiera agua a Benito. Entonces —la señorita Barriga a punto de desencuadernarse— corrió hacia mí y apoyando sus largos dedos en mi brazo izquierdo, me ofreció sus leales servicios y me prometió que la perrita siempre tendría agua fresca. Por fin crucé el umbral de la puerta, mientras la señorita Barriga guardaba el expediente suspirando. Comprendo que no es una buena costumbre, pero siempre lo hago: di un paso atrás, por si aquellos funcionarios tenían la amabilidad de ocuparse de mi persona o me ofrecían algún dato olvidado involuntariamente:

—Hace falta ser muy hombre para abanicarse en público. —dijo la encantadora señorita Barriga.

—O muy maricón —le respondió el guarda mayor.

Hay veces que más vale no quedarse a escuchar.

Subí procurando que nadie me oyera, porque no entraba en mis cuentas ver a Linda Lebreles y mucho menos dar explicaciones al *fúrer*. Crucé —casi de puntillas— ante la pensión Trinidad, dejé atrás Filatelia Isabel II y el Centro Podológico integral, abrí la puerta de casa y eché a andar por el pasillo con *pecinhos d'algodão*, como decía mi colega el ex comisario portugués Diamantino Dos Santos. Del fondo del piso venía el odioso sonido del televisor portátil de mi hija Pilar. Entonces me deslicé hasta mi territorio, pero antes de poner la mano en el picaporte oí la voz del *fúrer*: ¿Hay alguien ahí? ¡Tu padre!, estuve a punto de contestar, pero me detuve a tiempo.

Ya a salvo —o eso creía yo—, me quité la chaqueta, me aflojé el nudo de la corbata, me enjugué el sudor y busqué el abanico que fue de mi abuela *Pringa*, el que tiene la Mezquita de Córdoba y que algunos atribuyen al pintor Romero de Torres, pero no lo encontré por ninguna parte, como suele ocurrirme con las gafas, los bolígrafos y las llaves. Así que, resignado, seguí utilizando el abanico pequeño.

Mi cuarto está dividido en dos partes: un gabinete, con balcón a la calle y columnas de hierro colado, que lo separan del dormitorio. El gabinete hace de lo que llamo *mi despacho*. En el centro está el mueble de persiana, un archivador antiguo, que fue de mi padre y que se salvó del desastre en la Guerra Civil. Allí guardo viejos expedientes, recortes de periódicos y artículos, señales de mis tiempos jóvenes e incluso una foto de Sarita Montiel dedicada con todo cariño. Poco a poco he ido comprando muebles de oficina, algunos metálicos y otros de madera; pero el más querido, el mío —la mía— es una butaca con ruedas en la que me desplazo por el despacho como si estuviera impedido: de la librería al sillón, del sillón al archivador y así todo el rato, feliz como bebé en taca-taca. Tengo también un pupitre para leer, que fue de mi abuelo el cabo Andrés Ríos, y también de mi abuelo, de cuando la mili en Tetuán, un bonito tapiz con minarete y camellos. Y los libros, en una estantería que me hizo un recluso de Archidona: historia de España, historia contemporánea, historia de la transición, chismes de los Austria y los Borbones, las calles de Madrid, memorias del comisario Goron —de París—, epistolarios célebres, geografía, astronomía, exploraciones, los secretos del mar submarino, novelas de Wells, de Conrad y de Julio Verne; pero sobre todo mis queridos poetas, que a veces —en repetidos ciclos melosos— recito en voz alta. Me gustan mucho los libros que tratan de asesinos de verdad, de policías reales y sobre todo las noticias de los muertos que pasaron por mis manos, cuando todavía yo no era un viejo sentimental. En una mesita metálica —también con ruedas— tengo un ordenador, que compré en 1986, el día en que decidí ser moderno, con el word-perfect 5.1, lento y jubilado, sin esperanza de vida y tan estrafalario como yo; pero hemos llegado a entendernos, y aunque a veces me gasta alguna broma electrónica, sirve a mis propósitos, mañas o caprichos y además me sitúa en un tiempo de ahora, ya lejos de la máquina Hispano Olivetti y no digamos del plumín y el manguillero de mi niñez.

En el ordenador —a quien llamo cariñosamente *Ginesillo*— he instalado un programa que reproduce la bóveda celeste, otro de economía doméstica —para uso de Pilar— y un tercero donde archivo mis libros, que no serán más de mil, añadiendo a cada una de las fichas comentarios y apostillas personales.

Cuando me disponía a leer un periódico atrasado se abrió la puerta y entró el *fúrer*, con el pretexto de saber si cenaba en casa, pero la pregunta se le atragantó en la boca y, señalando al pájaro, dijo con horror: ¿Eso qué es? Ya era tarde para disimular o retroceder, así que —sin darle importancia— contesté que una urraca fallecida en extrañas circunstancias. Pilar ordenó que la tirara inmediatamente a la basura y yo —que me crezco en las situaciones difíciles— le dije que no pensaba tirarla, Pili. Bien sabía yo que con Pili hacía daño, mucho más que si empleaba la palabra *fúrer*. Luego añadí que no me salía del forro de las narices y que no pensaba dar explicaciones a nadie, aunque se me escapó una: esta urraca es parte de mi trabajo y gracias a ella y a otras porquerías, como tu dices, has comido caliente toda tu vida. Pilar —de milagro calmada— me recordó que estaba jubilado y entonces yo le respondí que un artista no se jubila nunca.

—Y te voy a decir otra cosa, Pili: si no estás a gusto en mi casa —subrayé lo de mi casa—, ya sabes dónde tienes la puerta; te llevas a la niña y todos tan felices.

—¿Y qué ibas a hacer sin nosotras?

—Tú prueba.

El *fúrer* se mordió la lengua y me preguntó si cenaba en casa, también apoyándose en la palabra, y yo, más tranquilo, me interesé por el menú.

—Gazpacho.

—¿Y de segundo?

—Croquetas con ensalada.

—Yo quiero patatas fritas.

—¡Pues no hay patatas fritas!

Pilar, una vez recobrado el valor perdido, se atrevió a decir que mi cuarto estaba hecho un asco. Después cerró la puerta —guardándose el portazo— y ya aislada en el pasillo y, por tanto protegida, gritó que al día siguiente Luisa —la asistenta de Móstoles— le iba a dar un buen repaso a mi habitación. ¡Si Luisa entra aquí, no sale viva! Un furioso taconeo se alejó por el pasillo y un suculento portazo sacudió las paredes: a pesar de los pesares suspiré aliviado. Luego me senté mirando una foto de cuando Pilar era niña, que recordaba a Marga y a las modelos de Lewis Carroll. La verdad es que el *fúrer* era una guapa mujer —que a mí me seguía pareciendo pequeña, como parada en el tiempo y un poco atónita—, pero tenía el carácter revirado y siempre estaba pensando que llevaba razón y que su palabra era ley y nunca me dejaba hablar. También me recordaba a mi Margarita, aquella Margarita perdida en 1985, cuatro años antes de mi jubilación. Margarita era voluntariosa y casi tan gritona como Pilar, pero tenía un fondo dulce y soñador y, sobre todo, un curioso sentido de la justicia hogareña. Muchas veces me pidió perdón mi Margarita por una mala frase cruzada en momentos acalorados, y yo también me acostumbré a pedir perdón. Pilar nunca jamás, antes muerta que razonable. Y eso que Margarita era una chula, según ella descendiente de los chulos de Lavapiés, y en más de una ocasión llegó a pegarme y a desafiarme: ¡Pégame tú, pégame como pegas en la oficina! Incluso entonces podía llamarme hijo de puta; pero al día siguiente me daba un beso y se le llenaban los ojos de lágrimas. Cuando murió pensé que —durante muchos años— no le había dicho te quiero, quizá por vergüenza o porque esas cosas se dejan para la juventud, y cuando me quedé solo con ella, en el tanatorio de aquel dolorido hospital, le dije te quiero; aunque sabía que era definitivamente tarde. Daría mi sueño o mi alma o cualquier otra cosa y la vida de mi hija y la de mis nietos por conservar la suya y porque pudiéramos pasar juntos algo del tiempo que perdimos. Por eso voy al cementerio tantas veces; ya sé que no está allí; ¿pero dónde la voy a encontrar? Y por eso me desconcertó, como nada en el mundo, haber olvidado el sitio de la tumba. Aquella noche le di un beso en la frente, que estaba helada, y luego en los labios, y sentí el frío mucho más allá del granizo, de la escarcha y de la nieve, que es otra cosa. Parecerá una tontería, pero al perder el rumbo en San Isidro me llevaba Margarita, y por eso llegué al mausoleo donde se deja morir la perra Benito: Margarita quiere que yo siga ese rastro, quizá por mí, para que no me sienta solo o tal vez por el muerto nuevo, el de la sierra, que cualquiera sabe qué relaciones tienen los enterrados.

El asesino Xarradell levantó los ojos y miró al comisario Arruza, como si no lo hubiera visto nunca: estaba encogido en la butaca y parecía mucho más viejo. Jamás hubiera creído que un comisario de policía hablara así y pensó entonces que más bien sus palabras nacían del miedo a la muerte y a la soledad, y luego casi murmuró: no, si acabaremos de novios.

Envolví cuidadosamente el cadáver de la urraca, en un papel de plata, y caí, de nuevo, en el vicio hablador:

—Mala suerte, mala suerte tuviste al encontrar un hombre débil.

Pilar estuvo casada dieciocho años y se separó tres veces del hombre débil, y de los dos armisticios nacieron Jacobo y la niña Marga, y menos mal que no hubo ninguna otra paz ni cese de hostilidades.

En el piso de Relatores se juntaba el sueldo del *fúrer* y la miseria que le pasa el hombre débil, con mi jubilación, y el rencor y la tristeza de Pilar con las mañas de la niña Marga y mi propio egoísmo. La niña Marga aún no estaba picada de resentimiento, aunque en voluntad y malicia salía a su madre y en amor propio y cazurrería, a mí. Por suerte el hombre débil no había dejado ninguna huella en la niña Marga.

—Pero yo me moriría sin vosotras.

Dije en voz alta con cierta blandengue y melancólica sonrisa, pasando la mirada desde la foto de Pili Arruza hasta el tapiz moro de la pared.

VI

LAS MONITAS REPUBLICANAS

(Del testimonio del notario González Chamorro)

Nací en Sorbas (Almería) precisamente el día 31 de diciembre de 1929. Mi madre quiso parir en Sorbas —aunque vivía en Madrid— porque yo era su primer hijo y todos los varones de la familia Chamorro —por lo menos desde 1830— habían nacido en Sorbas. Andando el tiempo —que anduvo muy deprisa, por cierto—, mamá, ya viuda y fumadora, me dijo que le traía al fresco el asunto de los varones Chamorro, pero que le importaba mucho estar junto a su tata María del Alcorque en tan delicada ocasión. Y por eso nací en Sorbas y mi madre se reventó por dentro, porque el médico que le asistió tenía casi noventa años y los pulsos temblorosos, que más le hubiera valido estar a solas con María del Alcorque. En Sorbas se rompió el molde, solía decir mamá. Lo cierto es que yo le debo la vida a la tata, porque vine al mundo con el cordón umbilical atado al cuello como soga de ahorcado. María del Alcorque me sacó de los pies, mordió la soga materna y se lió a sacudirme en el culo —que yo creo que, a partir de entonces, lo tengo de corcho— mientras mi madre se desangraba y el médico pedía una copita para entonarse. María del Alcorque era muy piadosa y en aquellos momentos, al tiempo que me arreaba la badana, me bautizaba a gritos: ¡Yo te bautizo y por éstas te pongo Martín Francisco Rafael en el nombre del Padre, del Hijo y del Espíritu Santo! Pasado algún tiempo me explicó que aquello se llamaba *aguas de socorro* o algo así y que ella, aunque fuera mujer, las administraba en Jesucristo Nuestro Señor. Martín por su novio, que murió en Pinar del Río (Cuba) en 1897, Paco por mi padre y Rafael por *El Gallo*, torero del que era muy partidaria. Cuando empecé a berrear y ya segura de sus gestiones materiales y sagradas, se ocupó de mamá, que había empapado de sangre dos colchones, y ella, que pensaba llamarme Eusebio, como el abuelo, dijo que lo que había hecho María del Alcorque estaba muy bien hecho. Eso sí, cuando me bautizaron solemnemente en la iglesia de Santa María me pusieron Eusebio en cuarto lugar, para que el abuelo no sintiera el menosprecio.

Mi abuelo Eusebio Chamorro, rico y guardador —pero no avaro— era muy aficionado a la política y a la caza, llegó a ser diputado con don Antonio Maura y fue amigo personal de Alcalá-Zamora y del general Sanjurjo, eso de los tiempos de África. Tenía propiedades urbanas en Almería, dos cortijos en Sorbas y uno en Níjar, de donde era mi abuela Marita: el de Níjar se llamaba Los Ramírez y los de Sorbas La Campana y Olivares. Mi abuelo fue un hombre autoritario y duro y, por suerte para él, murió del tifus en 1935, que si llega al famoso 18 de julio tal vez le hubieran echado cuentas sus paisanos.

Lo recuerdo montado a caballo, con cierta grandeza, bajo un sol abrasador, con camisa blanca hasta los puños —adornados con gemelos de oro— cubierto por un sombrero de dril pardo, de los que llevaban los soldados en África, y casi siempre con un cigarro entre los dientes. También recuerdo que, al anochecer, me paseaba a hombros por el campo reseco y que un día —siempre llevaba revólver— para divertirme mató a un enorme lagarto verde y otra vez me dejó disparar el revólver y me caí de culo. A mi abuelo Eusebio le gustaban mucho las mujeres y no tuvo el menor problema en tirarse a una lucida representación de la provincia, sin hacer ascos a solteras, casadas, viudas, criadas, jóvenes, maduras, aldeanas o señoras. Incluso un día me contó María del Alcorque —que también había pasado por la piedra— que el abuelo se benefició a una domadora negra que había venido en un circo. A mamá le divertían las hazañas del abuelo Eusebio, que fue muy conocido en Almería e incluso en Málaga y en Granada, donde tuvo un duelo con un militar. Lo de mi madre es curioso, porque siempre fue persona muy avanzada de ideas, amiga y admiradora de su paisana Carmen de Burgos, *Colombine*, defensora del divorcio y del voto de la mujer y, como ya he dicho, muy fumadora. Yo creo que a mamá —a pesar de *Colombine*— le hubiera gustado ser hombre y que, en el fondo, envidiaba las recias cualidades del abuelo Eusebio.

Los seis primeros años de mi vida los pasé en el cortijo grande —Olivares—, mientras mis padres acababan de instalarse en Madrid y se mudaban de un piso diminuto de la calle Torrijos a un hotelito de dos plantas en una colonia particular, entre las calles de Alcántara y Montesa, muy cerca de la Avenida de los Toreros y del Paseo de Ronda.

Después del parto desastroso, que terminó bien gracias al arrebato de María del Alcorque, a mamá se le retiró la leche o no le subió nunca y tuvieron que alquilar a una mujer de Sorbas, Joaquina Núñez, *Tirillas*, mote que le venía de familia. Esta mujer —en realidad era una chica de dieciséis años— estaba recién parida, pero cuando se enteró el abuelo la puso en la calle diciendo que su nieto no mamaba de una teta sindicalista, porque *Tirillas* padre era de la CNT y a *Tirillas* abuelo le aplicaron la ley de fugas después de la huelga revolucionaria de 1917. Total, por aquello de las dos Españas y de la triste división entre pobres y ricos, yo me quedé sin la sabrosa teta de Joaquina Núñez, que desmentía el infamante apodo de *Tirillas* y era una verdadera belleza —algo así como una gitana rubia de *tablao* flamenco— y lo puedo certificar porque tengo fotografías. Muchos años después, hablando con mi tía Leonor Chamorro —el último resto de mi familia en Sorbas—, me dijo que el abuelo Eusebio echó a la niña Joaquina porque a ella no le salió del chocho —ésas fueron sus palabras— pasar por el aro, y que lo de la teta anarquista era lo que se llama un cuento chino, que el abuelo se había metido en más de un chocho —insistió en la palabra— ácrata e incluso comunista. O sea, el abuelo Eusebio se jugó mi pobre vida, sin el menor remordimiento, al cambiar la roja leche revolucionaria por la condensada marca *Sam*, que desde entonces me aplicó María del Alcorque, que conocía el percal y las consecuencias fatales que para un niño de pecho podía suponer la ausencia de un buen producto: ella me hervía el agua y luego la mezclaba —en la debida proporción— con la leche *Sam,* y mientras se enfriaba sacaba del corpiño sus dos magníficas tetas y me dejaba jugar con ellas, y yo las tocaba, las lamía, me pasaba por el morro el negro pezón y Alcorque no dejaba de decir qué sinvergüenza es mi Martín, recuerda estas tetas, que no se te van a olvidar nunca, que aquí las tienes a tus órdenes como las tuvo el cabrón de tu abuelo. Digo yo que aquellas entrevistas con las tetas de María del Alcorque me dejaron marcado para los restos, porque desde los diez años, cuando empecé a pensar en estas cosas, las mujeres sólo se me representaban con tetas y todo lo demás me traía al pairo, y digo yo si las dudas de mi matrimonio no habrán sido por culpa de *Tirillas,* de María del Alcorque y de Nati, de quien hablaré después.

Cuando pienso en los recuerdos de mi infancia aún me vienen a las mientes mi abuelo a caballo, las referidas tetas, el lagarto —boqueando despanzurrado—, las cucarachas volonas, los campos desolados de Níjar, el mar del cabo de Gata, la criada Justa en la cocina, la abuela Marita —redonda como una tarta— abanicándose en el patio, las tiras donde se pegaban las moscas, el pastor *Cabraloca* —que tenía muy mala fama en Sorbas— y el mendigo *Benditoseadiós,* que iba de cortijo en cortijo pidiendo una *perra gorda* y nunca le daban nada porque todo el mundo sabía que era riquísimo. Estos recuerdos me vienen del año 31 y de los veranos de 1934 y 1935, cuando yo tenía muy pocos años, pero hay otros misteriosos de memoria precoz y repelús me da pensarlo: veo a mamá —desnuda y blanca— corriendo a esconderse en el cuarto de baño y el cadáver de un niño, hijo de un pastor, que murió ahogado en la acequia de Los Ramírez. Y yo no había cumplido tres años, ni nadie me lo ha contado. Ahora lo puedo ver como en un álbum de fotos y pienso que todo lo que ocurre en la infancia se queda dentro de la cabeza y que, tarde o temprano, sale: desde un amor a una venganza, porque el odio no perdona y, aunque parezca un chiste, siempre acaban ganando los débiles.

Como siempre he sido hombre ponderado y equilibrado, gustoso de la justicia y partidario de dar la razón a quien la lleva, poco o nada frenético —ni en amores, ni en fobias y mucho menos en pasiones atolondradas—, tranquilo en mi cuba de aceite de oliva, con miedo, porque —puestos a confesar miserias— debo admitir que soy un cobarde, aunque no temo a los fantasmas del otro mundo. Pese a mi formación jurídica —o tal vez a causa de ella—, soy muy aficionado a las novelas policíacas y, en cambio, me resbala la poesía, el melodrama, la pornografía —incluso el género erótico—, los libros de cocina —tan de moda en estos tiempos—, el alcohol, la droga y el tabaco, y no digamos la historia, la filosofía, el ensayo, el teatro y los clásicos. He leído tanto y tan a la fuerza, durante siete años sin parar, esclavizando la memoria, al servicio del reloj minutero, machacándome el seso con artículos, decretos, órdenes, apartados, anexos y leyes —del Código Civil al Boletín Oficial—, que no me queda ni la ilusión de abrir un libro, excepto las novelas policíacas, que me tranquilizan y me aceleran a la vez; aunque tanto me deformaron, entre unos y otros, los artículos, los temas y los misterios, que —sin darme cuenta— me sabía de memoria páginas y páginas de novelas de detectives a la par que artículos del Código Civil. «Lamento mucho, Watson, tener que despertarlo —me dijo Sherlock Holmes—. Es una desgracia que esta mañana nos ha caído encima. A la señora Hudson la despertaron, la señora Hudson me despertó a mí y yo le despierto a usted, querido Watson. El tribunal que rehúye fallar a pretexto de silencio, oscuridad o insuficiencia de sus leyes, incurrirá en responsabilidad. Maigret llegó a la cita, casi puntual, en el restaurante alsaciano de la calle de Enghien y pidió una choucroute y un vino blanco: que espere el juez Dossin. No obstante lo dispuesto en los artículos cuatro y diez, tanto los procuradores como los abogados, podrán asistir con el carácter de apoderados o de hombres buenos, a los actos de conciliación.» Fue gracioso cuando saqué la bola del Recurso de Revisión y después de poner el reloj sobre la mesa —para vigilar los diez minutos de que disponía— empecé diciendo: «Buenas tardes, Beaumont, celebro verle. ¿No quiere usted..? No, gracias, ya he merendado». El profesor don Federico de Castro se quedó mudo de asombro, yo —a pesar del miedo— oculté la risa en un pañuelo y nunca estuve más brillante. Saqué plaza de notario, me destinaron a Torralba de Calatrava (Ciudad Real) y a partir de aquel día glorioso vivo de echar firmas. Pero nunca me abandonaron Conan Doyle, Chesterton y Gaston Leroux, Dashiell Hammett, Raymond Chandler, Patricia Highsmith, Agatha Christie, mi querido Simenon, Giorgio Scerbanenco, Le Carré, Dürrenmatt y Graham Greene. La lista sería interminable y yo soy un simple aficionado que no le debe nada al género, pero que —a fuerza de misterios y de artículos del Código Penal— aprendió a distinguir los dos caminos tradicionales. El lector conoce al asesino desde la primera página y el comisario está en blanco. El lector es Dios, porque sabe más que la autoridad competente. Ni el lector ni el policía saben nada, hay un regimiento de sospechosos y el crimen no se descubre hasta la última página del libro.

Lo malo es que esto no es una novela policíaca, ni siquiera una novela: es sólo un mazo de cuartillas con destino que yo mismo me oculto. No voy a seguir ningún orden y mucho menos un sistema; digo lo que se me ocurre, de la forma en que se me ocurre, y doy importancia a lo que para mí la tiene. La tiene —en primer lugar— la tortura a la que fui sometido en mi niñez, el amor de mi madre y el que yo volqué en ella, el sexo que apuntaba en la adolescencia, mi desconocimiento de las mujeres —del cual no me siento responsable, pero que me llevó al miedo y a la estúpida cortesía matrimonial—. El despego que me producen mis hijos, el aburrimiento, la ausencia de interés por los viajes y por las aventuras, mi falta de sentido musical y mi desprecio absoluto por el fútbol, la tele y los toros. Soy un monumento a la indiferencia y, sin embargo, a veces me siento arder y soy capaz de hazañas —para mí son hazañas— que nunca podría repetir, ni siquiera reconocer como mías. Durante cuarenta años me ha mantenido vivo el odio a un niño, el amor a un hombre, que fue mi hermano, y el terror a las pesadillas, que llegan cuando él está cerca.

Tampoco quiero ser injusto conmigo mismo, me gusta coleccionar sellos y ver reportajes de animales de mar y tierra. Tengo una magnífica colección de sellos de España y sus colonias (nuevos), que van desde los últimos de Alfonso XII, hasta el XXV Festival Folclórico de los Pirineos (1987). También me gusta dormir, tener plácidos sueños o no soñar nada, estirarme en la cama, abrazar la almohada, sentir el frescor de las sábanas e imaginar historias en las que yo soy el héroe, como en las antiguas películas de la vida secreta de Walter Mity. Pero últimamente no puedo descansar, porque siete horribles pesadillas —siete— en turno rotativo me acosan como si estuvieran programadas —en sesión golfa— desde el lunes al domingo. Tanto se han repetido que incluso llegué a considerar el suicidio, pero me falta valor y además me da vergüenza suicidarme e incluso asco de pensar en mi cadáver, y sobre todo me horroriza dar la lata. Recuerdo ahora el suicidio del metro, pero sobre todo el del tío Ramón Palomo —en realidad, tío de la madrina— que vivió con nosotros durante los años cuarenta y que tenía una depresión de caballo. Un día se hizo con una escopeta, se metió el cañón en la boca y se descerrajó un tiro. Aún me parece estar viendo los sesos y la sangre chorreando por la pared de su alcoba y el olor a casquería —dulzón, penetrante y húmedo—, que aquello parecía el mercado de Argüelles y no es falta de respeto al tío. Desde entonces no he vuelto a comer entresijos de reses, de cordero, ni de aves, y tal horror me produjo aquel cuadro obsceno y maloliente, que me prometí no suicidarme nunca —sobre todo en casa—, por no dar la murga como se la dio el tío Ramón a la madrina Luz Ángela Castañón.

Mi padre Julio González —fotógrafo y alférez de complemento del Cuerpo Jurídico— murió en acción de guerra en el frente de Teruel, sector de Caudet, el 19 de diciembre de 1937. Parece ser que se refugió en una casilla de peones camineros para aguantar el bombardeo de los aviones enemigos, y tuvo la mala suerte de que la casilla fuera alcanzada por una bomba y se le derrumbó encima todo el techo. La verdad es que aquel incidente no constituyó un acto heroico, pero un muerto es un muerto y le dieron una medalla —que yo perdí años después— y una pensión que disfrutó mamá. El caso es que yo, a los diez años, era huérfano de padre y un poco más libre.

Mi padre pertenecía al partido radical —el de don Alejandro Lerroux— y en el *bienio negro* —llamado así por los rojos, claro está— fue gobernador de Lugo. Republicano y liberal y yo creo que persona decente, llegó a trabajar en el despacho de don Maximino Súñer, especializado en sociedades anónimas. Mi padre tenía una afición —lo que ahora vulgarmente se llama *hobby*—, que era la fotografía, y como fue muy amigo del magnífico y acreditado fotógrafo Pepe Campua, con él se pasaba largas tardes de invierno revelando y sacando copias para los amigos e incluso haciendo atrevidos y modernos bodegones. Esta habilidad le sirvió para incorporarse a las Brigadas Navarras como heroico fotógrafo y alférez jurídico, librándose así de las trincheras, y para morir paradójicamente en Caudet, porque nunca se sabe dónde salta la liebre negra. De aquellos tiempos de la Guerra Civil conservo cinco álbumes de mi padre, que corresponden a las campañas del norte —Vizcaya, Santander y Asturias—, a la batalla de Guadalajara —de triste recuerdo para los fascistas italianos—, a la fracasada ofensiva sobre Madrid y al inicio de la batalla de Teruel, en el diciembre helado de 1937, que acabó con la vida de mi padre.

A pesar de las claras tendencias autoritarias y militaristas de mi abuelo Chamorro y del suave liberalismo de mi padre, yo me he mantenido alejado de la política, porque creo que un notario debe ser neutral, aunque siempre —por profesión e incluso por vocación— respeté lo que mi abuela Marita llamaba, y vaya usted a saber por qué razón, el statu quo. Quiero decir que nunca fui partidario de la dictadura del general Franco y que no acudí a ninguna de las cacerías —y me invitaban a muchísimas— en campos de Torralba de Calatrava y aun más en Valdepeñas y Toledo.

La que era roja, pobrecita mía —o por lo menos republicana—, fue mamá, y buenas broncas tuvo con papá, que se sentía incómodo —o quizá ridículo— ante una gobernadora amiga de la rebelde *Colombine* y de las chicas de la Enseñanza Libre, partidaria de don Manuel Azaña, empeñada en luchar por la igualdad de la mujer y el divorcio, asidua al Ateneo y colaboradora ocasional en el periódico *El Sol*, aunque sólo fuera en las páginas de la mujer. Yo creo que si el matrimonio de mis padres —definitivamente aniquilado en la batalla de Teruel— logró sobrevivir a las Españas enfrentadas fue por una razón muy simple y muy difícil: los dos se querían y los dos eran inteligentes.

Se querían mucho, pero como es tradicional, cedió mamá, que fue gobernadora de derechas y huyó de su casa para esconderse en San Sebastián y proteger a mi padre cuando a ella le hubiera gustado aguantar en Madrid.

Debía de ser el año 31 —enero, febrero o marzo— cuando mamá desconectaba la radio en el momento en que sonaba la Marcha Real y un poco después, en abril o mayo, se ponía en pie para escuchar el Himno de Riego. Nadie lo sabía, ni papá, ni mucho menos el abuelo Chamorro, sólo estaba en el ajo político María del Alcorque, que en momentos de confianza llamaba a mamá *Marianita Pineda*. Por los pasillos de casa me llevaba María del Alcorque susurrando —como si fuera un pecado— *no se ha marchao, que lo hemos echao, un, dos, tres, muera Berenguer y si los curas y frailes supieran la paliza que les vamos a daar, subirían al coro gritando: ¡libertá, libertá, libertá!*

Mi padre aguantaba las novedades con la cabeza medio alta o medio baja, sin saber dónde meterse, confiando en Gabriel Maura, republicano tibio y conservador, de prestigioso apellido, traidor al rey —según el abuelo Chamorro—, mientras mamá le ponía una vela a Dios, don Niceto Alcalá Zamora, y otra al diablo, don Manuel Azaña. Y así crecí, hasta que llegaron los Reyes Magos de 1934.

Mamá decidió que no existían los reyes —por supuesto con minúscula— ni tampoco Papá Noel, símbolo de civilizaciones nórdicas, viejo ridículo y tripón, bien alimentado —como todos los niños de aquellas tierras inhóspitas— con patatas, manteca, salchichas y tocino. Mamá aquí hacía una cálida defensa de la dieta mediterránea y un apasionado elogio del gazpacho, de las sardinas y de los salmonetes. Con lágrimas en los ojos me decía: tú no lo entiendes, mi niño, pero cuando seas mayor descubrirás que no hay nada en el mundo como el aceite de oliva y el ajo. Paradójicamente le gustaba el Nacimiento y siempre, en tiempo de Pascua y en donde estuviéramos, lo poníamos con sus enormes pavos de barro y sus casitas diminutas, con los soldados de Herodes y el Pesebre, el río de papel de plata, las lavanderas y la Huida a Egipto. Aquí valían todas las mayúsculas, porque en ellas se encerraba la sabiduría de su pueblo andaluz y más moro que moro, que daba lo mismo el Corán que el Talmud o el Antiguo Testamento. Y en el Belén estaban los Reyes Magos con sus camellos y sus pajes, pintados a mano, el oro, la mirra y el incienso, que hacía arder —para que yo lo oliera— y de qué forma lo olía, que aún me viene el humo y lo siento en la garganta y he llegado a revivirlo en Túnez, en Estambul, en El Cairo, en algún otro crucero y donde yo me sé. Claro que todo aquello pasaba sólo en el Belén, porque a la terraza —y había que aprovechar el 6 de enero— iban las Monitas Republicanas. Eran catorce —por el 14 de abril, señalada fecha— pequeñas, ojerizas, acatarradas, de largo rabo y mirada penetrante, y cada niño republicano —a los monárquicos no les echaban ni carbón— tenía la suya. La mía se llamaba *Enfermiza* y había nacido en casa: no tenía patas, sino faldones, por el hueco de la tripa se metía la mano —como a los muñecos del guiñol— y los dedos por los bracillos. Mamá ponía voz de *Enfermiza* y me recitaba poemas y me contaba cuentos y, a veces, cantaba canciones, que recuerdo una muy bonita —*La mujer es aire*—, cosa que aprendí desde aquel momento. Ahora —al cabo de los años— sé que mi rechazo a la poesía, a la música, a las artes plásticas e incluso al sexo, vienen de un fracaso. Mamá que fue la persona más sensible que encontré nunca jamás en el mundo —y no me olvido de la madrina Luz Ángela Castañón—, mamá que me ponía inyecciones de cal y de hígado sin causarme dolor, me abandonó un fin de semana, y aquel fin de semana se mató en un avión y su cuerpo desapareció en el océano Atlántico. Lo que yo no sabía es que el piso de la calle Héroes del 10 de agosto —hoy vuelve a ser calle de Olózaga— lo pagaba el *tío Alejandro*, el amante de mamá; guapo, de familia distinguida y médico de moda en el Madrid de la posguerra, con coche de lujo, que sólo los médicos, los toreros, los estraperlistas y los políticos del régimen tenían coche de lujo y gasolina. El piso de Héroes del 10 de agosto fue recuperado por la familia del *tío Alejandro* y yo me fui a vivir con mi madrina, Luz Ángela Castañón, a la calle de Padilla.

Muchas veces he pensado —ya de adulto— que el amante de mamá tenía que haber sido yo mismo, y que su traición, al abandonarme, condenaba a todas las mujeres del mundo y me clavaba al calendario por los siglos de los siglos —sin dejarme crecer— como una mariposa nocturna y podrida. Siempre fui paño de lágrimas, siempre me llamaron para apagar el fuego, yo nunca tuve la posibilidad —ni siquiera la vergüenza— de que nadie me ayudara. Ni mis abuelos, ni mis padres, ni mi primera novia, ni mi mujer, ni mis amantes, ni mis hijos, nadie excepto mi madrina, caso aparte y singular que confirma la regla. Todo lo hice a disgusto y contra mí, incluso matar al querido fantasma. Y sin embargo, llevo siempre en la cartera la foto de mamá y la de mi madrina, Luz Ángela Castañón Spencer, y si no llevo la de Gaspar Arenales es porque me parece de mal gusto, pero todo se andará.

VII

EL CADÁVER DE LA URRACA

(Testimonio del comisario Arruza)

Al día siguiente, antes de ir a la Sacramental de San Isidro, decidí pasarme por los laboratorios de belleza —suizos por más señas— Paulus Lowe, cuya central en España está dirigida por el doctor en Medicina, biólogo y licenciado en Química Orgánica, don Antonio Arlis, un verdadero mago en cosmética femenina, creador de la línea de perfumes Astarté, de las cremas y leches corporales LoweMed y del incomparable ApricotBaby, delicadísima crema que no sólo sirve para acariciar pieles infantiles, sino que resulta de probada eficacia en el rejuvenecimiento de otras pieles no tan infantiles. No es que yo sea un técnico en cuestiones de belleza, ni muchísimo menos que utilice los productos de Paulus Lowe, es que he seguido con verdadera atención y afecto la carrera del doctor Arlis, que fue portada en *Times* y, años atrás, forense a mis órdenes y pieza importantísima, generosa y valiente en la resolución del caso de *Maripiojos*. *Maripiojos* se llamaba en realidad Viana Perlen y era hija del magnate Lyonel Perlen, dueño de un imperio de electrodomésticos, una de las grandes fortunas de California, con residencia en San Diego y una isla en el Pacífico. Viana Perlen —economista, veintitrés años— decidió viajar a Europa y en

París se enamoró de una especie de músico de cueva existencialista ya pasada de moda. El músico le duró poco tiempo y la chica se enganchó en el movimiento revolucionario, que en aquellos años arrastraba a tantos jóvenes, entre los que se contaba la futura *Maripiojos*, que renunció a la pompa y al pasaporte yanqui y reclamó parte de su dinero a Lyonel Perlen, que a punto estaba ya de perder a su hija en la muy revuelta Europa. Pero quien no se resignó a perder ni un solo centavo de la posible fortuna —que iba a ser repartida entre rojos y anarquistas— fue Lyonel Perlen Jr., hermano de Viana. Tiempo después, la Perlen se fue a vivir a las ruinas de una antigua fábrica de cerveza, próxima a San Roque (Cádiz), en compañía de un falso filósofo ácrata. *Maripiojos* —rubia, desaliñada y generosa— era feliz entonces y en mala hora apareció muerta, al parecer por una sobredosis. Fue enterrada de caridad, yo di con el filósofo ácrata y supe que *Maripiojos* nunca jamás se había pinchado, y así fui siguiendo una sospechosa siembra de dólares por Algeciras, Tarifa y San Roque que me llevaron al médico que certificó la defunción de *Maripiojos*; pero el médico se había ido de vacaciones al Caribe. Pedí, entonces, al señor juez que exhumara el cadáver y el señor juez me negó el permiso. Comenté el suceso con el forense Arlis y entre los dos decidimos reabrir el caso y como fantasmas, ayudados por tres agentes más aventureros que burócratas, sacamos el ataúd de la pobre *Maripiojos*, a quien, por fin, se hizo la autopsia: había muerto sutilmente envenenada. La historia terminó en escándalo de puertas adentro y no salió en los periódicos, porque había censura: en California fue juzgado el hermano de *Maripiojos* y aquí acabaron en presidio cuatro desgraciados, y no hubo premio para los justicieros, sino bien al contrario: tres agentes expulsados del cuerpo, el doctor Arlis también a la calle y yo desterrado a Fuerteventura, como don Miguel de Unamuno. El falso filósofo revolucionario lloró a la generosa *Maripiojos*, que embalsamada y vestida de señorita-lady regresó a Estados Unidos. Por esta historia y otras muchas yo no pude olvidar al querido ladrón de cadáveres, que se jugó su carrera por decente y atrevido.

Mucho antes de este cuento de policías, jueces comprados y asesinos baratos, el abuelo de Antonio Arlis —que se estableció en Barcelona al término de la Gran Guerra— había nacido en Londres y se quitaba una ese del Arliss original, más que nada por comodidad oficinesca. Según parece era pariente del actor británico George Arliss, ganador de un óscar en 1930 por su trabajo en la película *Disraeli*. Mi doctor Arlis —sin ese—, además de científico conocido en Suiza, en España y en el mundo entero, es un organizador de primer orden, habla siete idiomas y juega al ajedrez —su auténtica afición— con la fantasía y la seguridad de un gran maestro.

Las dependencias de Paulus Lowe ocupan toda una planta en Torre Picasso y a pesar de que el mes de agosto suele afectar a todos los negocios de Madrid, en Lowe no se nota en absoluto, entre otras causas, porque el doctor Arlis se va de vacaciones en enero.

Entré en el ascensor privado de Paulus Lowe y ordené a la chica que lo maneja que me llevara a la dirección. Ella torció el gesto, pero aceptó el encargo. Tampoco hay que exagerar, porque me había puesto mi mejor camisa y mi corbata negra de seda natural y ni siquiera saqué el abanico. La moza era un poco más alta que yo, de hermosas piernas y falda reducidísima, destinada a subrayarlas, sobria blusa, ajustada hasta el cuello, y buen pelo en tonos caoba. Yo ignoraba, entonces, que el perfume era de la línea Astarté y de los más caros. Antes de llegar al piso catorce la chica arrugó la nariz con disgusto, se estremeció ligeramente y luego quedó fija —como obsesionada— en mi chaqueta mil rayas; yo me miré con disimulo, descubrí dos hormigas, que inspeccionaban mi solapa, y las aplasté. Luego le dije que las hormigas son animales duros y cabezotas, pero muy trabajadores, y ella me sonrió con obligado aire profesional. Al llegar al piso catorce, un distinguido conserje —que podía ser primo segundo de los Romanov— me llevó al antedespacho de dirección, donde una señorita, esta vez rubia, de largo cuello, boca redonda, ojos azules y discreto acento alemán, me miró con cierto asco cuando manifesté el deseo de ver al doctor Arlis. La secretaria no debía de entender cómo aquel anciano mendigo —yo mismo— había pasado los controles de Lowe; suspiró, atribuyendo la desgracia al repugnante mes de agosto, y por rutina quiso saber si estaba citado. Le dije que no y ante lo insólito

de la respuesta me preguntó de qué compañía era. De ninguna
—respondí sonriendo amablemente—, dígale al director que
está aquí el comisario Arruza.

—¿Comisario de qué?

—De la policía, hija, de la policía.

Aquella palabra, incluso en el mes de agosto, siempre produce recelo, y aunque la secretaria rubia no veía la relación entre mi persona —tal vez estrafalaria en su escala de valores so-
ciales— y la policía auténtica, se puso en pie y me condujo a una
elegante sala de espera. Al abrirme la puerta, arrugó la nariz,
como la chica del ascensor, y yo me sacudí la solapa, pero ya no
quedaban hormigas. La rubia se dio la vuelta y —debo confe-
sarlo— aproveché para mirar lo más redondo, porque ocasiones
como aquella había pocas en la calle de Relatores: la verdad es
que el trasero era de primera, y ni el de la señora Linda Lebreles,
que estaba muy bien, se le podía comparar. La recepcionista se
estiró la falda —algo debía de llevar clavado en las ancas—,
cerró la puerta, con cierto nerviosismo y dejó en la sala un sutil
aroma a 7x7, perfume de la línea Astrid y producto del equipo
del doctor Arlis, como supe después. Luego suspiré, sin dejarme ganar por la nostalgia ni muchísimo menos por la fantasía.

Estaba en una sala de espera de mullidos butacones, frío po-
lar, espesas alfombras, mesas transparentes y grandes ventana-
les —al fondo— cuya vista alcanzaba más allá de la provincia
de Guadalajara.

—Si es que somos unos desgraciados —dije en voz alta—, si
es que hasta los suizos nos pasan por la piedra o precisamente
son los suizos quienes más nos pasan por la piedra.

Antes de que pudiera sentarme, tuve ocasión de recordar las
funciones de magia de mi infancia, porque se abrió una puerta
oculta y la hermosa secretaria rubia, que ahora parecía desconcertada e insegura, dijo que el director me estaba esperando. Yo
—sin gozarme en el triunfo— me limité a dedicar a la chica una
sonrisa de paternal condescendencia.

Antonio Arlis, como un buque insignia fuera de las aguas territoriales de su enorme y modernísima mesa, me aguardaba
murmurando: don Leopoldo, mi querido don Leopoldo, don

Leopoldo. Y me estrechó entre sus brazos, tal que si la distancia entre la calle de Relatores y el Paseo de la Castellana fuera la misma que la de la calle Corrientes (Buenos Aires) a la de las Sierpes (Sevilla). Emocionado, a pesar mío, le respondí: Antoñito, querido Antoñito, y noté cómo se me empañaban los ojos, seguramente a causa de mi inevitable decadencia. El doctor Arlis, arrugando la nariz —como hicieran la chica del ascensor y la rubia de la antesala— se separó de mí y dijo que me encontraba jovencísimo, y yo le contesté con una cortesía mucho más auténtica: tú sí que estás joven, como siempre, que parece que no ha pasado el tiempo, Antoñito. Porque de costumbre le llamaba *Antoñito Arlis, el sabio Lenteja, Bela Lugosi* y algunas veces *Antoñito Arlis, ladrón de cadáveres.* Tenía veinte años menos que yo y cinco centímetros más de estatura, que ahora parecían quince. Siempre fue un hombre atractivo —aunque en tiempos era un chico desmedrado y pijo— de nariz recta, ojos grises, un poco turbulentos e incluso dispuestos a pasar por carros y carretas, dientes perfectos y labios demasiado finos y tal vez crueles. Una verdadera eminencia capaz de descubrir resto de ponzoña tres meses después de enterrar un cadáver y de marcar el día y la hora en que se cometió un crimen imposible de resolver. Era el número uno, el primero de la *morgue,* cuando aquel brote de lealtad —o de curiosidad— le separó del cuerpo de policía. Claro que la aparente ruina, su habilidad para las mezclas, una beca en Ginebra, su valor moral y su privilegiado olfato le llevaron hasta los brazos del señor Paulus Lowe, que vaya usted a saber por qué razón puso en sus manos todo un laboratorio de delicias femeninas. Antoñito Arlis era entonces lo que yo llamaba *rey de la cosmética,* un personaje mundial, cuando —si todo le hubiera ido bien— aún se estaría pudriendo en la *morgue* de médico forense. Pero el que tuvo retuvo, y así lo decían sus largas manos y su mirada distante a pesar de las palabras de bienvenida que acababa de pronunciar.

Aquel despacho medía dos veces la sala de espera donde me llevó la rubia de acento alemán y allí entraba todo mi piso de la calle Relatores: los muebles eran sobrios, modernos, muy caros y seguramente diseño de Casa y Jardín. Las grandes butacas y el sofá estaban tapizados en tela *chinz* inglesa, de tonos albarico-

que y melocotón o rosa asalmonado, con grandes flores y pájaros exóticos, y en las paredes había grabados auténticos del siglo XVIII y bodegones modernos, todos ellos con albaricoques,
melocotones, ciruelas y frutas tropicales.

—¿Aprobado? —me preguntó Arlis con buena dosis de
guasa.

—Una vez estuve en el despacho de don Manuel Fraga —le
dije con toda seriedad— y te doy mi palabra de que, si lo com-
paro con éste, me parece una barraca de feria.

El doctor Arlis sonrió halagado y se dirigió hacia una de las
paredes del despacho, diciendo que todo aquello era producto
del franco suizo y de la presunción femenina, y que estaba de
acuerdo en lo demás, aunque faltaba la bandera nacional del
ministro del Interior. Había olvidado que Antoñito nunca —ni
en sus peores momentos— hablaba en serio, a pesar de su trato
con cadáveres y despojos o, tal vez, por culpa de aquella desagradable convivencia.

—¿Sigues conservando la nacionalidad española?

—La de Almendralejo, don Leopoldo, con la de Almendralejo me basta.

Luego abrió un trozo de pared, que dejó al descubierto una
magnífica nevera, y me ofreció cervezas, refrescos, fino o manzanilla, dry martini e incluso un bloody Mary, si era de mi
gusto. Yo rechacé el exceso y le dije que aquel detalle hortera
echaba por tierra toda la magnificencia y el prestigio de Paulus
Lowe, pero Antoñito Arlis no perdió pie y me contestó que, muy
por el contrario, humanizaba el aséptico territorio de Paulus
Lowe. Por fin nos sentamos en dos espectaculares butacones y
después de consumir un turno de viejas y graciosas anécdotas y
un recuerdo a los que se fueron a la otra orilla, me preguntó qué
me había llevado a Torre Picasso. Me guardé la sonrisa, pensando, ya verás el salto que vas a dar, y saqué del bolsillo una
bolsa de plástico y de la bolsa de plástico el pestilente, endure-
cido y reseco cadáver de la urraca, del que se desprendieron una
pluma y una hormiga. Antoñito sonrió —como si estuviera ante
una hermosa puesta de sol—, aplastó la hormiga con uno de sus
aristocráticos dedos y olfateó, susurrando:

—Ya era hora de que pudiera oler algo con fundamento.

Estuve a punto de tocarle las palmas, pero me frené a tiempo, porque no me gusta halagar a mis subordinados. El *ladrón de cadáveres* volvió a mirarme y me preguntó qué significaba aquella urraca, y yo, a mi vez, metido en situación, le dije: ¿Cuánto tiempo llevará muerta? Sabía que la pregunta formaba parte de un improvisado examen: observó el ojo reseco del pájaro, la tensión de su carne endurecida, la resistencia de las plumas, el quebradizo pico —que no se atrevió a tocar— y contestó que entre cinco y seis días. Yo pensaba lo mismo. Antoñito puso la urraca sobre el limpísimo cristal de su mesa y preguntó si me había robado una sortija; antes no se hubiera permitido la broma, pero ahora podía hablar con más desahogo.

—Se trata de un homicidio o un asesinato, aunque tal vez sea un estúpido accidente: el único testigo es un perro y esta urraca ha muerto por glotona.

Abrevié la entrevista y le pedí al doctor Arlis que analizara las vísceras del pájaro y me dijera si había muerto envenenada, y en tal caso, a su juicio, de qué forma tomó el veneno. Un poco idiota era la pregunta, porque no iba a ser fumando, pero Antoñito conocía mis caminos y me escuchaba en silencio. Después quiso saber por qué no había llevado el cadáver de la marica —también se llaman así— a un laboratorio de la policía.

—Porque ya no estoy en activo y me hubieran tomado por un viejo chocho, y porque sólo confío en ti, como siempre.

El distinguido *Bela Lugosi,* ruborizándose de placer, bajó la cabeza y me prometió que tendría el análisis en cuarenta y ocho horas (puntualidad suiza). Luego tocó el timbre y cuando apareció la rubia, levantó la urraca o marica ordenando que la llevara, con todo amor, al laboratorio del doctor Breine. La chica dio un paso atrás y Antoñito preguntó, destemplado, si no había visto nunca un pájaro muerto. Entonces la rubia me miró y, venciendo sus escrúpulos, se hizo cargo de la urraca. Cuando salió del despacho quise saber si la hermosa rubia tenía que ver con él, porque sólo una amante —a quién se quiere o se pretende herir o las dos cosas juntas— traga con la prueba. ¿Y si la tira al cubo de la basura? Nunca jamás, señor Arruza: Martita defendería a ese pájaro contra el mismísimo señor Paulus Lowe. De modo que se llamaba Martita.

—Pues te va a costar una sortija o un detalle.

—No me importa, mañana es su cumpleaños.

Al salir estuve a punto de decirle no te laves las manos, por favor, deja que te huelan a urraca muerta, que es lo tuyo. Y se me hizo un nudo en la garganta, porque ser viejo —y por tanto sentimental— es una grandísima desgracia.

En el autobús —camino de San Isidro— me dispuse a leer el periódico, cuando una dama rolliza vino a sentarse junto a mí, dejándose caer de golpe; golpe que acusaron los muelles del vehículo público y desequilibraron mi espina dorsal. Luego resopló y me dijo *vaya un veranito que nos ha «tocao»*, y por si fuera poco se espatarró. A punto estuve de ofrecerle mi abanico, para que se refrescara los bajos, pero como soy un hombre educado, me abstuve. La vaca invadió mi asiento y me pegó su muslo y su pantorrilla también. Intenté encogerme, pero no me quedaba sitio. A mí el contacto físico me inquieta mucho, sobre todo en los lugares públicos, pero hubiera resistido el tirón —lo confieso avergonzado— si el agresor fuera una chica parecida a las secretarias de mi querido Antoñito Arlis, cosa impensable, porque semejantes ejemplares no van en autobús ni en metro, y si fueran nunca se acercarían a mí. La gran gorda —que olía a pachuli— me asfixiaba y encima se me iban los ojos por la tremenda espetera, que ponía al alcance de mi vista como si fuera un paisaje deseado. Agarré el periódico con las dos manos y primero en un susurro, luego a media voz y después en tono brillante, comencé a leer: «Caídas del anciano. Factores y riesgos de prevención. a) Factores intrínsecos. Disminución de la agudeza visual, cataratas, alteraciones de la audición, deterioro del sistema del equilibrio, déficits vitamínicos que alteran las funciones neuromusculares, demencias, inactividad física, pérdidas de memoria, bajadas de tensión esporádicas, lesiones en los pies que dificultan la deambulación (juanetes, callosidades, úlceras, etcétera)». Me volví entonces hacía mi extendida vecina y le pregunté:

—¿Usted cuántos años tiene?

Ella retrocedió instintivamente y dijo que sesenta y dos, y yo —al oír la cifra— comencé a golpear el periódico contra el asiento vecino:

—Dése por aludida, señora, porque también la quieren crucificar a usted, este artículo parece una cosa, pero significa otra: aquí se incita a la población civil a acabar con los ancianos. Le aconsejo que se guarde de sus hijos y de sus nietos.

Y comencé a leer el artículo:

«¿Cuándo empieza el ciclo que llamamos ancianidad? No es fácil marcar un número de años, aunque después de los sesenta...»

La señora me interrumpió:

—Perdone, pero yo me bajo en la próxima.

Y salió precipitadamente, con la certeza de que había encontrado un loco en el autobús, y entonces pude pensar en nuestras circunstancias: volvía a la Sacramental de San Isidro con el temor de no encontrar a la perra Benito y reprochándome la imprudencia de abandonarla, expuesta a un nuevo desmán de la señora de las albondiguillas, porque ya estaba seguro de que la urraca no había fallecido de muerte natural y sólo me faltaba la confirmación del doctor Arlis. Luego consideré que estaba jubilado con todo merecimiento, porque diez años atrás no hubiera dejado a un testigo importante sin protección y Benito era un testigo de primera clase, aun teniendo en cuenta su triste condición. También pensé en las limitaciones de mi carácter, incluso en las morales: en tiempos fui un tipo duro de roer y difícil de emocionar, que podía tenérselas tiesas con el gobernador civil de la provincia de turno o con un loco asesino. Yo —como casi todos los policías— era partidario de la pena de muerte y del viejo axioma «quien a hierro mata, a hierro muere». Con la pena de muerte no se juega y los criminales lo saben de memoria y ahora todo es una risa, como dicen mis colegas, hartos y desmoralizados. Lo malo es que a mí, en la vejez, me ha dado por ablandarme y por pensar: incluso pensé en mi padre, fusilado en Burgos por los fascistas, y en mi abuelo el cabo Andrés Ríos, el guardia civil, al que hubieran fusilado los rojos por fascista y por guardia civil. Y pensaba también en mi pobre persona, policía y comprometido con aquellos que mataron a mi padre en Burgos, y menos mal que tuve la suerte de no intervenir en ningún fregado político, de estar siempre entre chorizos, carteristas, timadores y algún que otro asesino de noble catadura. Aunque quizá no fuera suerte, sino asepsia de cuerpo: al fin y al cabo yo era hijo de rojo y, en definitiva, un pequeño traidor. El caso es que a estas alturas, cuando ya no soy comisario, cuando me he convertido en nodriza de mi nieta y criado de mi hija, me da por considerar que la pena de muerte no arregla al mundo y que los criminales también tienen sus derechos. Es la vejez. La vejez y la vida, porque la vida es una mierda, como le digo a la señora Linda Lebreles, la de la pensión Trinidad. No, mi amor —me contesta ella, que siempre está de broma—, la vida es un cha-cha-chá.

Santiago Xarradell dejaba hablar al comisario y ni siquiera sonreía ante aquellas ingenuas reflexiones sobre la pena de muerte y la Guerra Civil. Su propia guerra —y su curiosa relación con Leopoldo Arruza— tenían un espacio de setenta y dos horas, un ciclo de tres días, nada menos. También aquello era una simpleza, pero es que, a ciertas edades, ya no tenemos vistas al campo. Santiago Xarradell sabía mucho más de la vida que de la muerte, sobre todo a través de los libros y, más aún, del amor, porque no en vano tradujo —en tiempos— las más delicadas y las más escandalosas páginas de amor de la lengua francesa. Sin advertirlo, se acarició la cintita roja de la Legión de Honor y pensó en Madame Bovary, en la pobre Margarita Gautier, en Roxana e incluso en la feroz y bellísima Antinea, de quien estuvo enamorado a través de una novela que ya nadie o muy pocos recuerdan. Por pensar, pensó en Brigitte Bardot, que no tenía nada que ver con la literatura, pero que ocupó su engrillada cabeza y fue objeto de algunos homenajes íntimos durante sus largos años de encierro.

La vida es un cha-cha-chá, me decía Linda Lebreles cuando estaba hundido de veras, casi siempre por culpa de la ciática o de las vértebras del cuello —que viene a ser lo mismo— o harto del *fürer* y hasta el gorro de llevar a la niña Marga al jardín de infancia. Menuda suerte que estuviera en el segundo mi amor y su cha-cha-chá, Linda Lebreles, que a veces me da sal marina de la bahía de La Habana y cosquillas de juventud. Cuando murió mi Margarita y me quedé tan solo en el mundo, que más solo no podía estar, encontré una tarde, en la escalera, a la señora

Lebreles; yo iba de subida, echando el bofe, y ella bajaba tan puesta, redonda y morena, lo mejor de Cuba. Allí mismo —en el descansillo de Filatelia Isabel II— me dio el sentido pésame y un beso en la mejilla, que yo tomé por dos, pero el segundo se me quedó flotando en el aire, un poco ridículo. Para mí, el sexo jamás fue objeto principal; siempre me gustaron las mujeres, pero casi nunca me he metido en aguas profundas, quizá por pereza, ni busqué aventuras, ni me organicé en plan viudo hambriento. Ahora me va el trato con Linda Lebreles, porque me da ventaja sobre el resto de los viejos del barrio y soy motivo de murmuración en la calle Relatores e incluso en el mercado de San Miguel, pero yo me digo que mientras pueda echar un polvo estaré en el mundo de los vivos, y eso lo sabe muy bien Linda Lebreles, que me facilita cama con dulzura de madre, como si yo fuera su niño chico, y otras veces, con amor de hija, porque soy para ella hijo y patriarca, incesto por donde quieras mirarlo. Y también sabe de mis miedos, del miedo a la muerte —inevitable—, del miedo a la enfermedad y a la impotencia. Un día y no hace mucho tiempo, me dijo Linda Lebreles te amo. Y al ver mi cara de asombro, añadió: pero no te agobies. Y no es que me agobiara: es que era la primera vez en mi vida que una mujer me decía te amo. Es cosa de las americanas, un solo beso en la mejilla y te amo. Por nada del mundo lo hubiera dicho yo: aquí se dice te quiero, porque te amo suena a libro y a película, pero suena muy bien, aunque da un poco de vergüenza escucharlo.

Iba yo en el autobús, ya libre de la gorda, dándole vueltas a los asuntos del sexo: soy un viejo verde, un depravado y un degenerado, y lo curioso es que vivo ciclos que antes, cuando era joven, no me afectaban: por la mañana me trae al fresco Linda Lebreles, más bien rechazo la idea de su presencia, pero por la tarde me excita pensar en ella, voy a buscarla y —si no hay moros en la costa— le meto mano en la cocina, y por la noche algunas veces tengo subidas, como cuando era chico.

Ahora soy muy vulnerable, me tiemblan las paredes y me emociona ver a Antoñito Arlis —el querido *sabio lenteja*— acudiendo a la llamada de la selva, sólo por el efecto-muelle de oler una urraca medio podrida. En los olores está la miga de la vida entera y verdadera, su razón de ser, y por eso le dije a Antoñito Arlis no te laves las manos, y se me llenan los ojos de lágrimas cuando leo poemas, dándole la razón al bestia del comisario Barnola.

Procurando no hacer ruido y con el susto metido en los huesos, me acerqué a la tumba de los Gutiérrez Arroyo: efectivamente, la perra había desaparecido. Tuve que apoyarme en la columna truncada de la familia García Guichart y saqué el abanico para aliviarme. Luego me volví: no había nadie a la vista, ninguno de los guardas, ni el *Coco Chico*, que siempre andaba jugando entre las tumbas de aquel patio. Sin saber qué hacer, culpándome de todo lo malo del mundo, volví a mirar hacia la sepultura y entonces, muy despacio, apareció la casi ingrávida figura de Benito, que estaba medio escondida detrás de otra tumba, y aún sin advertir mi presencia, trepó con dificultad a la que guardaba el cuerpo de su amo, para echarse después y esconder la cabeza entre las patas delanteras. Ya más tranquilo me acerqué a la perra, que levantó los ojos y movió un poco el rabo, como si me hubiera reconocido. Yo me senté en la piedra y puse la mano en el morro del animal, que estaba seco y muy caliente, y advertí que la herida de la cabeza había vuelto a sangrar, quizá porque Benito se rascaba de continuo. Pensé que sería inútil darle jamón de york o leche y, aprovechando la soledad de aquel patio, le hablé para que me entendiera:

—Mira, si quieres dejarte morir es cosa tuya, pero mi consejo es que no te rindas: tu amo te lo está pidiendo, y yo también. No voy a forzarte, tienes derecho a morir aquí y nunca más, nunca más, entiéndeme, volverás a verme, ni en esta vida ni en la otra; pero piensa que si hubo un crimen y tú fallas, nadie lo sabrá. Yo nunca he trabajado por venganza, porque se supone que los policías no podemos odiar, pero tu caso es muy diferente: si alguien mató a tu amo lo tiene que pagar, y yo que tú haría lo posible por morderle el cuello.

Benito no me quitaba los ojos de encima, como si entendiera mis palabras, como si empezara a saborear el gusto de la venganza. Entonces me puse en pie y en voz baja le dije a la perra, que había vuelto a cerrar los ojos: muy bien, tienes derecho a morir. Y me di la vuelta y tomé el camino de grava, pero antes de llegar a los dos cipreses que enlazaban sus troncos, me volví por última vez: Benito bajaba de la tumba, tambaleándose, como si le pesaran sus propios huesos y sin mirar al frente —quizá porque el sol la cegaba— intentó seguirme.

—Si no puedes andar, criatura, si estás que te caes.

La levanté del suelo y abrigándola entre mis brazos, pensé: menos mal que no me ve nadie. Pero otra vez me equivocaba: medio escondido al amparo de una Misericordia desgarradora, me observaba el *Coco Chico*.

Un amable y hablador taxista —también hay taxistas amables— me llevó a un hospital de perros de la calle Orense: era un rico establecimiento, que se llamaba Great and Small y que tenía una puerta digna de Los Cedros —en América USA—, con cristales que, de puro limpios, no se veían, macetas de palmeras enanas y rododendros en flor, moqueta mullida y música ambiental. El portero vestido de verde —que hacía también de guardacoches— me dejó pasar con evidente disgusto. Me acerqué a una atractiva enfermera pelirroja, considerando que ya hubiera querido pillar un hospital así cuando Margarita parió al *fúrer*, y estuve a punto de abandonar la empresa, pero me contuve al sentir en mis brazos el desmadejado cuerpecillo de Benito, que no llegaría viva a la esquina. La pelirroja quisó saber si teníamos cita previa, y yo le dije que no, que era un caso urgente y podía pagar la visita. La chica nos observó en silencio y debió de suponer que yo era uno de aquellos ancianos desolados y solitarios que andaban por el mundo sin amigos o con familia enemiga —hijos, yernos y nueras incluidos—, que sólo contaba con el calor de aquel perro agonizante, triste ejemplar sin papeles ni pedigrí. Entonces, un poco emocionada, nos pasó a la sala de visitas.

Saludé a los presentes aparentando naturalidad y me senté en una butaca de mimbre, pintada de esmalte blanco, con almohadones de flores rojas, azules y naranjas. La salita de espera estaba decorada en tonos pastel —sedantes y cálidos—, por las ventanas entraba un sol tamizado y en las paredes lucían lito-

grafías de perros, seguramente inglesas. Cuatro o cinco señoras
—diferentes edades y calados— guardaban turno y un par de
hombres —con aspecto de chóferes de casa rica— se debatían
entre la indiferencia fingida y la humillación sentida. Algún perro lloriqueaba y otros dormían, pero ninguno ladró a mi vista.
Unas señoras se quedaron como tiesas y otras callaron la boca.
Todos los ojos —con disimulo u ofensivo desprecio— estaban
puestos en el anciano estrafalario, que turbaba su paz, y en el
desdichado animal que tenía en los brazos. La palabra vergüenza flotaba en el aire e incluso alguna de las señoras estuvo
a punto de abandonar Great and Small. Dediqué mi tiempo a
repasar a los clientes humanos y más tarde —después de mi segunda o tercera visita— empecé a distinguir las razas de aquellos ejemplares de libro. Había un perrillo diminuto de pelo gris
muy largo y ojos de botón de bota; una especie de pastor de la
montaña, grandullón y boquiabierto; un perro-bola, de mirada
aviesa, y un bulldog reducido, blanco y negro, que dormía ron-
cando. Dos de las señoras presentes, las dueñas del enano y del
bulldog, hablaban sobre las equivalencias de las edades humanas y las perrunas, y otra —mucho más joven— las observaba
con indiferencia. El ama del bulldog decía que cada año de perro era siete de hombre y la gordita del botón de bota, según y
cómo, porque al año ya tenían catorce y a los seis meses, cinco.
Otras señoras intervinieron entonces y así todas se pusieron a
calcular la edad de sus perros: el grande había cumplido diez
años o sea sesenta y cinco, un perro tranvía de pelo largo era
muy viejecito, ochenta y cuatro, y la especie de bola gris con
lazo estaba en lo mejor, treinta y seis. Yo eché la cuenta y me dije
que, si fuera perro, tendría once años largos. Poco a poco iban
llegando señoras con bolsos de Loewe y otras peinadas en pelu-
querías de fuste, envueltas en aromas de Saint Laurent, que casi
se quedaban de muestra al vernos. Mientras yo aguardaba, hojeando una publicación británica de título *Philosophical hability of
the toy dogs*, el bulldog se tiró un magnífico y sonoro pedo —vicio muy común en esta raza— y las señoras enmudecieron ate-
rradas. Quizá, de no haber estado allí, aquel incidente se hubiera
recibido entre alegres risas, pero mi presencia les obligó a conte-
nerse y, más aún, cuando el espantoso olor del cuesco invadió la

salita de espera, provocando la huida de la más joven —la dueña del perro-bola— quien, apenas traspuso la puerta, se marcó una carcajada ordinarísima. La del perro tranvía se tapó la cara, mientras sus hombros se estremecían convulsos, y la del pastor alemán —incapaz de aguantar la tensión— comenzó a reír, golpeándose los muslos con las palmas de las manos. Entonces, el bulldog, decidido a mantener el clímax del espectáculo, se tiró un segundo pedo, y yo —animado por el alegre ambiente— saqué el abanico, acción que disparó a los dos chóferes, que ya no podían más. La huida volvió con los ojos llenos de lágrimas y tapándose las narices con un pañuelito de encaje. Luego —entre hipos y llantos— me señaló, preguntando:

—¿Cómo se llama?

—Benito.

El nombre de Benito reavivó el jolgorio y entre todas se la fueron pasando como si fuera una pelota. Apenas podía entender las palabras que, entre las risas, se referían a la triste condición de Benito, a su probable inteligencia y a la superioridad del mestizo desconocido sobre el carísimo ejemplar de pedigrí y a lo mucho que yo debería quererlo; todo esto aderezado con un torbellino de preguntas: ¿Qué le ha pasado al perrito? ¿Lo ha atropellado un coche? ¡Pero si es perrita! Como no se me iba a oír, yo también pregunté: ¿Qué hacen ustedes aquí? ¿Por qué no están veraneando en Mallorca? Curiosamente, se había colocado a mis pies la dueña del perro-bola, que iba vestida con un traje de hilo natural sujeto con tirantes. Muy despacio llevó la mano al cuello de Benito y, con la punta de los dedos, supongo que lo acarició, porque yo sólo podía ver el escote de aquella princesa y, medio ocultos en la sombra, sus pechos, pequeños y erguidos, sin *chales*, como decía el poeta Espronceda. Al inclinarse dejó la falda recogida a la altura de la ingle y los muslos a dos niveles, como en una fotografía estudiada, y entre ellos se me fueron los ojos: aquella chica era todo un espectáculo y yo estaba en la butaca donde tenía que estar. Me sorprendió oír su voz grave:

—No es la primera vez que veo a este perro.

Olvidé muslos y escote y me dejé prender por sus ojos, que eran grandes, expresivos y muy negros, lo que mi abuelo Ríos llamaba ojos moros.

—¿Dónde lo ha visto?

Las señoras —y por supuesto, los sirvientes— habían dejado de reír; por el mismo precio asistían a un programa doble: una película cómica y otra de aventuras.

—En la calle; estos perros siempre están en la calle y, a veces, en la carretera, atropellados por un camión.

Yo no sabía si estaba hablando en serio o en broma, si era una mitómana o una graciosa que ahora me sonreía.

—O nos cruzamos en la puerta, cuando vine a desparasitar a Ceporro.

En aquel momento entró la enfermera pelirroja y se quedó de piedra ante el grupo escultórico que componíamos la imaginativa princesa del vestido de hilo, Benito y yo, rodeados por las brujas de todos los perritos. Cuando se repuso, me mandó que la siguiera, y yo —como en mis mejores tiempos— respondí con una rápida mirada a la cueva misteriosa de la dueña del perro-bola, que juntó las piernas y se irguió más divertida que nunca:

—¿Le importa esperarme cinco minutos?

—Claro que me importa —luego acarició el morro de Benito y volvió a su butaca de mimbre.

El doctor era doctora; una mujercita trigueña, de grandes ojos negros y cuerpo pequeño, pero bien rematado. Parecía el personaje de un cuento que se inventó mi Margarita para entretener a la niña: *Pitusilla,* una preciosa pescadora, que acabó casándose con el príncipe heredero de *Paupiconia.* La doctora Carrasco —así se llamaba *Pitusilla*— miró a Benito y luego, como si le cupieran grandes dudas, preguntó si quería que examinara al animal. La doctora Carrasco, que además de pequeña era práctica, debía de pensar que la pobre perra no valía el precio de una consulta. Yo le dije que aquel animal significaba mucho para mí, y ella, sin despegar los labios, abandonó el despacho, después de comprobar —discretamente— el sexo de Benito. Me faltaba una pregunta, pero aún no era el momento de hacerla. Diez minutos después volvió la doctora Carrasco y me dio el primer parte, por cierto desalentador:

—Tiene probable fractura de cráneo, quizá alguna infección,

puede que haya sufrido un infarto, está deshidratada y lo más seguro es que no pase de esta noche.

Yo me limité a bajar los ojos y *Pitusilla* comprendió mi respuesta. Me daba vergüenza preguntar si aquello iba a costarme mucho dinero y calculé que me jugaba la jubilación de un mes y una bronca del *fúrer*. La doctora Carrasco me miró y yo intenté sonreír: es cierto, estamos echando un pulso de complicado final. *Pitusilla* me volvió a dejar solo y a mí me dio un escalofrío por culpa del aire acondicionado. En la pared había un título de la facultad de Veterinaria a nombre de María Carrasco Valdés, y sobre la mesa la fotografía de una niña —dos años arriba o abajo— muy parecida a *Pitusilla*. ¿De modo que tienes una niña? ¿Estás casada o eres soltera?

La doctora Carrasco volvió con Benito en los brazos y yo no pude por menos de sonreír: le habían hecho un vendaje en la cabeza —que dejaba asomar ojos, orejas y morro negro— y más parecía un baturro en fiestas que un perro malherido. Tienes que vivir, es muy importante que vivas, ya sabes lo que digo. La chica pelirroja me pidió un documento, dirección y teléfono, y yo le pasé mi DGS, tal vez por inspirar confianza u otra cosa. Le pregunté, entonces, si había visto a Benito alguna vez en su vida, quizá como cliente de Great and Small, y ella, asombrada de verdad, me dijo que aquellos perros nunca iban por la clínica. Sin dejar de sonreír, en voz baja, le pedí el nombre y dirección de la señora joven de la bola gris, la que llevaba un vestido de hilo crudo: la chica palideció, no podía decirme absolutamente nada, pero era la primera vez que la veía.

—Procura recordarlo mañana, bonita.

Utilicé el tuteo profesional y el *bonita*, de remate, tan desagradable él. Pero no me podía engañar: yo era un anciano ridículo, con traje de rayadillo y zapatos de combinación, muy lejos del joven y reputado comisario Arruza. Luego abrí la puerta de la sala de espera y cuatro señoras nuevas me miraron ávidas, y la quinta escondió una sonrisa satisfecha, seguramente pensando mal: era la gordita del pastor boquiabierto. La otra, la que yo buscaba, la mentirosa del vestido de hilo, el ama de *Ceporro*, el perro-bola, se había marchado sin dejar rastro y, como era lógico, no me molesté en preguntar. Sin embargo, cerré despacio, por si mi presencia diera lugar a algún comentario, y la gordita no me defraudó:

—Antes pierde el viejo el diente que la simiente.

Al pisar la calle observé que el suelo estaba mojado, que olía a tierra húmeda y que hacia el norte los nubarrones se iluminaban con silenciosos relámpagos. Me daba pereza ir a casa, porque no tenía ganas de enfrentarme al *fúrer* y mucho menos contarle mi relación con Benito, que tal vez muriera aquella misma noche. Miré el reloj y eché a andar por la calle Orense, en busca de un barrio más auténtico, porque aquél no me cuadraba. Así llegué a la calle de José Caballero Palacios, que desemboca en Bravo Murillo. Después de la tormenta la noche había recobrado el son del verano; los balcones estaban abiertos y de metro en metro se iban encadenando diversos programas de la tele: un tiroteo en Chicago, un partido de fútbol, que se jugaba en Cádiz, la canción aflamencada de una folclórica, el anuncio de un automóvil de sólo tres millones de pesetas y el de un perfume para bellezas tropicales. Y el olor a frito, a pimiento, a ajo y a cebolla y las voces de los niños, que seguían jugando en la calle, amparados por el mes de agosto. Bravo Murillo me deslumbró: parecía Broadway años treinta, con sus espantosas tiendas de escaparates iluminados —muchas todavía abiertas—, la peste a palomitas de maíz y a mantequilla de sándwich, farmacias atemorizadas, bares escandalosos, ir y venir de los coches y de los humanos, donde abundaban los jóvenes, ellas bien culonas, de pantalón rojo, y ellos de vaqueros y palillo al diente. Así que me paré ante el escaparate de una tienda de lámparas eléctricas y quedé absorto: en verdad era impresionante el efecto, el comercio reventaba de luz y allí no cabía ni una bombilla más. Por la parte de arriba se juntaban docenas de falsas arañas, focos, globos y conjuntos de cascadas de metal ingeniosamente iluminadas. En las paredes había más focos, apliques de colores —algunos imitando tífanis— y curiosos módulos: caretas de las que ríen y las que lloran, conchas con luz interior y lámparas de pie, de seda, de papel o de falso pergamino; caprichosas formas de madera atormentada y un ejército de lamparitas de noche. Fascinado, sentía la luz —palabra de honor— y se me ocurrió mover una mano, buscando el reflejo de la tumbaga, que atrajo a un sujeto de edad imposible de precisar, pelo negro y grasiento y algunos dientes verdes. El tipo alabó mi anillo y dijo que le gustaría comprarlo, y yo le presenté el dedo dócilmentente, que él tanteo, con suavidad, por si la tenía de cara, mientras le pisaba con el tacón y cierta saña:

—¡Que me está usté pisando, jefe!

Algo sintió en sus huesos aquel desgraciado, porque sin disculparse —ni ofrecer una cantidad razonable por el anillo— huyó del escaparate. La jubilación es cosa mala, pero en este Madrid un viejo policía puede encontrar cien ocasiones para mantenerse en forma.

Tomé el metro en Alvarado y seguí por la escalera dirección Puente de Vallecas. Bajo el anuncio de un bronceador había un mendigo sin piernas y un letrero colgado al cuello que decía: *hermano ten piedad de tu hermano en Dios,* y un poco más allá, un negro vendía corbatas fosforescentes y un ciego golpeaba una escudilla abollada. Entré en los andenes de la estación —sucios, pastosos y malolientes—, advertí que el metro anterior había pasado tres minutos y veinticinco segundos antes, y mirando los carteles —de cerca, como un miope— fui a dar con el plano justo: de Alvarado a Tirso de Molina se contaban ocho estaciones y, por suerte, no tenía que transbordar en Sol, como siempre. Me dediqué a pasear por el andén, iniciando una especie de entrevista conmigo en particular: ya te dije que los ciclos se agotan, que ahora estás jubilado y tieso y los jubilados son de plástico no retornable; no me inventes crímenes, no te saques de la manga asesinatos que nunca se cometieron, has dado con un perro en las últimas y por tu mala cabeza la broma te cuesta diez mil duros como poco. Trepidó el andén de Alvarado y por mi derecha hizo su entrada el metro rojo, de faros amarillentos y turbios. Salieron dos monjas, un tullido y un chino, yo me agarré a una barra pulida por el roce y medio me refugié entre las defensas de la puerta contraria. Me parecía estar viendo los carteles de mis tiempos mozos, cuando llegué a Madrid —en 1943— desde Aranda de Duero: «Se prohíbe blasfemar; se prohíbe fumar bajo multa de cinco pesetas; reservado para caballeros mutilados; antes de entrar, dejen salir.» En la estación de Cuatro Caminos me senté entre una embarazada sudorosa y aburrida y una chica que iba leyendo una novela barata. El olor era ácido y agresivo, pero yo no estaba dispuesto a dejar mi asiento y aguanté. Y le di vueltas y vueltas. Una perra, de nombre Benito, se deja morir sobre la tumba de su amo, que precisamente ha muerto en accidente de montaña. Alguien lleva comida envenenada a la perra: es la *señora de las albondiguillas;* pero la perra se niega a comer y salva la vida, de momento. Aquella perra es testigo de un crimen y por eso quiere matarla el asesino de un nombre que no recuerdo y es raro, porque lo he oído pronunciar varias veces y retengo con facilidad los datos principales. Hay perros heroicos que se dejan morir cuando sus amos mueren. Por suerte —en Ríos Rosas— se fue la embarazada y ocupó su sitio un obrero de mono azul que olía divinamente a gasolina. Nadie ha querido envenenar a la perra, son todo imaginaciones, delirios de viejo chocho. ¿Pero quién le puso albondiguillas y cómo se hirió la perra? Si muere Benito, abandono el caso. Tenía mucho cuidado de no hablar en voz alta y sólo pensaba, aunque sostenía el hilo de los pensamientos con la mano derecha, como si llevara una hebra atada al índice o sacudiera ceniza de un cigarro imaginario. Si Benito muere tienes que vengarla. No se trata de vengar, es otra cosa. La chica de la novela me está mirando el dedo y sonríe, mejor para ella. Tira del hilo, el hilo se llama *amo de Benito* y tiene parientes y una tumba historiada en la Sacramental de San Isidro. No hay caso, todo viene del puré de la jubilación: un accidente en Peñalara y punto. En la estación de Iglesia saqué un duro del bolsillo: si sale cara me olvido, si sale cruz voy a ello. ¿Se lo pregunto al mecánico o a la joven? Como es lógico, elegí a la chica:

—Perdone usted... ¿Pongo la mano para arriba o para abajo?

—¿Es un juego?

—Si.

La chica no parecía sorprendida.

—Para arriba.

Me volví al mecánico, que había seguido el diálogo y confirmó:

—Arriba, jefe.

Abrí la mano, era cruz y salía lo que tenía que salir: voy a ello. La chica de la novela barata me dijo:

—¿Bien?

—Bien.

—Pues enhorabuena.

Yo, entonces, le pregunté qué estaba leyendo:

—*Crimen y castigo* —me contestó ella.

Pues no era tan barata la novela.

Como un barco a la deriva —y con torcidos propósitos— entré en la cocina de Linda Lebreles, en busca de arroz con frijoles y un cóctel margarita, que aunque era especialidad mejicana e invento gringo, bien lo dominaba la doña. La cocina de la pensión Trinidad era grande y vistosa, la estrella de la calle Relatores, el auténtico territorio del ama: tres viejas habitaciones hacían una a la última; paredes oscuras —con armarios empotrados— suelo de sintasol, imitando mármol, y hogar de vitrocerámica encastrado en la encimera. La mejor cocina del barrio.

—¿Por qué no tienes gato? —pregunté con traidora indiferencia.

A Linda Lebreles no le pareció intencionada la pregunta y dijo que nunca le gustaron los gatos y que tenía sus razones. Recordaba, de niña, a uno enorme que fue sacrificado porque en su cuerpo se escondía el descreído Nifa Funke, y que Oggún, al enterarse, bañó al gato con hierbas, lo restregó con el acho funfun de su padre y lo mandó matar.

A veces yo le contaba historias a Linda Lebreles —como la de La niña barbuda o El rubí japonés— y ella correspondía con cuentos de su infancia, en Trinidad o en La Habana. Poco a poco, sorbo a sorbo del margarita, me volvía el aliento y en mi propio beneficio me recreaba en el trasero de Linda Lebreles, ahora ceñido por pantalón-pirata de colorines, tan hortera como enternecedor. Perdido en sensaciones impropias de mi edad, caí en la cuenta de que el margarita —tequila, azúcar y limón— se llamaba precisamente como mi pobre Margarita Molina, y que, en la tarde de hospital de perros y sobresalto, había traicionado al revoltoso cuerpo de la mulata con la oscura entrepierna de la dueña del perro-bola. Pero como apenas me quedan margaritas y palmitos por disfrutar, más se perdió en Cuba.

—¿Sabes, mi amor —preguntó la inocente— de qué cosa trata el *cunvite Saura?*

Yo negué, pensando en la trampa del gato, y ella dijo:

—Se celebra el 5 de septiembre, fiesta del Santo Cristo del Buen Viaje, que fundó en La Habana el caballero Andrés Facundo de los Dolores Petit.

—¿Tú has tenido amores con Cantinflas?

Linda se sonrió misteriosamente y me puso otro margarita, mientras abundaba en lo del cunvite: arroz, frijoles negros muy cuajados, carnero al carbón, gallos en fricasé, yuca con mojo y ensalada de tomate y lechuga. Luego el malafo —o sea el aguardiente—, que se bebe en trozos de caña. Me contó que, un lejano cinco de septiembre, estaba escondida debajo de la escalera y pudo ver cómo —al salir el sol— sus tíos y los papás mataban las aves y las guisaban, ofreciéndolas a Sarabanda y a Nasi. A mí me extrañó mucho aquel principio, porque creía que el padre de Linda Lebreles era de Valladolid:

—Don Hipólito Amador San Román fue el encargado de sacrificar al gato y así lo hizo, al anochecer del 5 de septiembre, santiguándolo como si fuera cristiano y dándole un piquete en la yugular, y luego ofreció la sangre a los tíos, a mis papás, a los abuelos y a las amistades en general, y echaron malafo y miel sobre el cuello del gato, que ya había pagado los pecados de Nifa Funke. Después lo cocinaron relleno de cebolla picada, zanahorias en rodajas, perejil, acelgas, albahaca, cilantro, tocineta fresca, jengibre, nuez moscada y pasas, todo con un poquito de ron, y se llama *mayombé,* y después de comer llevaron muestras del festejo al monte y cantaron *quitemos la mesa, quitémosla ya, que Orisha está contento y el mal se fue a la tierra Coyá.*

Mientras cantaba *quitemos la mesa* se iba al centro geográfico de la cocina —con una cebolla y una zanahoria a modo de maracas— moviendo las caderas y los hombros en redondo y lo escondido del escote, de aquí para allá, y esos ojos, que más que pelotari era rumbera de calidad, y todo para mí, como si adivinara el mal día y el disgusto. Quiso sacarme a bailar, pero yo me refugié detrás de la mesa grande, porque aun a solas me da vergüenza pensarlo, que no es lo mismo haber nacido en Trinidad (Cuba) que en Aranda de Duero (Burgos). Entre el frío y el calor le pregunté si había comido del gato embrujado y ella me dijo que no, que los niños chicos lo tenían prohibido y que ni siquiera podían ver los ritos mágicos y que ella —por desobediente— tuvo su castigo, ya que el gato negro y gordo se le apareció durante dieciocho meses y todavía sueña con él:

—Por eso, mi amor, no me gustan los gatos.

—Yo creí que tu papá era de Valladolid.

—Mi papá era boxeador de Valladolid —dijo, sin inmutarse, Linda Lebreles, ya de vuelta a la mesa—. Y sólo estuvo con mi mamá la noche de San Alonso Rodríguez, en Cienfuegos, cuando yo fui concebida; luego casó con babá —mi papá cubano— y tuve cinco hermanitos morenos, pero yo soy mulatita, como tu dices, mi niño, por culpa del papá blanco de Valladolid.

Debí renunciar, en aquel momento, a mi odioso papel engañador, olvidar el motivo que me llevó a la cocina de Linda Lebreles y bailar con ella *quitemos la mesa, quitémosla ya*, pero mi ruindad y mi egoísmo me hicieron preguntar:

—¿Y los perros? ¿Te gustan los perros?

No sé de dónde sacan las mujeres ese último sentido que nos falta a los hombres, incluso a los comisarios, y cómo advierten las trampas, hasta dejarnos al descubierto y en el más triste de los ridículos. El caso es que Linda Lebreles me miró en silencio y por sus ojos cruzó una duda previsible, porque bien me conocía la doña.

—Te voy a regalar una perra preciosa y muy inteligente, para que te acompañe cuando estés sola, y no te dará ningún trabajo, porque yo la sacaré a pasear.

—¿Por qué no se la regalas a tu nieta, que está en edad de perros?

Subrayó la palabra nieta de forma tan venenosa, que abandoné la idea de buscar alojamiento en la pensión Trinidad a Benito, si es que se libraba del trance.

—Yo estoy sola cuando me sale de la papaya, mi amor, y cuando quiero me trajino algún pendejo, como tú, que me haga compañía y luego lo tiro al tacho, con perro o con gato.

De pronto comprendí la espesura de la selva donde me ha-

bía metido por mi mala cabeza. La otra noche —y en circunstancias muy propicias— le conté a Linda Lebreles mi encuentro
con la perra Benito, heroica y moribunda, y mi propósito de traerla
a casa, pero también el miedo que me producía la reacción de
Pilar. Lo había olvidado del todo. Linda debía de sentirse en ridículo con la historia del gato gordo y de los pecados de Nifa
Funke, y yo estaba a punto de derrumbarme, por imbécil y desmemoriado. Muy mala cara debía de tener, mayormente por el
olvido que por el desliz, porque Linda Lebreles —que quizá recuperaba la inocencia— volvió a sonreír y se echó un trago de la
última copa del margarita. Después avanzó hacia mí, me estrechó con sus brazos tan redondos, me besó —abriéndome la
boca— y me pasó el margarita con toda sencillez, que allí estaba
el limón, el tequila, la saliva y la malicia de Linda Lebreles, que
me dijo:

—Porque tienes todos los dientes, te dejo entrar en mi cama,
pero no se te ocurra jugar conmigo ni al palo de perro heroico,
ni al de mujeres; ni asesinos, ni engañitos, y si quieres saberlo,
claro que tuve amores con Cantinflas, niño.

Pitusilla me aguardaba en una salita próxima al vestíbulo de
Great and Small y su sonrisa me dijo que Benito vivía. Luego
me ofreció una bata y dos fundas, para los zapatos, y me condujo a la sorprendente UVI de perros. En una habitación asép-
tica, de paredes color verde claro y luz tamizada, se recupera-
ban cuatro animales recién operados: el *bulldog,* que ya conocía,
un *épagneul papillon,* un *welsh corgi* —variedad *pembroke*— y Benito. Todos estaban sedados, llenos de tubos, vendados, escayo-
lados, alimentados por suero y fuera del mundo. La doctora Carrasco me dijo que Benito tenía un soplo en el corazón, fractura
de cráneo, escorbuto, un virus desconocido, deshidratación y
anemia profunda, pero que se iba a curar, porque era una perra
muy entera. Después fuimos a la pequeña cafetería de Great
and Small, donde la doctora se extendió sobre las cualidades
morales de Benito y, ante mi asombro, dijo que entre tantísimo
aristócrata de sangre aguada, había tenido la sensación de encontrar a un auténtico perro, y que de la depresión no me preocupara, porque allí también había psicólogos e incluso psiquia-

tras y, que si fueran mal dadas —cosa que dudaba— tenían un pequeño y cuidado cementerio en el término municipal de Arganda del Rey. Todo estaba previsto y en dos semanas —como mucho— la perra estaría fuera de peligro. La verdad es que me tranquilizó el diagnóstico, aunque me inquietaba la cuenta, y *Pitusilla* —que no tenía nada que ver con la administración del hospital— me dijo que podía pagarla en dieciocho meses y que la vida de Benito bien valía un pequeño esfuerzo económico.

Cuatro días después recibí una llamada sorprendente: era Antonio Arlis, mi colaborador y discípulo, que trabaja en unos conocidos laboratorios cuyo nombre no recuerdo ahora mismo. ¡Qué alegría! —le dije—. ¡Cuánto tiempo sin tener noticias tuyas, ingrato, que eres un descastado y un ingrato! ¿A qué se debe el milagro? Se produjo, entonces, una larga pausa: ¿Es usted el comisario Arruza? ¡Antoñito, creí que habías cortado! Me llegó una especie de resoplido y de nuevo la voz del doctor Arlis, que en tono mucho más seco dijo algo de una urraca:

—¿Qué urraca? —le pregunté.

El nuevo silencio me subió los colores y recordé —a tiempo, por fortuna— que había ido a ver a mi antiguo subordinado y amigo; pero la urraca seguía sin aparecer y todo me sonaba absurdo, peor aún, inquietante y confuso. Antoñito Arlis debió de pensar que le estaba tomando el pelo, que aquella excentricidad era una muestra de mi odioso sentido del humor, y aunque sufría la humillación de mis patosas gracias, se mantuvo cortésmente a pie firme:

—Hemos hecho la autopsia a la urraca y tenía usted razón, comisario Arruza: murió envenenada. Le envío por fax los análisis de las vísceras.

—¡Pero yo no tengo fax, Antoñito! —le dije, cuando estaba a punto de colgar.

Entonces se hizo la luz en mi aturdido cerebro y me vino a la memoria la visita a Paulus Lowe, la chica del ascensor, la novia de Arlis, las hormigas y la urraca de la Sacramental de San Isidro. Con el corazón acelerado le pregunté si el veneno podía estar en unas albondiguillas caseras y él —tranquilizándose también, pero aún mosca— me dijo que en albondiguillas, hamburguesas, filetes rusos, croquetas, carne picada o algo parecido. Colgué, acentuando mi familiaridad con Arlis, como si los amargos momentos pasados fueran producto de una divertida broma entre camaradas.

Pegué la cara al rincón, donde las paredes se juntan, y quise pensar derecho: el veneno mortal iba destinado a la perra y la glotona urraca se lo comió. Benito sabe demasiado. Hubiera sonreído, pero el agujero negro del pájaro olvidado había hecho sonar mi alarma. De pronto —como vienen estas cosas— recordé el nombre del muerto, Gaspar Arenales, e incluso el de la familia del mausoleo, Gutiérrez del Arroyo.

Aquel iba a ser mi próximo destino y tenía que cumplirlo antes de que me ocurriera algo irreparable, algo que me señalaba confusamente mi agenda personal. Si quería saber del explorador de Kenia y de la forma en que murió —en el monte de Peñalara—, había de seguir el viejo método, que en mis años de jefatura cumplían los inspectores de la calle: patearme los adoquines, pasar frío o calor, visitar a los testigos o a los sospechosos y hacer preguntas de estúpida apariencia. Para joder a la trucha —decía mi odioso maestro el comisario, ahora no me acuerdo cómo se llama— hay que echar un buen cebo, ponerse contra corriente y hacerse el tonto. Y así, a contracorriente, me pasé media vida y ahora, cuando ya veo la puta línea de meta, trabajo gratis, por afición, que se dice pronto.

VIII

EL SUICIDA DE RETIRO

(Testimonio del notario González Chamorro)

Estaba esperando la llegada del metro en la estación de Lista y eran las ocho y media de la mañana de un día de enero de 1941, justo después de las vacaciones de Navidad. Mamá estaba en Canarias con el *tío Alejandro* y yo pasaba el invierno en casa de mi madrina, Luz Ángela Castañón Spencer, donde había desayunado café malta con leche —a mí lo que me gusta es el cacao, pero no había en Madrid— y un pedazo de pan con margarina. En la cartera, que mi madrina llamaba siempre el cabás, llevaba un libro de Física y Química, de Mingarro y Alexandre, otro de Latín, tres cuadernos de Apologética —o algo parecido— y una tortilla a la francesa, para el recreo, envuelta en papel de seda. En el recreo siempre le tenía que dar medio bocadillo a Gaspar Arenales, que me protegía desde los tiempos de San Sebastián porque los otros niños solían burlarse de mí y algunas veces me pegaban, sobre todo a causa de mi vestuario. Yo llevaba unos pantalones bombachos, grises y muy sufridos, que tenían las gomas flojas y se me caían por abajo hasta descansar en las zapatas. Por la parte de arriba me solían poner un jersey de lana azul celeste, de esos de cuello doblado que pican, y encima de todo una chaqueta sport, de trabilla y cuadritos verdes, que fue de mi padre y a la que mamá le dio la vuelta. Los niños, que no iban mejor vestidos que yo, decían que era mariquita, y uno de ellos, de nombre Arcadio Salillas Aragonés, decidió demostrarlo: me tiró al suelo a traición y me manejó la cara en un charco maloliente. Fue entonces cuando intervino Arenales y le mandó que me soltara, porque le iba a dar una hostia. Aquella palabra —que estaba prohibidísima en Madrid— la había oído muchas veces a los arrieros y a los peones de los cortijos del abuelo Eusebio, pero nunca en aquel tono, sino más bien atizando a las bestias o en plan de fiesta y chulería. Salillas Aragonés —que mandaba el grupo de los cartagineses— dijo que eso había que verlo, y Gaspar Arenales —que era el jefe de los romanos— dijo que se iba a ver allí mismo. De inmediato se liaron y Gaspar, que era una mula, metió los morros de Arcadio Salillas en el charco maloliente y proclamó que quien tocara a Martín González Chamorro se la jugaba con él. A continuación se comió el bocadillo de tortilla francesa, creo yo que con toda justicia. Salillas aprovechó un momento de descuido para decirme que me iba a matar en cuanto Arenales faltara al instituto, y entonces fue cuando salió don Antonio, que daba Historia del Imperio, y le arreó dos hostias a Salillas, dos a Gaspar Arenales y otras dos a mí. Es muy probable que se hubiera chivado Ramoncito Badenes, llamado *El Flecha*, que iba siempre de falangista y hacía los recados a los profesores. Pero lo peor de todo no era el jersey azul celeste, ni los bombachos, ni la chaqueta de mi padre: lo peor eran los zapatos. La madrina me había comprado unos zapatos de combinación que tenían la punta y el talón de material y todo lo demás de ante. Decía que eran muy *chic* y que se los había visto en una foto a Serrano Súñer. Por más que supliqué, alegando que mejor sería guardarlos para los domingos y otras fiestas, ella se empeñó —yo creo que por vanidad— en que los estrenara el lunes. En cuanto los vio Salillas Aragonés se puso a canturrearme al oído: *zapatitos, zapatitos, zapatitos de anté...* Que era una copla de Conchita Piquer, que se llamaba *Zapatitos de charol.* Lo de *anté* no pegaba ni con cola y lo decía sólo para mortificarme. Como yo no era *El Flecha*, ni tenía alma de chivato, no me fui a Gaspar Arenales, pero juré vengarme de Arcadio Salillas y, sin responder una palabra, me

encerré en el water y me cagué en todos sus muertos, y así te
caiga la desgracia encima y se mueran tu padre y tu madre y te
metan en un colegio interno, por los siglos de los siglos. Yo sabía bastantes maldiciones de los cortijos, pero ésta me la había
inventado solo.

Todo esto ocurría en el Instituto Cervantes de Madrid, que
estaba muy cerca del Ministerio de la Guerra, por la calle Prim o
Almirante, no me acuerdo bien, y a donde iban niños bastante
pobres porque la matrícula era muy barata: incluso iban niños
de los que perdieron la guerra, y la verdad es que los profesores
no hacían mucha cuenta. Los ricos estaban en el Pilar, en los Je-
suitas, Calasancio, Maristas y otros colegios de curas, y las niñas bien en la Asunción, las Irlandesas, Damas Negras y así. Las
aulas eran muy grandes y hacía un frío que te pelabas, y los
maestros —que en Madrid se llaman catedráticos— no enseña-
ban nada. Los antiguos eran rojos casi todos y los habían fusilado los nacionales o estaban en la cárcel o en el extranjero, y los
nuevos tenían otros cargos mejores y no iban a clase, y así daban clase unos auxiliares que no sabían una palabra, pero estaban enchufados. Por esta razón no se entendía nada y sólo sacá-
bamos buenas notas los muy empollones —era mi caso— y
también los que tenían agarraderas o eran hijos de caídos por
Dios y por la Patria, ex cautivos o mutilados, que también era
mi caso. Gaspar Arenales no sabía una palabra de nada y no estudiaba una papa, y yo me cansé de ayudarle y de que me co-
piara en los exámenes y, como todo me resultaba fácil y aburrido, dejé de estudiar. Poco a poco el hastío me fue invadiendo,
hasta que la madrina Luz Ángela Castañón Spencer decidió que
me había tumbado a la bartola, que me faltaba base y que me
iba a dar clases particulares. Pero se rindió pronto —porque a
ella también le faltaba base— y pensó que era mucho más importante aprender inglés —sabía inglés divinamente—, y así nos
pusimos a trabajar por las tardes, pero se empeñó en que tenía
que saber traducir a Somerset Maugham y pronunciar el inglés
como su madre, que había nacido en Brighton. Los últimos días
sólo me mandaba estudiar vocabulario y se reía de todas mis
faltas y me hacía burla a costa de mi penosísima pronunciación.

Pero como no era mala del todo, pronto se olvidó del inglés y me dejó a mi aire. Así fue cómo, de forma lógica y natural, me convertí en mentiroso y en un pequeño delincuente.

Me gustaba ir en el metro y aún recordaba, de cuando era chico —todavía más chico—, un anuncio hecho en azulejos: un carnicero blandía un enorme cuchillo y cabalgaba a lomos de un cerdo inmenso, ya herido, que salpicaba de sangre toda la estación; y otro —también en azulejos— de la Emulsión Scott: un marinero, de ésos con chubasquero, que lleva a hombros un bacalao tremendo; y el Servetinal, contra el ardor de estómago. Creo que la publicidad ha perdido mucho, sobre todo desde que existe la televisión.

Los recuerdos del metro de Madrid, de mi infancia, cuando no iba solo, sino acompañado por mi madre o la Nati, formaban un mundo oscuro que durante todo el tiempo de la guerra, en San Sebastián, volvían a mí juntando un pasado —que no tenía muy firme— con la Casa de Fieras, las iglesias que vi arder y la Puerta del Sol, con un cartel enorme del político Gil Robles, que decía *éstos son mis poderes,* y yo no entendía. Todo aquello formaba parte de una ciudad lejana que me producía la misma nostalgia que a los mayores huidos y, sin embargo, las tierras de Níjar y el mar del cabo de Gata los tenía más que olvidados: sólo el lagarto, mi abuelo Eusebio a caballo, las enormes tetas de María del Alcorque y la cara guapa de Joaquina Núñez, *Tirillas,* me venían —de cuando en cuando— al recuerdo.

Cuando volví a Madrid con mamá y nos instalamos en la calle Héroes del 10 de Agosto, muy cerca de la consulta del *tío Alejandro,* que estaba en la calle de Serrano, 26, una de mis primeras visitas fue al metro, y allí seguía el matarife del cerdo y el pescador de bacalao, pero olía mucho peor, como si se hubiera acumulado la pobreza en tres años y nadie supiera quitarla, y habían surgido nuevos mendigos, hambrientos ahora, algunos sin piernas o sin brazos y gente de la oscuridad que recogía colillas entre las vías con un ingenioso artificio, hecho de guita y liga, y otros que vendían chuscos y algunos que, simplemente, se escondían.

Ya me dejaban ir solo en el metro, al instituto Cervantes o a casa de mi amigo Gaspar Arenales, que vivía en el paseo de Calvo Sotelo. Según mi costumbre, viajaba en el primer vagón, con la nariz pegada al cristal sucio, cuando avisté a lo lejos la luz amarillenta de la estación de Retiro. Aquél era uno de los pocos momentos emocionantes del día: a mi izquierda podía ver al conductor, que manejaba los mandos y a quien iba dando órdenes en voz baja: dos puntos a estribor, Morgan, dos puntos. A toda máquina, Morgan, hemos de alcanzar las setenta millas. ¡Vigila los témpanos, maldito escocés! ¡A babor hay témpanos y ya sabes que cortan como cuchillos! Con el chocante martilleo de las ruedas, baqueteando sobre los railes, nos acercábamos a la estación de Retiro a toda velocidad: en el andén había un montón de gente, como siempre a aquellas horas, donde abundaba el gris y el negro y, por supuesto, el caqui de los soldados. No sé por qué grité entonces: ¡Frena, Morgan, frena! Pero fue tarde. Justo en el momento en que entraba la máquina en la estación, saltó un hombre. Por un instante lo vi como si viera una foto: llevaba un sombrero marrón y una gabardina muy grande, desabrochada, y tenía los brazos abiertos. Sin ruido chocó contra el cristal y se quedó aplastado, como un pájaro que se estrella contra el parabrisas de un coche. Iba mal afeitado y tenía corbata negra. Cuando conté estas precisiones me dijeron que era imposible, pero la verdad es que lo vi. El metro frenó, llegando casi hasta el final de la estación de Retiro, y toda la gente se me vino encima, dando gritos y aplastándome contra el cristal, que chorreaba un líquido rojo y una especie de crema pastosa. Parte del metro se quedó en la mitad del túnel y, como nadie sabía lo ocurrido, gritaban más. Unos guardias y unos hombres de azul corrían por el andén, los guardias empujaban al personal, mientras los de azul saltaban a las vías y otros hacían señas pidiendo calma, porque las puertas no se abrían por natural precaución. Dentro del metro el jaleo era cosa de ver, hasta que un fulano se subió a un asiento, sacó una pistola y dijo que era una autoridad y que había que conservar la calma. Todo el mundo se calló, porque entonces en Madrid era obligación obedecer, y a mí me llevaron junto a una señora que estaba llorando a gritos y otra que también daba voces diciendo que a ella nadie le tocaba el culo, por Dios y por la Virgen, y que si se enteraba su marido se iba a llevar por delante a más de un rojo cabrón. Al cabo de mucho tiempo el metro dio marcha atrás y pasamos junto al andén, donde ahora había un bulto tapado con una manta y muchos hombres alrededor, y así nos metimos en el túnel que va de Retiro a General Mola. Tampoco entendía yo tanto alboroto: al fin y al cabo era un suicida que se había tirado al metro, cosa normal entonces. Además ya había tenido encuentros con la muerte. El verano del cuarenta, en Sorbas, se ahorcó un viejo —el señor Marianico— y todos los niños de los cortijos fuimos a verlo. El señor Marianico, que era muy pequeño, gastaba pijama y estaba descalzo, y a los niños nos dejaron estar allí mirando, y eso que éramos unos mocosos, hasta que vino el juez y lo descolgaron. Pero en Madrid son muy chulitos y se creen distintos. Total, yo estaba habituado a la muerte y a la inmortalidad, porque aquel verano, mi tía abuela Leonor siempre me estaba diciendo que tenemos un alma inmortal, que esta vida es sólo un tránsito y que muy pronto gozaríamos de las delicias del paraíso, donde se es joven todo el tiempo y nunca se está malo. Muchas noches, en el cortijo Los Ramírez y luego en Madrid, yo soñaba con el paraíso, pero no me hacía joven, me hacía mayor. Por eso, al salir de la estación de General Mola, ya no iba preocupado, sino pensando en mis cosas; aunque me asustó y mucho el haber perdido la cartera con el jaleo del muerto.

Ahora sí que no podía ir al instituto ni volver a casa, y eché a andar por la calle hasta el metro de Goya, donde me metí. Me puse delante de la taquilla y me quedé mirando a todos los que compraban billetes, hasta que un señor mayor —muy formal— me preguntó qué me pasaba. Yo le dije que había perdido el dinero y no podía volver a casa, y él me preguntó que a dónde iba y al enterarse de que a José Antonio estuvo a punto de sacarme el billete, pero yo le dije que estaba esperando a mi hermana. ¿Tampoco tiene dinero? Tampoco. Entonces sacó dos billetes y me los dio sonriendo. Con los dos billetes crucé la calle Goya, entré por la otra boca del metro y me puse delante de la taquilla con cara de pena. Al poco rato una señora mayor, vestida de negro y con un velo, me preguntó qué me pasaba. He perdido el dinero y no puedo volver a casa. ¿Dónde vives? En Argüelles.

La señora abrió un bolsito y me dio un real, y yo, que le estaba encontrando el gusto al juego, le dije que Dios se lo pagaría. Cuando la señora de negro desapareció por un pasillo, me agarró un pobre de pedir que llevaba una lata en la mano y gafas de ciego. Ya te voy conociendo, cabrón; este metro es mío y aquí no pide ni Dios; conque aflojas la guita o te rebaño el gañote, como me llamo Celestino. Por suerte se acercó a la taquilla un cura y yo me precipité a su encuentro, mientras el menesteroso retrocedía discretamente, mirando a las alturas, como si fuera ciego de verdad. El cura se paró en seco y yo le agarré la mano y se la empecé a besar pidiéndole una estampita. El cura decía que no llevaba estampitas y que tenía prisa, y entonces aproveché el revuelo para escapar, mientras entraba una señora con un niño de teta. Al pasar junto al falso ciego oí que me decía: te juro que te saco las tripas, hijo de puta, como me llamo Celestino, te saco las tripas por el culo. Y así salí a la calle, dándole vueltas al asunto, porque no era mal negocio, aunque había que ir con ojo. Por supuesto, no podía volver a la estación de Goya, ni a Lista, que era territorio de mi madrina y de sus amigas y me podían conocer. De modo que me compré una perra gorda de castañas asadas y tiré hacia Manuel Becerra, donde cambiando de salida y vigilando, por si había pobres con mejor derecho que yo, me hice con una setenta y cinco, y de nuevo me mudé, acampando esta vez en Diego de León. Antes —ya me iba entrando hambre y no tenía el bocadillo— fui a una confitería donde merendé tortel y orange. En el metro de Diego de León había una colas larguísimas y con tales agobios y prisas era muy difícil que el personal se fijara. Observé que algunos niños sucios vendían billetes de estraperlo y se sacaban un sobresueldo, y cuando llegué a la taquilla, pedí un taco de diez de real, que ya era un dinero, y vigilando mucho me trabajé la cola. Nadie me molestó, ni los pobres, ni los otros chicos, porque en Diego de León había trabajo para todos. Y así con siete ochenta, que se dice pronto, tiré para la calle de Padilla, que era un lujo y una verdadera tentación: entré en una cacharrería y me compré un peón y una cuerda; luego me fui a un bar elegante y me pedí un bocadillo de calamares, y por fin quedé parado ante las carteleras del cine: echaban *Fusileros sin bala*, del Gordo y el Flaco, y *La muerte de vacacio-*

nes, de unos artistas que no conocía. A mí me partían de risa las películas del Gordo y el Flaco y me gustaban mucho las de miedo, y como ésta de la muerte no era española y además los españoles no saben hacer películas de miedo, pues mejor. Me compré diez de pipas, me saqué una entrada de paraíso y me metí en el Padilla.

Mi madrina Luz Ángela Castañón Spencer tenía entonces treinta años, y a mí, como es lógico, me parecía una vieja. Era de Alicante y había vivido en Bilbao, donde conoció a mi tío José Luis y luego a mamá, en San Sebastián año 1937. En realidad, no era madrina oficial, pero ella se hizo con el cargo alegando que si los soldados en el frente tenían madrinas, los niños huérfanos —ya era niño huérfano— no iban a ser menos. Acabada la guerra consiguió una plaza, por enchufe, en el ministerio de Hacienda en Madrid, alquiló un piso en la calle de Padilla y se hizo cargo de mi persona cuando mamá y el *tío Alejandro* se mataron en el accidente de aviación. Pero eso fue después. La madrina Luz Ángela iba al ministerio de Hacienda por la mañana y los lunes, miércoles y viernes, a Auxilio Social, y casi todas las noches al café El Gato Negro, junto al teatro de la Comedia, en la calle del Príncipe, donde entraba sin pagar porque era amiga de una actriz que se llamaba Mariquita Cuevas y estaba casada con un actor mucho más de cine, de nombre Arturo Marín. Cuento estos detalles, porque a partir del accidente de mamá la madrina se ocupó de mí y me pagó los estudios como si fuera de la familia. La actriz Mariquita Cuevas quería que la madrina alquilara una habitación del piso de Padilla a una viuda decente, pero Luz Ángela Castañón Spencer decía que mejor sola que mal acompañada. Mariquita Cuevas también quería que mi madrina se casara con un señor mayor, y ella, que se le había pasado el tiempo, pero que le presentara a Alfredo Mayo. Estas cosas no le hacían gracia a Mariquita Cuevas, porque de todos es sabido que las cómicas son muy formales y no vaya nadie a pensar que lo digo con segundas. Con nosotros vivía una muchacha de Roquetas que había venido a servir a Madrid. Tenía diecinueve años y estaba mucho más perdida que yo. Mi madrina, para entretenerla y quitarla de los bares y de las salas de fiestas, la metió los fines de semana a hacer camisas en un taller que dependía de Saldos Arias, y Juanica Zancarrón —que así se llamaba la chica— trabajaba de muchacha en Padilla y los sábados y los domingos en las dependencias de Saldos Arias.

Cuando Juanica Zancarrón me abrió la puerta, echó a correr como una posesa gritando: ¡señorita, señorita!, y la madrina apareció al fondo del pasillo y a poco pierde el conocimiento, que tuvo que apoyarse en la pared y no le salía la voz, hasta que se oyó decir: Martinito, Martinito, *mon enfant*... Y me empezó a besar y a preguntar si quería tomar una tila, cuando estaba muy claro que quien necesitaba tila era ella. Por fin consiguió reaccionar, le pidió un coñac a Juanica, me dio una hostia —para calmar los nervios— y me llevó al salón. Allí se me vino el mundo encima: sobre una butaca estaba mi cartera. La madrina me dijo que habían llamado de la comisaría y que en las dependencias policiales le entregaron el cabás, encontrado en el vagón del metro, pero que no se preocupara, porque si bien en la estación de Retiro hubo un accidente mortal, ningún niño había sufrido daño. Ella, asustadísima, se fue al instituto Cervantes, que estaba más que alterado. Por lo visto, el padre de uno de los niños de mi clase había muerto en la estación de Retiro. Entonces me quedé blanco como el papel y se me fue la cabeza. La maldición había surtido efecto y yo no podía ni abrir la boca. Por fin pude contar parte de la historia: cómo vi caer al hombre a las vías y de qué forma me encontré en la calle y las vueltas que di, sin saber dónde estaba. La madrina se bebió media botella de coñac y luego decidió meterme en la cama, porque yo tenía que descansar y ser un hombrecito: al día siguiente no había clase en el instituto y teníamos que ir al entierro. Yo le dije que no, que de ninguna forma, que no quería ir al entierro, pero ella insistió en lo de hombrecito y en no sé qué obligación moral: los amigos son para las ocasiones y hay que estar a las duras y a las maduras. Cualquiera le decía que yo era el culpable del suicidio y que Salillas Aragonés no era mi amigo, sino mi peor enemigo, por los siglos de los siglos, como Aníbal y Escipión. Por fin, la madrina me dio la taza de tila, apagó la luz y dejando a Juanica encargada de vigilarme, se fue al Gato Negro.

Como es lógico, no me podía dormir; tiritaba en la cama y sudaba al mismo tiempo: la maldición había surtido efecto, mi mente era un arma poderosa que podía destruir a mis enemigos, pero el padre de Arcadio Salillas no era mi enemigo, era un inocente que yo había metido en el saco de mis rencores. Una y mil veces oía mi voz: así te caiga la desgracia encima y se mueran tu padre y tu madre y te metan en un colegio interno. O sea, la próxima en caer, era la señora de Salillas. Me tapaba la cabeza con la manta y seguía oyéndolo, ahora como desde el fondo de un pozo y cuando sacaba la cabeza veía al fantasma del padre de Salillas revoloteando por la alcoba, con la gabardina suelta y los brazos abiertos, sin afeitar y todo lleno de sangre y con los sesos fuera: lo había matado yo, Martín González Chamorro era el asesino y el fantasma del padre de Salillas me arrastraba al infierno, donde él ya tenía plaza, porque estaba maldito de mi maldición. El fantasma seguía revoloteando con la gabardina suelta y me subió la fiebre, que más de cuarenta tendría cuando vino a despertarme la madrina, que me tocó la frente y dijo que quemaba. Menos mal que, por lo menos, me libraba del entierro. Pero ni por ésas. Según parece, a todos se nos habían olvidado ciertas menudencias burocráticas.

—De momento está en el depósito —dijo la madrina Luz Ángela, ante la excitación de Juanica— y tienen que hacerle la autopsia y eso lleva dos o tres días, aunque es una bobada, porque ya se sabe de qué murió el pobre señor. Tienes tiempo de reponerte, porque no estás malo, estás asustado.

La madrina era listísima y había dado con el diagnóstico exacto, aunque flojo de por sí: no estaba asustado, sino más bien aterrado.

—¿Ya no vamos al entierro?

—Claro que sí, es una obligación moral.

Entonces me puse a pensar a toda máquina y dije, recordando los sermones del cura de Santa María, que yo —en conciencia— no podía ir al entierro, porque el padre de Salillas había muerto en pecado mortal y no lo pueden enterrar en sagrado. La madrina me dijo que aquel punto no estaba claro, porque tal vez la víctima había caído a las vías del metro a causa de un empujón fortuito y, además, que un minuto de contrición da a un alma la salvación. Juanica nos miraba a uno y otro como si estuviera en un partido de tenis. Pero no tuvo ni un minuto, insistí. El tiempo de Dios no se mide como el tiempo de los hombres: irás al entierro con todos los niños de tu clase. Juanica preguntó entonces si ella podía ir al entierro y la madrina dijo que no se le había perdido nada en aquel entierro. Luego dispuso mi comida, le dio cinco duros a Juanica y se fue al ministerio de Hacienda.

Yo estaba hecho polvo, sabía lo de la morgue por las novelas policíacas y me figuraba al desgraciado padre de Salillas partido en trozos, como en el cuento de la abuela Marita en Los Ramírez, aquel de ¿caigo o no caigo?, y caía una mano; ¿caigo o no caigo?, y caía una pierna. Claro que lo de la morgue tenía sus ventajas: no iban a enterrar al padre de Salillas cien veces y, a lo mejor —había oído hablar de casos parecidos—, lo repartían en la facultad de Medicina. Poco a poco fui tranquilizando mi conciencia: si surtieran efecto todas las maldiciones, en el mundo no habría más que malditos y muertos, vengadores y aparecidos. Lo del padre de Arcadio Salillas Aragonés fue una casualidad y la casualidad sí que tiene tela que cortar. De todas formas aquel accidente llegó a obsesionarme, hasta el punto de que muchos años después sigo pensando en la otra vida y en la inmortalidad, pero en la inmortalidad de este perro mundo, no de un paraíso desconocido y supongo que relamido. Yo quería vivir siempre, ir al cine Salamanca, ser joven y guapo y sobarle el morro a Salillas, a la salud de su padre volador.

Cuando Juanica se fue al mercado me mandó que no abriera la puerta a nadie y que si sonaba el teléfono preguntara ¿quién está al aparato? y que lo apuntara, cosa que ella no podía hacer porque era analfabeta. Estaba un poco aburrido —hay que tener en cuenta que en aquellos años no había tele— y me metí en el gabinete de la madrina con ánimo de buscar algún libro divertido. Primero y, como es natural, traté de abrir alguno de los cajones de la mesa, pero estaban cerrados. Después empecé a mirar los libros, pero casi todos venían en inglés, y no había novelas policíacas, ni cuentos con ilustraciones, y así di con *Las mil noches y una noche*, nada menos que doce tomos. Éste lo había leído, porque me lo regaló mamá en San Sebastián, cuando aprobé el ingreso del bachillerato en el instituto de Peñaflorida, y me sabía las historias de *Alí Babá y los cuarenta ladrones*, *Aladino y la lámpara maravillosa* y *Simbad el marino*. De todas formas cogí un tomo al azar, me lo llevé a la cama y empecé a leer. Menuda sorpresa. Años después —cuando acabé la carrera de Derecho— la madrina Luz Ángela decidió hacerme un regalo y yo, en lugar de pedirle un reloj o una estilográfica, le dije que quería aquellos libros de *Las mil y una noches*, y le conté la reveladora historia que ella, como yo me figuraba, ya se sabía de memoria. No resisto la tentación de copiar una de las páginas que más ilustraron mi fiebre:

«Una boca a la que hace florecer la gracia, fuente de suavidad, sobre dientes de estrías imperceptibles. Un vientre lujuriante de pliegues delicados y juntos, dispuestos en torno a un ombligo, cajita de marfil, donde se guardan los perfumes, y un pecho comparable a los pechos magníficos de las huríes del paraíso y aquella grupa considerable. ¡Magnífica muchacha que, cuando se levanta, la obligan a sentarse sus pesadas caderas y cuando se sienta, su grupa opulenta rebota y la obliga a ponerse de pie. ¡Oh, que dos montículos tan encantadores y arenosos turban mis sueños!»

Aquella descripción de la bella princesa Tumadir contribuyó mucho a ahuyentar al fantasma del padre de Arcadio Salillas, y no es que yo fuera un gilipollas, como decía mi amigo Gaspar Arenales, es que aquellas cosas nunca las había visto escritas.

Estaba harto de ver parir animales en los cortijos de Sorbas y Níjar, de oír chistes verdes en el instituto Cervantes, de hablar de putas, de buscar palabras malas en el diccionario y de jugar a los médicos con las niñas de San Sebastián o con mis primas, en Los Ramírez. Pero esto era otra cosa: era literatura buena que me ponía a cien. Por supuesto me subió la fiebre y, cuando la madrina volvió de su tertulia y me tocó la frente, torció el morro y dijo que mejor sería avisar a Pepe Carlos (el médico), y vi el cielo abierto. Con el libro lo pasaba de miedo, no iba al instituto y, por tanto, al entierro, y me hacía una base, como decía la madrina Luz Ángela. Por la noche cené en la cama —caldo magi, tortilla de perejil y compota de pera— y mientras la madrina hacía las cuentas de Auxilio Social —que se traía a casa, como trabajo extra y homenaje a la patria— yo seguía leyendo *Las mil noches y una noche.*

Los moros —ya lo aprendí en Almería y lo confirmé luego en Madrid— siempre han tenido la gracia de mezclar el sexo con las buenas costumbres, y así de un cuento árabe se saca mejor enseñanza que la que ponían los curas en sus siete años de religión, asignatura del bachillerato, plan de 1938. Igual les pasa con la comida: mientras los moros —según decía mi abuelo en Sorbas— comían hojaldre, dulces de miel y almendra y traían naranjas, arroz, limones y dátiles del desierto, los bárbaros del norte se hartaban de raíces y de tocino. Aquel libro rarísimo, que encontré en el gabinete de la madrina, se convirtió en el mío muy especial. Lo malo es que me ponía muy nervioso y así, entre cuento y cuento, me dio por hacer cosas que vergüenza me da recordar.

Por la noche apagué la luz, cuando la madrina salió del gabinete, y estuve espiando hasta que se metió en su alcoba; entonces abrí la puerta de mi cuarto y me deslicé hacia al suyo, igual que hacía *La Sombra* —uno de mis personajes favoritos— guiándome por el hueco de la cerradura, que brillaba como el faro de Gata. Me apoyé en la puerta con mucho tiento, crujió la madera y me dio un susto total, pero nadie se alarmó. La madrina estaba desnuda y la verdad es que yo nunca había visto nada parecido. Me vino a la cabeza la princesa Tumadir y su esplendoroso cuerpo: qué vientre lujurioso, qué grupa opulenta, qué pechos de mármol, qué muslos redondos y prietos, y el cuello largo —que no había reparado en el detalle—, y una sombra en el bosque de palmeras, como la de Tumadir, y la piel tostada. Recordé a mamá, cuando la sorprendí desnuda y blanca, pero no tenía nada que ver: mamá era gordita, redonda y asustadiza, y la madrina Luz Ángela, de otro mundo, de más allá de Oriente. Ahora estaba de pie y leía una carta, y me pareció que, como en las películas, me acercaba a ella: tenía los ojos húmedos y brillantes, de color miel —que tampoco había reparado— y los labios entreabiertos, hasta que sonrió con sus dientes como almendras, igual que la doncella Hafida, favorita del rey Schariar. Pensé entonces que la madrina no era vieja, y desde aquel día mucho respeté a las mujeres, sobre todo a las que tienen treinta años. La madrina Luz Ángela se puso un camisón blanco y se metió en la cama. Por cierto, tres o cuatro noches después quise repetir la excursión, pero no se veía nada. Al día siguiente, con unas pinzas, saqué un algodón de la cerradura, y aquella misma tarde la madrina me dijo que estaba creciendo muy deprisa.

Por fin llegó el día del entierro. Mientras íbamos al cementerio del Este, en un taxi muy antiguo de aquellos de gasógeno a la espalda, yo pensaba que no valía la pena enterrar al padre de Arcadio Salillas, que ya estaba aviado en mil pedazos y no podría reconstruirse el día del Juicio Final; pero así son las costumbres. La maldición me volvió otra vez a la cabeza y me arrepentía mucho, pero sobre todo me daba agobio tener que decirle a Salillas que le acompañaba en el sentimiento, yo, Martín González Chamorro, el asesino de su padre. La madrina Luz Ángela, que llevaba sombrero, el abrigo bueno y se había puesto un traje negro precioso, me dijo que, gracias a la intervención personal del Nuncio de Su Santidad, el pobre pecador pudo ser enterrado en tierra bendita, porque además —y aquí bajó la voz para que el taxista no la oyera— había oído decir en El Gato Negro que el suicida de la estación de Retiro era un espía comunista, camuflado en la calle Alcalá (Falange española), que estaba pasando todos nuestros secretos militares a la URSS. Todo aquello me parecía muy emocionante, pero no veía yo al padre de Salillas en plan espía, aunque nunca se sabe, y menos el efecto que pudiera tener mi maldición: si era comunista y estaba perseguido por la secreta, mi maldición era de chiste. Quise saber, entonces, por qué lo enterraban en sagrado en vez de echarlo a los leones en la Casa de Fieras, y la madrina me dijo que para disimular, porque si se daban por enterados, los demás espías se escapaban. No me tranquilizó mucho la explicación, sobre todo por Arcadio Salillas, a quien ahora no sabía cómo tratar. La madrina, que es listísima, debió de oler lo que estaba pensando, porque me dijo:

—Hazte el tonto, como si el pobre señor —Dios me perdone— hubiera muerto de pulmonía, y no se te ocurra ir besando a todas las señoras, que tú eres muy besucón.

El taxi nos dejó cerca de la fosa donde iban a enterrar al suicida; como es lógico, estaba lloviendo y los paraguas no me dejaban ver la ceremonia. Oía los gritos de un cura, que debía de ser muy viejo y estaba sordo, y el llanto sofocado de la viuda: yo miraba a un lado y a otro, por si conseguía descubrir a la policía secreta, que seguramente fue al entierro para desenmascarar los manejos de otros espías; y allí estaban, tres o cuatro hombres solos, que parecían escapados de las páginas de una novela de Charlie Chan. El cura sordo terminó de echar el discurso y los sepultureros la emprendieron a palazos de tierra, mientras los espectadores iban a dar la mano a la familia y a llorar entre todos. Me crucé con Gaspar Arenales, que ya había pasado el trago y me dijo, torciendo la boca:

—Vaya suerte, macho.

Sin duda se refería a mi enfermedad, pero lo que él ni nadie sabía es hasta qué punto estaba atormentado por la maldición del water. Crucé ante un señor muy grande, salté un charco, vi entonces a la familia y a poco me entierran con el muerto. Ramoncito Badenes, *el Flecha*, vestido de falangista, se dejaba besuquear por una anciana, y sus hermanos esperaban turno; la madre del *Flecha*, los tíos y las tías o lo que fueran, cumplían la triste obligación de agradecer el sentido pésame. Había equivocado el tiro y Dios me castigaba: la maldición que iba derecha al padre de Arcadio Salillas Aragonés le había caído encima al padre de Ramoncito Badenes, *el Flecha*. Di un salto hacia atrás e intenté huir, pero la madrina me agarró al vuelo y me dijo que no tuviera miedo, que había llegado el momento de demostrar que era un hombrecito. Y se rió al decir aquello de hombrecito, mientras yo me ponía colorado. Pero lo peor fue cuando se me acercó Salillas y torciendo la boca, como hacía en clase, me dijo que me iba a enterar de lo que valía un peine. Ya estaba frente a Ramón Badenes, *el Flecha*, confidente de la policía y chivato: le tendí la mano y le acompañé en el sentimiento, yo, el asesino de su padre. Badenes aguantaba bien y apenas le oí decir: ¿Sabes que me llevan interno? Mamá y mis hermanos pequeños se van al pueblo y a mí me llevan interno a El Escorial. Por el rabillo del ojo veía al malvado Salillas Aragonés, que me miraba con expresión torva, y fue entonces cuando decidí no volver al instituto.

Por la noche volvió a subirme la fiebre, como era de esperar, y antes de apagarme la luz, la madrina me dio una tableta de piramidón y me dijo que mamá no sabía que yo estaba enfermo, pero que no era cosa de alarmarla, porque se había ido desde Lisboa a las islas Canarias a un congreso de medicina con el *tío Alejandro* y que a la vuelta me traería una sorpresa muy bonita. Yo no entendía bien los manejos de la madrina, que una vez me llamaba hombrecito y otra me ofrecía sorpresas —como si fuera un niño chico— y me ocultaba las preferencias de mamá, ya que entre el doctor Alejandro Rovira y Martinito, estaba clara la diferencia. Pobre mamá, tan lista, tan sensible y tan débil, condenada a ser la amante del doctor Rovira, que ya tenía seis hijos y era académico de Medicina, y a vivir separada de su niño por amor y no por dinero.

Aquel fin de semana, volviendo de Tenerife, cayó el avión al Atlántico y no hubo supervivientes: en total quedamos siete huérfanos y yo nunca recibí la sorpresa que me anunció la madrina Luz Ángela Castañón, que precisamente me guardó en su casa con toda naturalidad. Ahora que han pasado los años, pienso en mamá y no la recuerdo con rencor, ni siquiera con desamor, la entiendo muy bien y la veo siempre desnuda y blanca, tratando de ocultarse a mi curiosidad, o la noto en la cama, cuando me pegaba a ella, apretándola y acariciando su cuerpo, como si se me pudiera escapar, y así fue que mamá —y ya lo he dicho— debió de ser mi amante y no morirse, pero se quedó en la sombra. Por eso llevo siempre su foto en la cartera y me despido de ella todas las noches antes de dormir.

Mientras la fiebre remitía, gracias al piramidón, o quizá cuando llegaba a los cuarenta grados —que por los vaivenes nunca se sabe— me volvían las imágenes del cementerio del Este; la sonrisa amenazadora de Arcadio Salillas, los lamentos de Ramoncito Badenes y la frase de Gaspar Arenales: vaya suerte, macho. Mi relación con Gaspar Arenales era otra: hasta el año cuarenta fue mi tormento, mi cruz, mi suplicio; el niño Arenales se gozaba en dañarme y maniobraba de todas formas, haciéndome sufrir físicamente y martirizándome en plan psicológico, como en las películas. A nadie he odiado en el mundo como a ese niño y nadie me ha hecho penar tanto y de tal forma, que ahora, ya mayor, sueño pesadillas y salgo de la cama agotado como si no hubiera dormido. A partir del año cuarenta y tres me tomó bajo su protección y me cuidó como al hermano que no tuve, de tal forma que —en Gaspar Arenales— tengo dos personas vivas: el niño que me hace sufrir y el hermano, como bien decía antes. Pero lo grave, lo gravísimo, es que no se pueden separar, porque son siameses de distintas edades.

En San Sebastián llovía mucho aquel sábado y Gaspar Arenales vino a casa a estudiar conmigo. Mamá se había ido a Zaragoza, para hacerse cargo del cadáver de papá, que había muerto en Caudet. Yo quedé al cuidado de la tata Mary, que no tenía más de dieciocho años y con cualquier pretexto se iba a la calle a ver a su novio, que estaba cojo de un pie y por eso no podía ir a la guerra, aunque fuera de Pamplona.

Arenales decía todo el rato ¿qué hacemos?, ¿qué hacemos? Entonces abrió el mueble-bar y sacó una botella de anís y dos vasos y me dijo que íbamos a beber a la salud de la Mary, que estaba buenísima. Probé el anís y me bebí un vaso entero y él otro. Fue la primera vez que veía doble, como en los chistes de los tebeos. Seguía lloviendo y Arenales, a pesar del anís —o precisamente por el anís— se aburría, y se le ocurrió que podíamos jugar al fútbol, y se trajo de mi cuarto un balón de reglamento. Él era el portero y yo tenía que chutar y meterle gol. Hicimos la portería con dos sillas y empecé a chutar como nunca en mi vida, con toda mi alma, como si quisiera acabar con él, tirando a darle en la cara, al estómago o a donde fuera, y él lo paraba todo y pedía que chutara más fuerte cada vez, y así fuimos rompiendo los cristales de las ventanas, los vasos, incluso la lámpara del techo, una falsa araña que le habían regalado a mi padre. Era como una película del Oeste, cuando no queda nada del *saloon*, y ahora estoy seguro de que si llego a tener un revólver disparo a matar. Todo se estaba convirtiendo en un desastre, en la guerra, pero el anís me daba fuerza y una insensata alegría, como si pensara que aquella tarde era mágica y yo podía vencer, para siempre jamás, a Gaspar Arenales, al que por fin di un balonazo en todos los morros. Entonces me dijo que le tocaba chutar y yo era el portero, y me obligó a abrir las piernas y a poner las manos arriba, y si las bajaba —por puro instinto— me mandaba subirlas otra vez. Por fin me acertó en los huevos con un pelotazo a menos de dos metros. Se me nublaron los ojos, caí al suelo y no era una pesadilla.

Ahora iba en el metro —entrando en la estación de Retiro— y desde el mejor sitio veía cómo alguien se arrojaba a las vías. Por el aire ya sabía quién era: Gaspar Arenales, con sombrero marrón y gabardina canela, que se estrellaba contra el cristal, rompiéndose en cientos, en millones de gaspararenales, que luego volaban como murciélagos y me arrastraban a un túnel debajo de tierra, donde sólo se podía respirar leche condensada, que salía de los ojos de Arenales como un fluido maligno que me ahogaba.

Por fin conseguí despertarme y aquello sí era una pesadilla.

IX

PROGRAMA DOBLE

(Testimonio del comisario Arruza)

¿Dónde había metido la botella de Viña Ardanza? Encima de traicionar a la Ribera del Duero con la Rioja Alta, perdía el *oremus*. ¿Y mis gafas de cerca? ¿Y el bolígrafo bueno de carey prohibido por los ecologistas, el décimo premiado en la pedrea y las cuatro mil pesetas que tenía en un bolsillo?

Pero lo peor de todo era la botella de Viña Ardanza, que estaba en el cajón de los jerseys de casa o quizá detrás de *La Divina Comedia*, ilustraciones de Gustavo Doré, y no aparecía por ninguna parte. Aquello apuntaba a dos blancos y los dos tenían lo suyo: había olvidado el sitio donde escondí el vino, como olvidé la urraca y el bolígrafo, o el *fúrer*, investigando en mi territorio, dio con la botella. Por suerte o por casualidad estaba en la papelera y era otra cosa: *Palacio de Ardanza, vino tinto, cosecha de 1981*. Más tranquilo saqué la copa, que guardaba en el buró, la limpié con mi pañuelo, hasta dejarla reluciente, y eché el vino rojo del Palacio de Ardanza, que —al trasluz— brillaba desde dentro, como un anuncio de la tele. A la salud de los riojanos y larga vida a los del Duero.

La niña Marga dormía y el *fúrer* había ido a una fiesta con su novio o con unos amigos de Zaragoza, que no me acuerdo seguro, y yo bien merecía un descanso, que tampoco se hunde el mundo y es muy lógico que a uno se le olviden las cosas cuando tiene tantas en la cabeza. De joven tenía que apuntarlo todo en una agenda y cuando llegué a comisario lo que tenía era un inspector a mis órdenes o dos. Dos. Trataba de pensar en la urraca, en la valiente perra Benito —que me iba a costar un dinero— y en la víctima y el asesino, que en el fondo me la traen floja, porque ni me importa la justicia, ni tengo vocación justiciera, ni mucho menos ganas de castigar a nadie, y lo que en tiempos fue profesional, ahora me viene derecho del aburrimiento, de la jubilación a destiempo y de demostrar —a quien sea— que yo no soy un viejo chocho y desocupado, que tengo amantes —una hermosa cubana— y que aún puedo aposentarme en las primeras páginas de los periódicos. Demostrar a Pili, y de rebote a la niña Marga, que sigo siendo el número uno y que si hago de abuelo o voy al mercadillo de San Miguel, es por mi propia voluntad.

Entonces hice un esfuerzo de memoria, pensando en las dos chicas:

Una mujer envenenó mi alma...

Eran los versos de Rubén Darío, que acudían con toda sencillez:

Otra mujer envenenó mi cuerpo;
ninguna de las dos vino a buscarme;
yo de ninguna de las dos me quejo.

Me puse otra copa de *Palacio de Ardanza, cosecha de 1981*. Dos mujeres —una Marga, la niña, otra Pilar, el *fúrer*—; pero debía guardarle un sitio a mi Margarita y otro, bien merecido, a Linda Lebreles: dos mujeres envenenaron mi cuerpo y las dos vinieron a buscarme, debe ser cosa de los modernistas, porque no me envenenaron nada. Por otro lado, dos mujeres envenenaron mi alma —una pequeña y otra grande—; no, envenenaron tampoco, porque de ninguna de las dos me quejo. Era como una borrachera de la memoria: dobles parejas, las del amor y las otras, y cerré los ojos:

Como el mundo es redondo, el mundo rueda;
si mañana, rodando, este veneno
envenena a su vez, ¿a qué acusarme?
¿Puedo dar más de lo que a mí me dieron?

Guardé la botella en la papelera y aquella noche —entre el vino, el calor y la memoria— no conseguí pegar ojo o eso creía yo.

Me levanté muy temprano y fui a la cocina a beberme un vaso de agua. Sobre la mesa había un billete de mil duros y una nota de mi hija Pilar:

«No me despertéis hasta las tres. Compra tomates —ojo, que estén maduros—, pimientos y cebollas, una lechuga, y pide perejil. Un pollo grande para asar, un melón, que no sea pepino como el de la otra vez, y ciruelas, si son claudias, si no nada. Café de tueste natural, que siempre te lo dan torrefacto. En la farmacia, sacarina. Córtate el pelo, que tienes unas greñas que pareces Robinson Crusoe, y deja la vuelta.»

Ya sabía yo quién envenenaba mi alma. Fui a la compra y traje el pedido, porque las cosas bien hechas bien parecen; le preparé el desayuno a la niña Marga y no le di la vuelta al *fúrer* y sí una nota muy bien escrita:

«Despiértate cuando dejes de dormir, hay gazpacho en la nevera y te haces el pollo. Olvídate de las ciruelas, porque no es tiempo. Marga y yo comemos fuera y probablemente luego iremos al cine. No me corto el pelo, porque ahora se lleva largo. Un beso de Papá.»

Riendo entre dientes y procurando no hacer ruido, no fuera a ser que Pilar despertara a destiempo, llamé a Small and Great o Great and Small —que nunca me acuerdo— y con noticias frescas de Benito —había pasado la noche inquieta y con fiebre, pero sus constantes vitales permanecían estacionarias— agarré de la mano a Marga y los dos nos fuimos a pasear por el Retiro y a tomarnos unas cañas, y luego a comer a una taberna, de toda confianza, donde daban un vino de Colmenar extraordinario y unas morcillas de Burgos que quitaban el sentido. Después yo me tomé un cafetito y me fumé un cigarro fino, auténtico de Las Antillas, y le dije a la niña Marga que si quería ir al cine, íbamos al cine, y ella me sonrió de una forma tan bonita que decidí que ni me envenenaba el alma, ni el cuerpo, por lo menos mientras fuera chica.

Entramos en el cine Imperial, donde —por aquello del verano— ponían un programa doble extraordinario: *Dumbo* y

Bambi, nada menos. Antes habíamos repasado la cartelera por si Marga encontraba algo más de su gusto y, como yo suponía, le tiraban las películas de sexo y violencia, cosa muy normal en los niños; lo que ocurre es que Marga aún resulta un poco pequeña y no hay que exagerar, además —si se lo cuenta a su madre— me despelleja vivo y esta vez con toda la razón. Así que le compré una bolsa de palomitas y entramos en el cine, que tenía un ambiente muy acogedor, fresco y oscuro, en contraste con el bochorno de la calle Fuencarral y la luz de agosto. Las imágenes de *Dumbo* me volvieron al tiempo joven, cuando yo era auxiliar en Santa Cruz de Tenerife y tenía pase para los cines, más que nada por si se cometían actos contra la moral. La música es preciosa, sobre todo aquel *swing* que dice: *lo que nunca vi, ni veré jamás, es un elefante volar.* Y los elefantes bailaban como locos, tan pesados y tan ligeros y con unos colores muy vistosos. Hacía más de un año que no entraba en un cine y nunca me hubiera atrevido con una película de Walt Disney y, mira por donde, la niña Marga me daba ocasión y pretexto: ser abuelo tiene sus ventajas, porque un día te puedes escapar, forrarte de morcillas de Burgos, fumarte un puro del Caribe y mandarte un par de copitas de anís y tenerla allí, al alcance de la mano, tan preciosa, con su vestido de cuadros azules. Miré de reojo, porque no recordaba bien si el vestido de la niña era de cuadros azules o rojos, y entonces me pareció que era liso, pero sería la penumbra. Marga miraba embobada la pantalla, sin dejar de comer palomitas, y yo pensé que —después de las morcillas de Burgos— aquel remate era una locura, y me encomendé a todos los santos de la digestión infantil. Marga llevaba gafas y yo no recordaba que las usara antes, y sin perder ripio —como decía mi abuela *Pringá*— sonreía al compás de la música. Nunca tuve un encuentro con Pilar-hija de este calado, ni con Jacobo-nieto, a quién no olí en la niñez y menos en la hombría recién estrenada. Cogí la manita redonda de Marga y ella, como otras chicas que yo conozco, ni se inmutó.

El cine era territorio guerrero de la posguerra, porque todo lo demás estaba prohibido, menos las casas de putas, y mira por donde a mí me tocó vigilar las inmoralidades del cine. Nunca me escondí en las filas de atrás para sorprender inocentes, aunque a veces sentía escozores en las zonas bajas mientras los pobres hambrientos de alegrías prohibidas se metían mano, con los estómagos limpios de chicha y de esperanza y los ojos cegados por la oscuridad, y yo tenía que denunciar a las parejas, que para eso me pagaban en Gobernación, y las parejas salían en el periódico —con nombres y apellidos— por *cometer actos contra la moral*, y muchas veces era un desastre, la ruina de la familia y sobre todo el bochorno de las chicas. Ni una salió en la prensa, por mi supuesto celo, y yo creo que me hice famoso —entre los infractores— por inútil y permisivo, aunque ya que lo pienso llevé a más de cinco de los otros al garrote vil, sin contar a los indultados.

Aquella parte de *Dumbo* era muy triste: la desgraciada señora Dumbo lloraba porque las gentes del circo se reían del bebé orejotas. Pobre niña Marga, aún le quedaba el trago de ver morir al papá de Bambi y sobre todo el de vivir ella. Cerré los ojos, Marga liberó su mano y yo estiré las piernas debajo de la butaca.

Me desperté con la boca seca y la vejiga llena y, de reojo, observé la brillante pantalla: la madre del conejo Tambor le preguntaba: ¿Tambor, qué es lo que te ha dicho tu padre? Que deje la flor y coma la hoja —respondía Tambor—; también lo verde bueno es, fortalece las orejas y además, los pies. Y en un aparte a *Bambi* añadía: pero francamente es muy malo de comer.

Salí al vestíbulo, busqué la zona discreta que necesitaba mi apremio y luego fui al bar del cine y pedí media botella de agua mineral con gas: las morcillas de Burgos, el vino, el remate del anís, pero sobre todo el puro —yo que fumo raras veces— me habían tocado en la línea de flotación. Oí entonces una voz que me llamaba y me volví. Era un viejo —incluso mayor que yo— vestido de uniforme: lo curioso es que el uniforme era rojo, tanto la guerrera como el pantalón, y estaba adornado con cordones dorados, aunque no tenía condecoraciones. Me pareció raro que llevara una linterna y llegué a la fácil conclusión de que se trataba de uno de los acomodadores del cine:

—¿No se acuerda usted de mí, señor comisario?

La verdad es que me sonaba aquel acomodador.

—Soy Belmonte, el ordenanza perpetuo del director general.

—¡Belmonte!

Me acordaba muy bien de Belmonte, sobre todo porque tenía nombre de torero, y allí en el vestíbulo del cine nos abrazamos, ¡cuánto tiempo!, y no nos bebimos unas copas porque él estaba de servicio y yo de resaca, pero nos dimos a pasear, entre las fotografías de artistas de siempre y los grandes anuncios de las películas de la próxima temporada. ¡Qué bien te veo, Belmonte! ¡Usted si que está bien, señor comisario! ¡Qué tiempos, Belmonte! ¡Qué tiempos, señor comisario! ¿Y de dónde te viene esta afición al cine? Del marido de una nieta, que trabaja en la tele. ¿Pero tú tienes nietas casaderas? Yo tengo dos biznietos, señor comisario. Me dejó a medio preguntar y se fue a abrir las puertas de la sala, porque había terminado la sesión y se disponían a entrar los de las nueve, que eran menos, porque los niños —de noche— no suelen ir al cine. Entre la entrada y la salida nos dimos un abrazo breve y yo le prometí volver, y él me dijo que ya sabía dónde paraba.

En la calle había remitido el calor, como siempre —salvo veranos rarísimos— a últimos de agosto. Fui, caminando, hacia la Puerta del Sol, despacio, por el gusto de estar solo, sin ganas de llegar a casa. Aquel también era mi Madrid, polvoriento, bellaco y sucio, pero vivo y jaranero, a pesar de todo. Había cambiado el personal, ya no se veían señoritos de sombrero flexible, ni mucho menos señoras bien arregladas, aunque el mujerío —sobre todo extranjero— era digno de echar cuentas: chicas con pantalones cortos o largos muy ceñidos y camisetas que marcaban lo suyo y a las que yo no me atrevía a mirar, por no ejercer de viejo verde, y chicos que les acompañaban con todo el equipaje a la espalda, veinte duros en el bolsillo y, a veces, niños siempre rubios. Un turismo cochambroso, que no nos saca de la ruina. También había negros, moros, polacos, búlgaros, croatas y chinos, que instalaban en las aceras sus puestos de baratijas y, más adelante, putas malheridas, pobres matronas de colorines que enseñan varices, tetas caídas, maquillaje barato y brazos de carne temblona, y en una esquina un singular menesteroso, de música canalla al acordeón, y en otra, un respetable caballero de pelo blanco, que toca *Thaïs*, de Massenet, al violín, un poco empalagoso él, pero siempre de agradecer el esfuerzo cultural que le hizo ganar veinte duros. Pensaba yo en mis colegas —no se veía un guardia en el horizonte— que estarían velando por la seguridad de algún político refitolero o quizá protegiendo la intimidad vendida de los famosos, como ahora se dice.

Las terrazas de los cafés llenaban las aceras de un público más entretenido, quizá gente de provincias, desocupados del mes de agosto —antiguos rodríguez en paro—, turistas de mejor pelo, aunque tampoco se parecían a los impresentables de Puerto Banús; y entre todos, clientes de comisaría, ejemplares de jaula, veteranos y nuevos en esta plaza, gente mal, de ficha manoseada y viaje de ida y vuelta, de los que no se despintan, todos a la caza de una ingenuidad indefensa. Pasé entre las sillas y las mesas de una terraza, cruzando ante un grupo de alemanes, que se reían a gritos, como si estuvieran en casa; en una silla —a la espalda del más gordo— habían dejado una bolsa de plástico, un vídeo y una máquina de fotografías: yo agarré la máquina de fotos, la puse sobre la mesa y sonriendo al gordo dije: *bitte*, que es la única palabra que sé en alemán. Me miraron sin entender nada, pero algo debieron de barruntar, porque recogieron sus cosas y se pusieron a discutir. Que no me vengan luego diciendo que aquí somos unos ladrones y ya saben ustedes que quien quita la ocasión, quita el peligro. Eso me hubiera gustado decirles de haber sabido alemán.

Entré en casa, haciendo escala en la cocina, por si aún quedaba pollo o un miserable cuenco de gazpacho. En la mesa encontré —como la víspera— una nota de Pilar, y al instante advertí el buen tono de sus trazos, y no es que yo sea grafólogo, pero la simple apariencia del mensaje transmitía optimismo e incluso cierta alegría: eso es que le van bien los amores con el novio nuevo y amén, que el pobre *fúrer* se lo ha ganado a pulso después de su triste experiencia con el hombre débil.

Leí el mensaje sonriendo:

Vendré tarde —como de costumbre, perdón—, pero sólo hasta que se me acaben las vacaciones. En la nevera hay croquetas de pescado-sin-espinas y más gazpacho. Espero que os hayáis divertido. En tu cuarto encontrarás un fràsquito de vitamina C (muy útil) y aquí

*mismo, un beso de tu disoluta hija, EL FÚRER. (PD. Estás muy guapo
con el pelo largo, no te lo cortes, please.)*

Entonces perdí la sonrisa, corrí a la puerta y salí al pasillo,
llamando a la niña Marga, que me vino de golpe a la cabeza. Su
cuarto estaba vacío: la cama, amorosamente abierta, y sobre la
almohada encontré una nota que sólo decía:

Un beso, mamá.

No sé cómo se me escurrió la espalda y se me doblaron las
piernas, pero ya estaba en el suelo, vacío como un imbécil, sin
entender nada, a punto de vomitar y sudando cobardemente.
Había perdido a la niña Marga, la había abandonado en algún
sitio. No recordaba nada, ella iba con un vestido azul, a cuadritos, y estuvimos en un parque, quizá en el parque zoológico, en
la Casa de Campo o en el Retiro, pero me tapaba los ojos y no
veía animales, ni grandes, ni pequeños. Tal vez fuimos al cine:
¿Pero a qué cine? No recordaba haber visto ninguna película,
ninguna. ¿Dónde perdí a la niña Marga? ¿Por qué la dejé sola?

—Tranquilízate —dije en voz alta—, piensa y haz algo útil.

Me fui echando datos —para medir la memoria—: Leopoldo
Arruza, nacido en Aranda de Duero el 20 de abril de 1924, jubilado en 1989. De estado civil viudo, vecino de Madrid, calle del
Desengaño, 23. No es Desengaño. Relatores. Teléfono... No sé
cuál es mi teléfono. En caso de accidente avisen a María del Pilar Arruza Molina, mismo domicilio. ¿Pero dónde estaba yo? ¿A
qué cine fuimos? Nunca me había sentido tan necio: era la vejez que se venía de golpe, avisando; pero mi vejez no tiene por
qué hacer daño a la niña Marga, me puede matar a mí, como es
su puta obligación, puede matar a todo el mundo, menos a la
niña Marga, que aún es muy pequeña.

Casi no me pude levantar del suelo, como si hubiera cobrado
diez años más: entré en mi cuarto, me guardé la documentación
en un bolsillo —porque me daba miedo perder la memoria para
siempre— y cogí la pistola que conservaba, el nueve corto, que
nunca utilicé en mi vida, pero que esta vez la llevaba por si
acaso tenía que pegarme un tiro.

En el trayecto a la comisaría de la calle de la Luna —recordé
las señas a la primera— iba repasando de qué forma les daría el

trato a mis colegas y cómo iba a presentarme, pero eran pretextos, tiempo, porque estaba ahogado de pavor y no sabía por dónde empezar. Cientos de veces había vivido esta situación, en otras personas, sobre todo al comienzo de mi carrera y sabía bien todo lo que podía pasar, que eso —ahora para mi mal— no se olvida. Niña perdida —quien dice niña, dice mujer, hermano, abuelo o marido—, niña en la cuneta, muerta y violada, en un hospital, en el depósito de cadáveres tantas veces, en la playa o dando vueltas por el parque, llorando desesperada y sola. Ahora, por culpa de mi prodigiosa memoria, se equilibran los tantos por ciento de final feliz con las desgracias irreparables.

Al llegar a la comisaría me extrañó que el policía de guardia no me saludara reglamentariamente y mucho más que me preguntará con maricona amabilidad:

—¿Busca usted a alguien?

—¡Busco los cojones del comisario jefe!

El guardia achinó los ojos y dejó su buen talante para mejor ocasión; aquella brutalidad de otros tiempos me convertía en personaje dañino y peligroso, que nunca se sabe. Intenté tranquilizarme y le pedí disculpas. El policía no me contestó y yo enseñé el carnet de jubilado, que miró con desdén y, sin ninguna simpatía, me señaló la puerta. Me acerqué al mostrador donde había otro número, éste entre la vela y el sueño, y pregunté de nuevo por el comisario jefe, sin mencionar sus cojones. El guardia de servicio —si, en tiempos, lo llegó a pillar dormido lo empaqueto— me dijo que pasara por el control, que silbó escandalosamente. Repetí el recorrido, murmurando: serán las llaves. Pero no eran las llaves, era la pistola del nueve corto, que dejé en el mostrador con gesto avergonzado. El número —despierto definitivamente— puso la mano sobre el arma, yo saqué la cartera y se la tendí, murmurando: Leopoldo Arruza, comisario, ahí tiene usted la licencia. El guardia había hecho una llamada, que no advertí, porque se abrió una puerta que dio paso a un jovencito calvo prematuro, de aspecto achulado y ojos de huevo, que a requerimiento del número examinó la pistola y la documentación. A mí me comían los nervios, desde los pies a las cejas, pero sabía que lo mejor era aparentar sosiego, porque ya no era nadie, y estaba mil veces arrepentido de mi desafortunada frase de saludo, porque había que llegar pidiendo y no mandando. Al cabo de unos minutos me informó de que el comisario jefe estaba fuera por razones de servicio y yo a punto de decirle que el sitio del comisario jefe, aquella noche, era la comisaría; pero tasqué el freno por conveniencia y él me pidió que le acompañara, sin devolverme la documentación y mucho menos, el nueve corto.

Ya dentro de un despacho, destartalado y deprimente, me preguntó qué podía hacer por mí, y yo, que había perdido a mi nieta, pero no recordaba dónde. El jovencito de ojos de huevo se quedó de un aire, sin entender una palabra. Yo le dije que mi nieta se llamaba Margarita-no-se-cómo-Arruza, que en septiembre o en octubre cumpliría cinco o seis años, que iba vestida con un traje azul, de cuadros, y que llevaba la foto en la cartera. Cartera que inmediatamente reclamó el inspector, preguntándome cuándo había notado la falta de mi nieta:

—Esta tarde estaba conmigo, pero no sé dónde.

Entonces quiso saber si yo vivía en mi casa o en algún establecimiento, hotel, residencia o algo parecido. *Ojos de Huevo* suponía y con razón que yo era un loco escapado y armado, y yo, sabiendo que el tiempo jugaba en contra mía, le expliqué que algunos ancianos pierden la memoria de forma accidental y como la pierden, la recuperan. El inspector me sonrió, dijo que aguardara unos minutos y me dejó, aparentemente solo, dándome por primera vez el trato de comisario.

Yo sabía que me estaban viendo, por un circuito cerrado de televisión, y procuré no hablar en voz alta, ni abanicarme, ni pasear de arriba abajo, ni gritar como hubiera querido, ni llorar: traté de comportarme como un policía inglés. A los pocos minutos volvió el joven de los ojos de huevo, que se presentó como inspector Pedraza, a sus órdenes, y me comunicó que la foto de Marga estaba ya en todas las comisarías de Madrid y que muy pronto tendríamos noticias suyas. ¿Pero qué noticias y de dónde? De hospitales, dispensarios, parques, carreteras, pozos, charcas o depósitos de cadáveres. El inspector Pedraza, cada vez más simpático, me ofreció un coñac, que yo rehusé, porque —valga la paradoja— no ignoro qué clase de coñac gastan en las comisarías. Al cabo de unos minutos entró en el despacho una chica redondita, oliendo a sudor, con aspecto de haber salido de la cama, y se presentó asegurando que era la inspectora Eugenia Sepúlveda y que se ponía a mis órdenes con todo cariño, y así lo hizo, murmurando: vamos a ver, vamos a ver, vamos a ver qué nos cuenta el señor comisario, si fue a pasear con la nena o al cine, vamos a hacer un esfuercito. La inspectora Sepúlveda me trataba como si yo fuera idiota, niño o loco o las tres cosas, y yo intentaba saber, por encima de mi pobre memoria: tal vez fuéramos al cine. ¿Pero qué película vimos? No puedo recordarlo. ¿Era cómica o de esas de monstruos o extraterrestres? ¿Era de dibujos? ¡Cállate, imbécil, aquí no tenéis nada que hacer! ¡El trabajo está en la calle! Cacé una mirada de simpatía en los ojos de huevo y algo así como una sonrisa colaboracionista. Pero la señorita Sepúlveda, mucho más espabilada, no se rendía: ¿Y por dónde está el cine? ¿Calle Fuencarral? ¿Gran Vía? ¿Era un minicine, de esos con muchas salas juntas? ¡Ay, estos hombres, estos hombres, que no se fijan en nada!

Me tapé la cara y conté hasta diez, mientras entraba en el despacho otro agente y dejaba un montón de papeles sobre la mesa del inspector de guardia, que murmuró:

—Gracias, doctora.

La cursi Sepúlveda —que debía de ser psicóloga o psiquiatra— salió de mala gana y yo miré a *Ojos de huevo*, que me estaba sonriendo.

—Está perfectamente, señor comisario: la han encontrado dormida en el cine Imperial. Fueron ustedes a ver *Bambi* y *Dumbo*, pero el vestido no es a cuadros azules, sino rojos.

Me agarré a la silla, para no caerme.

—¿Qué iba usted a hacer con la pistola? —la puso sobre la mesa—. No tenía munición: si me permite le voy a regalar una caja del nueve corto, de fogueo, naturalmente. A sus órdenes, señor comisario, le daré sus recuerdos a los cojones del comisario jefe, y cuídese.

X

Todos los relojes estaban parados a las nueve y veinticinco

(Testimonio del comisario Arruza)

Cuando llegué a casa del asesino Xarradell —hablo del primer día, después de mi penosa crisis de memoria— retrocedí, otra vez asustado, y estuve a punto de disculparme y volver grupas, pero la vergüenza y la sensación de ridículo a la que estaba sometido me hicieron aguantar el tirón. Me había abierto una chica, que no tendría más de dieciséis años, alta y bien proporcionada, de pelo castaño rizadísimo, ojos oscuros y boca grande, que llevaba pantalones vaqueros —harapientos de intención—, una camiseta blanca con gorila en el centro y rótulo *salvad al gorila de montaña*. La camiseta era muy corta y dejaba al aire el ombligo, del que colgaba un arete de oro, un *piercing* que dicen ahora. Aún sostenía la tarjeta de Xarradell en la mano, porque sin ella no me hubiera atrevido a salir a la calle. La chica me sonreía con amabilidad, esperando que me presentara: a sus ojos yo debía de ser un viejo estrafalario, probablemente perdido sin remedio, evadido de un asilo o cualquier cosa parecida, quizá pedigüeño de última limosna o equivocado de puerta; porque Xarradell no tenía amigos y nadie iba a visitarlo, según me contó en Alonso Martínez. Pronuncié el nombre del asesino con prudencia, sin darle ningún título, y ella me dijo que el señor estaba ocupado, y lo dijo con toda naturalidad, y que de parte de quién. Después cerró la puerta, murmurando un apenas audible espere un momento. Al cabo de unos minutos volvió a abrir y me ordenó que pasara. Yo así lo hice, saludando con una leve reverencia a la chica del gorila de montaña, que abrió una puerta interior de cristales esmerilados, la que da a lo que llamamos salón, estudio o como se quiera decir. Una vez dentro preguntó —a gritos— si me podía dejar solo y la voz del asesino Xarradell —que venía del interior del piso— le respondió que desde luego, que yo era un policía de toda confianza. Supongo que lo hizo para desacreditarme a los ojos de la moza, que me miró un instante con desprecio indisimulado y, muy a disgusto, con voz áspera, me dijo que esperara, y sin mayor protocolo se dirigió a la puerta: en la espalda de la camiseta llevaba un mapa con la región de los gorilas de montaña, destacada en rojo, y un rótulo que decía *Heritors of Father Spilkenton*. Se volvió bruscamente y me preguntó:

—¿No le van a putear otra vez, verdad?

Yo respondí haciéndome de nuevas:

—¿A quién?

—Al señor —dijo la del gorila, casi en un pronto.

Aquellas dos palabras —que en el fondo pretendía oír— me conmovieron. El asesino Xarradell es un señor y tiene una galana que lo defiende, y el muy zorro dice que está solo.

—No te preocupes —procuré entonces que mi voz sonara amable—: Somos amigos desde hace muchos años.

La chica sonrió con incredulidad, pero sin ofender, y yo no pude reprocharle que le chocara tanto que un policía fuese amigo de Xarradell. Sin embargo, no hizo ningún comentario y me dejo solo por última vez. Saqué entonces el abanico y comencé a darme aire pensando que si aquella chica llega a enterarse de que yo fui el que envió al garrote vil a su señor, me saca los ojos como hay Dios.

Pude entonces examinar la habitación, olvidándome casi de mi accidente de memoria, por llamarlo así. En la pared del fondo había una estantería llena de libros, casi todos antiguos y algunos muy bien encuadernados. Entre los libros —quizá tapando huecos— se alineaban ciertos bibelotes o estatuillas de dudoso gusto, entre ellos uno que yo recordaba haber visto en alguna parte: señorita de larga melena, túnica artísticamente plegada y pierna al aire, con una mano reposando en la cabeza de un galgo ruso. Frente a la ventana —que daba a poniente, como todo el piso— había una cama turca con una colcha de crochet, muy vieja, y almohadones bordados con motivos helénicos. Más al fondo, una mesa camilla con falda verde y tapete beige bordado a mano, como los almohadones; cuatro sillas descabaladas, una mecedora pintada de negro, una butaca de piel rojiza, muy cuarteada, y un escabel gastado. Por último, una mesa de despacho, con barrotillos en el tablero y muchos cajones: era de finales del siglo XIX, como arrancada de una película del Oeste, y estaba cubierta de papeles, carpetas y libros y tenía en el centro un inesperado ordenador. En uno de los rincones de la habitación había un gran tiesto de porcelana azul añil y una planta verde y cuidada, de hojas pequeñas, y colgado, un helecho magnífico, que tenía debajo un plato para recoger el agua sobrante.

—No te falta más que el gato, Xarradell —dije en voz alta.

Y se lo dije al cuadro, un óleo casi de tamaño natural, que representaba a un Xarradell joven, más o menos de la época en que asesinó a Florita y al pianista *Carajo*. Ya iba de negro, guardaba una mano detrás de la espalda y la otra —delicadamente modelada— sostenía un libro en rústica. Advertí que le cubría la cabeza un gorrito de seda negra y que en la solapa llevaba una cruz, supongo que la Legión de Honor. No estaba mal el retrato, un poco relamido, pero con cierto encanto, sobre todo para mí: aquel era el asesino Xarradell, el que acabó confesando en la comisaría de Málaga y salvó el pellejo en el penal de Ocaña.

En las otras paredes de la habitación había litografías —casi todas ellas de París— probablemente compradas en los puestos del Sena, y sobre la mesa de despacho la fotografía de un anciano de barba blanca, ojos claros y cejas pobladas, también vestido de negro y con gorro de seda, que se parecía extraordinariamente a Xarradell.

Me acerqué a los libros y alcancé el que tenía más cerca: era un volumen pequeño, encuadernado en piel grana, un poco áspera, con un dibujo en las guardas —parecía hecho de colas de pavo real— en morado, verde esmeralda, granate y manteca: *La rôtisserie de la reine Pédoque*, decía el título. *Anatole France, de l'Academie Française, Paris, Galvan-Lévy, Éditeurs.*

Entre sus páginas encontré dos frases subrayadas: *Madame, je vous attendais, vous étais ma Salamandre* y *j'ai dis que mon sommeil m'avait excité à l'amour.*

—Ésos son algunos de los libros que he tenido la fortuna de traducir.

La voz —que había sonado a mi espalda— me turbó un poco: al fin y al cabo yo estaba metiendo las narices donde no debía y hurgando, sin orden judicial. Xarradell vino hacía mí, me quitó el libro de las manos y advirtió las dos frases escritas.

—No crea usted que van dirigidas a una mujer, están dichas a la muerte —y repitió con voz grave, sonriendo, como si estuviera en el escenario de un teatro—: *Madame, je vous attendais.* Y sigo esperando, señor comisario, desde aquel día 17 de mayo de 1962 en el que tuve el honor de confesar mis crímenes ante su excelencia.

El asesino Xarradell iba vestido como el personaje del retrato, el joven Xarradell de traje negro y bonetillo de seda: de negro de la cabeza a los pies, con chaleco —también negro— abrochado hasta el cuello y cuello blanco. Me recordaba mucho a las fotografías de don Miguel de Unamuno, pero era exacto al otro, al de la mesa de despacho, el anciano de ojos claros y barba blanca. Por curiosidad y por decir algo, señalé la foto:

—¿Su padre?

Xarradell me respondió con una carcajada casi improcedente que me hizo apartarme de la foto y arrepentirme de la estúpida visita, que no buscaba más que protección y piedad: yo era el dueño de mi memoria y si la perdía, peor para mí y quizá mucho mejor para el asesino Xarradell. Allá el muerto de la Sacramental de San Isidro, el perro como-se-llame y el delito cometido, que los jubilados están para jugar al mus y ver la tele. Algo debió de sentir Santiago Xarradell —hombre de rara sensibilidad— porque, arrepintiéndose de la extemporánea risa, se disculpó:

—Perdóneme, comisario: es Anatole France, el autor de este libro —y levantó el que yo había estado hojeando—, Anatole France, París 1844-1924; yo no tuve la suerte de conocerlo.

Como nunca he sido picajoso —así lo decía mi pobre Margarita—, acepté la explicación de Xarradell, que me ofreció una taza de té, porque él —desgraciadamente— no puede beber alcohol, y salió del cuarto, rogándome que me sentara, pero no en la mecedora, que estaba muy delicada de rejilla. De nuevo me quedé solo, pero no me senté, porque en la butaca grande me parecía un abuso y en una silla de anea, un poco ridículo. Me asomé entonces a la calle y como una señorita de provincias, de las de antes, me entretuve en mirar cómo hervía al sol poniente la plaza de la Cruz Verde. A Xarradell —ahora estaba seguro— le había encantado pillarme con el libro en las manos, fisgando, y mucho más mi confusión entre Anatole France y el señor Xarradell padre. Aquellas imprudencias o intromisiones le daban ventaja y aliviaban el mal trago, porque no tiene que ser cómodo recibir en casa al individuo que le ha mandado a uno a la horca, aunque le diera tarjeta de visita en Alonso Martínez.

—Si es bueno para ti, es bueno para mí —hablé en voz alta, según mi costumbre.

—¿Perdón, señor comisario?

Otra vez me había pillado el asesino Xarradell.

—Que tiene usted suerte de vivir aquí.

Él me recordó que en el tiempo en que nos conocimos residía en Barcelona, en un piso muy hermoso del Paseo de Gracia, pero, claro, se lo llevó *Pateta*, para pagar la indemnización a la familia del pianista *Carajo* y a la de Florita. Sólo pudo salvar unos pocos muebles, entre ellos la cama de sus padres y la mesa de despacho, el retrato que le hizo el pintor Segura y algunos libros de los muchos que tenía y que él mismo fue vendiendo en los años de ruina. Yo alabé el piso y sobre todo el barrio y él pareció satisfecho: éramos dos vecinas de palique, sin atrevernos a entrar en el tema principal. Xarradell olía muy bien, cosa rara en los viejos, que suelen oler a humedad, a orines y a boca sucia por todo el cuerpo, y el té estaba riquísimo, con sus hojas de hierbabuena, tan dulce y tan frío, y las plantas eran una preciosidad. El asesino Xarradell me dijo que una —el helecho grande— se llamaba Balbina, y la otra, Tessa María, la *capilaire* —precisó—, que también necesita mucha agua. No quise preguntarle nada, porque me había jurado no hacer preguntas, que bastante tuvimos en la comisaría de Málaga.

Después de tocar algún que otro tema de actualidad, me pareció que era tiempo de ir al grano, y así le conté cómo había perdido la memoria y de qué forma dejé olvidada a la niña Marga en un cine de Madrid:

—Como un paraguas, Xarradell, como un paraguas.

Entonces saqué un papel del bolsillo, donde llevaba todo escrito para no olvidarlo, y leí: «estuvimos paseando por el Retiro y nos tomamos unas cañas y patatas fritas, comimos en casa Ricardo morcillas de Burgos y otras cosas y fuimos al cine Imperial, donde ponían Bambi y Dumbo, al salir me entretuve hablando con un acomodador y se me fue la cabeza».

—Borré el día, Xarradell, como si no hubiera existido, y menos mal que una nota de mi hija... —volví a leer el papel—: ... Pilar me hizo caer en la cuenta de la niña Marga y nadie se ha enterado, ni siquiera la niña, que se quedó dormida en el cine y dormida llegó a casa.

Xarradell me interrumpió entonces. Aunque me pareciera imposible, él, que años atrás vivió de su prodigiosa memoria, se quedó en blanco más de una vez, y eso se debe a la falta de sueño o a los sueños que son muy malos, o sea, las pesadillas, y también a estar pensando todo el día, a darle vueltas a la cabeza; por supuesto influye la vejez, pero no tanto como se supone. Hay que tener muchísimo cuidado, porque a la primera falta de recuerdos próximos, viene otra fase de recuerdos más lejanos, hasta que se llega a la niñez y todo se borra, incluso el nombre propio y luego las palabras. No es la enfermedad que todos conocemos: es el aburrimiento de esta vida y no sirve escribir en un papel, hay que descansar y que la memoria sola se recupere, tal vez tomando tres veces al día infusión de rabos de cereza, pero, sobre todo, vaciando la cabeza de preocupaciones, aflojando la cuerda, que tenemos enganchada desde la boca del estómago a la campanilla, dejándose ir, comisario, procurando no escuchar las tonterías que dicen los demás. Me miró entonces de una forma tan maliciosa, que yo no tuve más remedio que preguntarle si había dicho muchas tonterías en aquellos meses que nos unieron de un modo tan especial, y Xarradell, escapándose por otro camino, me dijo que en la cárcel lo más insoportable no era el rancho, ni la brutalidad de los carceleros, ni los encerrados, ni los piojos y las enfermedades que te pudren, las tuyas y las heredadas, ni la falta de libertad, ni la mierda, que era mucha mierda, sino el olor, que nadie percibe, pero que te estaba comiendo a todas horas. Recordé, entonces, que el asesino Xarradell no blasfemaba nunca, ni decía palabras bordes, ni ofendía con la boca, y observé ahora que su vocabulario era el mismo, que no había incorporado al uso ninguna voz nacida en la cárcel o manejada de común por sus compañeros. Callamos durante unos segundos y después sonrió:

—Yo gasto *eau de cologne* de Legrain, comisario, que se vende por litros en frascos de plástico a un precio razonable y también, Nenuco, para después del baño, muy suave.

Lo último que podía esperar es que el asesino Xarradell me hiciera propaganda de perfumería.

—No piense en nada, señor comisario, no haga mal uso de memoria y no me diga lo que quiere de mí, porque ha de ser algo pérfido.

Como era una clarísima invitación, se lo dije, tratando de ser verdadero con él y conmigo, cosa muy principal. Cuando hablé de Benito y el episodio de las señoras del hospital de perros, sonrió. Al contarle mi visita a los laboratorios Lowe y mi especial amistad con el *ladrón de cadáveres*, volvió a sonreír: pídale un frasco de colonia para mí. Y llegando a Linda Lebreles me animó a seguir, porque en cuestión de sexo, los viejos son como los niños. Al terminar el relato fue cuando me dijo que lo escribiera, ya que aún me acordaba y la memoria se me podía escapar otra vez, y yo advertí que tenía una baza en la mano: el asesino Xarradell era curioso y estaba solo, y yo tenía miedo. Pero de todo esto ya hemos hablado antes.

—¿Puedo decir lo que pienso, comisario? A usted le trae al fresco qué cosa guarda ese perro en la tumba y si la urraca fue envenenada por la señora de las albondiguillas; usted es un envidioso y además de envidioso, un soberbio, un viejo altisonante que no acepta la jubilación, que imagina que un polvo lo redime y que se abochorna de estar bajo las patas de una mujer y de una niña. Por supuesto, no me necesita para nada y además le digo que no pienso colaborar con la policía y menos con el policía que me mandó a la horca.

Aquellas palabras habían fulminado la relación —imaginaría seguramente— que me unía al asesino Xarradell; asesino y parricida, encima pretencioso y disfrazado de bonetillo y barba. Me arrepentía de no haberle hostiado en las dependencias de Málaga, pero sobre todo me arrepentía del papelón que estaba haciendo en aquella casa. Así que me levanté y —en lugar de pegarle dos tiros— fui a la puerta. El asesino Xarradell no me dejó salir:

—Vamos, comisario, además de todo eso, es usted un malcriado.

Volví a sentarme, más bien por pereza invencible que por convencimiento, y mirando hacia otro lado dejé que me sirviera un vaso de té con hierbabuena. Estuvimos en silencio durante unos minutos. Luego, el asesino, comenzó a hablar de forma curiosa, a la manera de algunos cantantes, figuras del toreo o futbolistas de elite, que —como los reyes, en tiempos antiguos— se refieren a sí mismos en tercera persona. Aquello era nuevo y yo no lo recordaba, porque en la comisaría de Málaga no lo habría consentido.

—El asesino Xarradell le pide disculpas —dijo cortésmente— y agradece sus intenciones de aquella noche fatal y significa, porque es bien nacido, que a veces pensaba en usted, primero en la soledad del pasillo de los que ya no esperan nada y luego en todos los penales que recorrió, que fueron muchos: penales por todo el país, como envenenados paradores, solía decir el asesino Xarradell, cuando estaba de humor. Por eso se acercó a usted en el metro, porque le tiene un sincero afecto; como el preso a la cadena, si me permite decirlo así.

Me quedé de una pieza y pensé que se estaba quedando conmigo, que había perdido la razón o que —simplemente— traducía del francés, pero sin poderlo remediar respondí en el mismo tono, que él agradeció con graciosa reverencia.

—Tal vez no recuerde usted que el asesino Xarradell iba en jarras la noche aquella, pero no se atrevió a decirle que no era por flamenquería, sino porque tenía golondrinos y llevaba varios días durmiendo, si es que dormía, con las manos en alto. Lo que más le preocupaba es que, al atarle al garrote vil, tendría que bajar los brazos y le iban a doler mucho los golondrinos. Usted lo conoció entonces, sabía que era un artista culto y que si hizo lo que hizo fue porque no le dieron salida razonable. En penitencia y para demostrar que ya no guardaba rencor a los difuntos, comulgó con ellos, digo que se comió una lata de pulpo a la gallega y otra de bonito con tomate, porque sabía que en las dos ollas habían hervido los muertos. Rencor a Flora nunca lo tuvo, porque si no la llega a querer, no mata al *Carajo*, que por dinero Santiago Xarradell no se mancha las manos de sangre. Luego le contaré. Tenga la seguridad de que habría confesado antes su crimen y que si le dio tanto que hacer, no fue por capricho, sino por ahorrarles fatigas a sus padres, y no ahorró nada, ya que acabaron muriendo de pena después de recoger la casa del Paseo de Gracia y de guardar en un almacén las pocas pertenencias que le quedaron. Aquella noche de Ocaña —cuando Xarradell entró en jarras en la sala donde usted lo esperaba— no tenía muchas ganas de visitas, ni de charlar con nadie, y menos de escuchar consuelos improcedentes de curas o de verdugos; por eso le agradeció tanto que no mencionara el motivo de la visita, ni menos el decorado que preparaban en el patio de la prisión, y también le agradeció su inocencia, que parece mentira que un comisario con toda la barba le regale a un condenado a muerte una botella de whisky y una caja de yemas de Santa Teresa. Para Xarradell fue una decepción asquerosa el indulto y muy mala la mano que lo firmó, porque se había hecho a la causa de la muerte y no le apetecía penar treinta años encerrado. Podía haberse vuelto loco, como otros que conoció, jóvenes y viejos, ilustrados, valientes y cobardes, y eso que sus compañeros lo respetaron, especialmente Viriato Gazapo, alias *Flasgordon*, que medía casi dos metros y estaba enamorado de Xarradell, y lo respetaron porque los crímenes pasionales tienen muy buena prensa en las cárceles. Viriato Gazapo —que se ahorcó en Burgos cuando le conmutaron la pena capital— fue el padre de Balbina Latorre, pero ya hablaremos de Balbina y de su hija Tessa María cuando haya ocasión si es que vuelve a visitarme.

Quedó en silencio, cansado, quizá arrepentido, y entonces recordé que me fingía sordo por aliviar su ceguera y le dije que no había oído una sola palabra y el asesino sonrió, murmurando: pues mucho mejor, porque Xarradell no dice más que tonterías. De nuevo se produjo un tiempo muerto, que llenaron los vencejos de la plaza de la Cruz Verde, la sirena lejana de una ambulancia y una cansada sonrisa de Santiago Xarradell. Al fin y al cabo, yo había ido a contar cosas para que él las recordara después. Sin embargo, no me dejó hablar, levantó un dedo huesudo y lo colocó junto a la nariz, como hacen algunos actores en la tele, y habló en voz muy baja, para forzarme a escuchar, porque no creía lo de mi sordera caritativa.

—No cambie de sitio, comisario: vaya a la policía y júntese con los suyos. Somos lo suficientemente viejos para que este juego se convierta en ridículo, inútil o malvado o en las tres cosas; si usted utiliza al asesino Xarradell como soporte mecánico de sus confesiones, recuerdos, pesquisas o como quiera decirlo, va listo: este humilde asesino y seguro servidor no rinde su memoria a un comisario de comisaría, sino al hombre capaz de dudar de lo que ha hecho durante toda su vida. No hay justicia, señor comisario, y usted lo sabe bien, no hay asesinos, ni víctimas, todos somos igual de perversos. Para encerrar a un criminal, por llamarlo de alguna manera, hay ordenadores, cámaras ocultas, jueces vanidosos —algunos como *vedettes* de revista— jurados, microscopios, códigos, leyes, trucos, infamias, decretos, mentiras, pliegos de papel, perjurios, métodos innobles, sobornos, cientos de palabras que no significan nada, incluso buena y mala memoria. Usted busca al asesino Xarradell porque necesita un compinche, porque está solo y quiere divertirse con el juego de siempre, pero yo no soy su cómplice, ni un archivo, ni mucho menos su servidor.

Lo había oído perfectamente, aunque sus últimas palabras se perdieron casi en un susurro y apenas moví los ojos, pero él me los siguió con su mirada errante, y recordé las setenta y dos horas y los tres años anteriores, engañándonos siempre. Me puse en pie, di dos pasos y le enseñé la mano, preguntando cuántos dedos alzaba. Tres, dijo Xarradell, y era cierto. Luego me acerqué a un reloj de mesa y quise saber la hora:

—Las nueve y veinticinco: todos los relojes de esta casa están parados a las nueve y veinticinco.

Levanté un solo dedo y no me hizo caso:

—Por última vez, señor comisario: utilice una grabadora.

—Me daría vergüenza, Xarradell.

—¿Pues qué ofrece a cambio de mi traición?

—La inmortalidad.

—Después de Ocaña somos inmortales, comisario.

Volvía el tiempo atrás y recordé que aquella noche también hablamos de forma parecida y que todo se fue con el indulto, hasta que llegó el metro a la estación de Alonso Martínez.

—Le dejo en prenda mi memoria, señor comisario, pero haga buen uso de ella.

Me gustaría —pedí a Xarradell, tanteando el terreno, como si tuviera miedo de hundirme— que recordara el nombre de Aguirrezabala, él se llama Claudio y ella, Juliana Puente Gutiérrez del Arroyo, actuales propietarios de la tumba, donde está enterrado nuestro amigo; el bar Chiquito, Diego de León, esquina a Velázquez y la capilla de la Virgen de las Nieves, en el Puerto de Navacerrada.

Santiago Xarradell encendió una luz, sacó un cuadernito del bolsillo y tomó nota, y yo le hice saber que así también me acordaba yo, y él, sonriendo, me dijo que necesitaba sitios donde engancharse, como cuando escala uno las montañas, y a eso respondí que lo que me interesaba era saber cómo se cae uno de los montañas.

—¿Por qué me dijo que se estaba quedando ciego?

—Por no hacerle de menos, señor comisario, y porque me gusta mentir.

Como no tenía ningún deseo de volver a entrar en conflicto con el asesino Xarradell, le conté mi visita a los señores de Aguirrezabala, ella pariente del difunto Gaspar Arenales.

—Tiene usted una memoria privilegiada, comisario.

La tarde en que descubrí a la urraca, supuestamente envenenada por la señora de las albondiguillas —cuya auténtica identidad ignoramos aún— después de recibir los datos en la Sacramental de San Isidro, precisiones que me fueron facilitadas por el *Coco*, el ganchero Rafael Rodríguez Miranda y la señorita María Barriga, medité en la soledad de mi cuarto el rumbo que debía tomar. Aquella noche había tenido unas palabras con el *fúrer*, a las que siguió una reacción sentimental, blanda y por mi parte muy reveladora. Moviéndome en la butaca, de un lado a otro, abanicándome en mi soledad, pensé que estaba huérfano de personal, que mi condición de jubilado me privaba de inspectores, auxiliares y otros funcionarios, y que si quería seguir el camino que me señalaban la urraca y la perra Benito, no podía contar con nadie, ni siquiera hablar, porque el *fúrer* estaba descartada, a Linda Lebreles no le interesan estos asuntos, Antoñito Arlis no tiene tiempo y bastante hizo con la urraca, y no era tema para comentarlo en el bar La Oficina o en el mercado de San Miguel.

Cuando yo estaba en activo me iba mucho hablar con los inspectores, sobre todo con Jacinto Velasco, sobrino del fakir Daja-Tarto, hombre inteligentísimo que ahora trabaja de comisario en la ONU. Pienso que los hermanos Machado hablaron lo suyo de *La Lola se va a los puertos* cuando la escribían juntos, y no digamos los hermanos Álvarez Quintero, que además de escribir juntos se abanicaban juntos, y los Bécquer e incluso los Gautier, padre e hijo, si es que se reunieron alguna vez: yo tengo que hablar y no me basta estar solo.

Xarradell, murmurando un discreto perdón, encendió una lamparita para dar luz al ex comisario y apagó la suya, por aquello del efecto escénico. Don Leopoldo Arruza fingió no enterarse de tales maniobras, inspiradas en algún espectáculo teatral o en homenaje a las setenta y dos horas de Málaga, cuando las luces eran contrarias, aunque en este caso la lámpara de don Leopoldo no le molestaba a los ojos.

Quiero decir que si hubiera estado en activo me habría sido fácil utilizar discretamente a un par de inspectores, pero que —en mis condiciones— ando desguarnecido de ayuda y sobre todo de credenciales, pero no de motivo, como quedó demostrado en el caso del *rubí japonés* y, sobre todo, en el de *Maripiojos*, asuntos ya archivados en los despachos oficiales.

Decidí visitar a los señores de Aguirrezabala, fingiendo que era actuario de seguros y que iba por el tema de su pariente, fallecido en la sierra del Guadarrama. Me vestí con mi traje azul de verano, el que guardo para boda o funeral de compromiso, me puse una camisa limpia y me dirigí al domicilio de los señores de Aguirrezabala, en la calle Alfonso XII, frente al parque del Retiro. Después de llamar, repetidamente, al botón que dice portería, me abrió un hombre de muy mal humor: era el portero y estaba de vacaciones. Con muy buenas maneras le pregunté por los señores de Aguirrezabala y le dije que era corresponsal de una empresa americana de seguros y reaseguros y que se trataba de una notable cantidad de dinero, dólares en este caso. La palabra dólar es mágica, incluso para los porteros en vacaciones, y aquél me informó, que los señores de Aguirrezabala estaban veraneando, y ya me veía en La Coruña o en Santander cuando me dijo que veraneaban en la calle Arturo Soria. Yo creí que la buena costumbre de veranear en las afueras de Madrid se había perdido, pero por las trazas aún quedan personas de gusto y los Aguirrezabala están entre ellos.

Desgraciadamente ya no circula el tranvía por Arturo Soria —lo cual hubiera engrandecido el veraneo— y me tuve que conformar con un vulgar y triste autobús, que me dejó muy cerca del final de la calle, ahora ruidosa por la proximidad de la M-40 o como se llame esa carretera de circunvalación. La casa, que debió de ser de labor en tiempos y ahora estaba maquillada de ciudad, tenía una tapia blanca y una verja de hierro pintada de verde. Me asomé entre los barrotes de la verja y me dirigí a un anciano caballero que estaba regando un huertecillo, y él me dijo que no necesitaban comprar nada. Le expuse, entonces, el motivo de mi visita, cortó el agua de la manga y le brillaron los ojos con cierta codicia. Después me hizo pasar, me presentó a su señora, doña Juliana Puente Gutiérrez del Arroyo, vestida de blanco, enjoyada como para un baile y regordeta, propietaria de la tumba a la que me he referido ya, y entre los dos, quitándose la palabra y peleándose con educación, me contaron su encuentro con el difunto Arenales, que les llamó a su regreso de Kenia, donde trabajaba como explorador o algo parecido. Arenales no

tenía parientes en España, salvo estos señores Aguirrezabala,
pero sí un título de propiedad —compartido— del mausoleo de
San Isidro, y medio en broma les dijo que si cascaba en acto de
servicio ellos habrían de ocuparse de su entierro en la Sacramental porque tenía derecho y le hacía ilusión. Por lo visto, el
señor Arenales era muy gracioso. Los Aguirrezabala —también
de broma— le advirtieron que sólo quedaba sitio para dos cuerpos y que no iba a separar a un matrimonio de toda la vida. Pero
he aquí que la fúnebre predicción se cumplió y los Aguirrezabala, temerosos de Dios o de que se les apareciera algún fantasma Gutiérrez del Arroyo, decidieron enterrarlo en la tumba
común e incluso hacer sitio, apiñando un poco los huesos más
antiguos. Yo les dije que el difunto, seguramente agradecido por
el detalle, les había nombrado titulares de una póliza de seguros de accidente que tenía suscrita en Nairobi (Kenia). Los señores de Aguirrezabala cambiaron una mirada de desconfianza,
yo me sentí resbalar en mi propia torpeza y pensé que el personal puede ser codicioso, pero no estúpido:

—¿Por qué no le cuenta esta historia al notario de la calle Génova?

Sentí entonces que las sienes me golpeaban ligeramente,
como si anunciaran grandes novedades, y que mi ombligo-
alarma se estremecía de emoción. Aquella pregunta la había hecho la señora de Aguirrezabala, casi en plan de desafío, y yo no
podía responder con otra pregunta. Por fortuna ella se encargó
de llenar la pausa:

—Mi primo Gaspar tenía cuatro o cinco hijos en Kenia, una
mujer en Holanda y otra no sé dónde.

Entonces el señor Aguirrezabala —dándoselas de listo—
añadió que me encontraba un poco viejo como vendedor de seguros o algo así, y yo respondí que mi cargo no era el de vendedor de seguros y que había dado en el clavo con envidiable sa-
gacidad, y seguí hablando para aturdirles un poco, confesando
que era ex comisario de policía y que en la compañía de seguros
me habían contratado como agente o averiguador, precisamente
por mi edad y experiencia, que es justo lo que me avala ante mis
jefes, y luego rematé el discurso diciendo que, por supuesto había estado en la notaría de la calle Génova, y por fin les presenté

el documento que me acredita, como funcionario y jubilado, documento que rechazaron con educada cortesía, añadiendo entonces que ellos —los Aguirrezabala— aconsejaron al primo Gaspar Arenales que hiciera testamento.

—Pero ustedes no fueron testigos —dije yo como quien se tira a un pozo.

—No, nosotros no fuimos.

—Porque en tal caso —añadí— no podrían ser beneficiarios de la póliza.

Por absurdo que parezca, no sólo me creyeron, sino que me invitaron a café, y doña Juliana echó una lágrima considerando que los Gutiérrez del Arroyo siempre habían sido gente noble y apegada a la familia y, ya de pasada, les pregunté si conocían el domicilio o el hotel donde se hospedaba don Gaspar Arenales y resulta que no, que se vieron en un bar de nombre Chiquito, que está en la calle Diego de León, en su casa de Alfonso XII, en algún restaurante o asador de la sierra y en la capilla de la Virgen de las Nieves, de la cual es muy devota doña Juliana Puente y Gutiérrez del Arroyo. Yo no quería tensar la cuerda, pero intenté saber si Arenales tenía conocidos o amigos en Madrid, pero no hubo caso. A última hora doña Juliana lloriqueó un poco, recordando el triste entierro de su primo —así lo llamaba— al que sólo habían acudido ellos y una señorita muy guapa y muy elegante, extranjera por cierto. Cuando les pregunté si la conocían o sabían su nombre, se miraron asustados, y a mí con cierto recelo. No sabían nada de la señorita o no querían decirlo, por si había competencia en la improbable póliza de seguros.

El asesino Xarradell se rascó por encima del bonetillo y luego se quitó las gafas, para limpiarlas con un pañuelo de hierbas, pero yo creo que se quitó las gafas para no ver mis ojos.

—Es usted un tramposo, un chapucero, un tiñoso, y yo quisiera saber si en los tratos que tuvimos, hace ya más de treinta años, me vino usted de forma tan traidora y tan necia, me atrevo a decir.

—Le estuve buscando durante dos años o quizá fueran tres, y sólo le dije verdades durante setenta y dos horas y usted me engañó entonces.

—Porque estaba defendiendo mi vida.

En aquel momento se abrió la puerta y alguien dio la luz: era una mujer de unos cincuenta años, alta y morena, con el moño recogido, alpargatas, pantalones vaqueros y blusa blanca, pero parecía de otro tiempo.

—Balbina Latorre, el comisario don Leopoldo Arruza.

El caso es que me sonaba aquel nombre y la hora también: todos los relojes estaban parados a las nueve y veinticinco, o sea, a las veintiuna veinticinco.

XI

1934

(Testimonio del notario González Chamorro)

Siempre me gustaron las mudanzas y recuerdo con especial regocijo la que me llevó de Torrijos —la zona menos distinguida del elegante barrio de Salamanca— hasta Agustina de Aragón (calle particular, se prohíbe el paso) entre Alcántara y Montesa. Mis padres vivían en Madrid y a mí me trajeron en el otoño de 1934, y la verdad es que me impresionó mucho la capital, aunque no se lo quise confesar a nadie. En Sorbas yo era entonces un niño libre y andaba siempre con la onda colgada del cinturón. Como no tenía hermanos y todos mis primos vivían en Almería, me juntaba con los niños de los trabajadores de los cortijos y aunque fueran más altos y más fuertes que yo —nunca más listos— los metía fácilmente en vereda con una pregunta que no se me caía de la boca: ¿a que se lo digo a mi abuelo? Con tan sutil amenaza conseguía pájaros, lagartijas, tiradores, bolitas de gaseosa, chapas e incluso peonzas. Si alguno se resistía pasaba a una segunda fase: a mi abuelo vas. Por si fuera poco, tenía un gorila protector, que en caso de necesidad me echaba una mano: la María del Alcorque, que por mí —por su niño chico, decía ella— era capaz de cometer las mayores injusticias. Además yo me estaba criando fuerte y sano —porque enfermizo me puse cuando caí en los miedos de mamá— y no me derribaba ni un mal viento de enero, ni un mosquito de los que llevan paludismo en el aguijón. Pero una noche se me quebró la suerte. La niña Frasca Cruz —del Granadillo— había cogido un jilguero y yo me encapriché del pájaro y le pedí que me lo regalara y, como ella dijo que no, eché la baza del abuelo y la niña Frasca, atemorizada, me hizo entrega del pájaro. Aquella noche, cuando volvía al cortijo Olivares, detrás de una pita salieron los hermanos de la niña Frasca, que se habían pintado la cara de negro: me agarraron del pescuezo, me dieron una paliza y me hicieron matar al jilguero arrancándole la cabeza con la boca. Vomité toda la leche condensada que mamé en la infancia y no sé ni cómo pude llegar al cortijo Olivares. María del Alcorque se enteró del caso y ella fue al abuelo y el abuelo mandó traer a los niños Cruz y ordenó que la Frasca madre les diera cinco zurriagazos a cada uno de sus hijos con toda su fuerza, y luego a María del Alcorque que me diera otros cinco a mí, pero más flojos. María —llorando— cumplió con lo que le mandaban y el abuelo, al día siguiente, me agarró de la mano, me llevó a la estación del tren y me puso de patas en Madrid, diciendo que quien pare un hijo tiene que criarlo y que ya estaba harto de hacer de puta niñera, y así lo dijo.

Mi padre trabajaba entonces en el bufete del abogado radical don Mario Mata, llamado *el perfumao,* por la buena calidad de su colonia, y mamá hacía sus pinitos en el Ateneo y colaboraba en la página femenina de *El Sol.* Mi llegada no les vino bien, pero tuvieron que resignarse, y no sólo fue entrega y resignación lo que pintó en el cuadro médico de mamá, sino algo mucho más complejo. A la pobre le entraron remordimientos republicanos por tenerme en el exilio de Sorbas, se sintió más madre que mujer comprometida y se fue preparando —sin advertirlo— para hacerse gobernadora de derechas. Creo que mamá y yo la cagamos *per seculam,* sobre todo yo, porque a partir de aquel momento histórico se me vinieron encima los ganglios, el mal hepático, la timidez y la debilidad.

Lo primero que hizo mi madre fue llevarme al sastre don José Neila, que me ha vestido hasta que le visitó la muerte, para que me hiciera dos ternos —príncipe de Gales y *pie de poule*— con doble juego de pantalones bombachos y cortos; después fuimos a una camisería de la Carrera de San Jerónimo y allí me encargó cinco camisitas con iniciales (MG) y por último me compró zapatos en De Pablos, acreditada zapatería infantil de la calle Génova. Cuando me disfrazó a su gusto decidió retratarme y acudimos al estudio de Pepe Campúa, que era amigo de mi padre. Allí un viejo fotógrafo —que no era Campúa, ni muchísimo menos— me hizo subir a un perro disecado; yo me cagué en la leche y mamá se echó a reír, yo creo que por vergüenza, entonces me puse a berrear y no pudieron hacerme la foto, aunque volvimos pasados tres días y ya, sin remedio, me subieron al maldito perro disecado, que aún tengo la foto y de cuando en cuando la miro para castigar mi orgullo. Que dijera me cago en la leche tampoco es de extrañar, porque en los cortijos, en Sorbas y en Níjar, siempre me juntaba con personal que hablaba sin fijarse y ni el abuelo, ni la Frasca madre, ni la María del Alcorque se molestaban en corregirme; entre otras cosas porque ellos hablaban igual o peor. A mis cinco años —y ya en Madrid— tuve que echar, hipócritamente, el freno a mi vocabulario, y sólo me desahogaba por las noches en mi habitación: antes de dormirme decía puta, puta, hijo de puta, puta, cabrón, maricón, polla, coño, mamón, chocho, me cago en la leche, me cago en vuestros muertos. Pero frenaba en seco y, aunque las sabía, por mi boca jamás salieron blasfemias, sino todo lo contrario. Juntaba las manitas y decía «Jesusito de mi vida, eres niño como yo, por eso te quiero tanto y te doy mi corazón».

Mamá me llevó al Ateneo y me presentó a unos señores que no se molestaron en mirarme, y la Nati, a la Puerta del Sol y a la Casa de Fieras. La Nati era una criadita joven que habían contratado mis padres para que se hiciera cargo de mí. Había nacido en Las Mesas (Cuenca), era muy morena y estaba como un queso; queso manchego que ahora recuerdo perfectamente. En aquellos años tan discutidos, yo no era un modelo de limpieza, porque mi abuelo casi nunca se lavaba y menos María del Alcorque, y no digamos los niños de los cortijos. Por la mañana, en un jofaina, echaba un poco de agua para quitarme las legañas y las telarañas del sueño, pero en Madrid me encontré dos maniáticas de la higiene: mamá y la Nati. Sobre todo la Nati, y ya es curioso, porque la gente de tierra adentro no suele ser proclive al agua. Nati era una apostolina de la limpieza y mucho le costó introducirme en el baño. Una tarde de octubre de 1934 —después de porfiar lo suyo, de contarme cuentos y chascarrillos— consiguió meterme en la bañera. Primero sentí que el agua estaba fría, después muy caliente, y luego pensé que me iba a ahogar. Nati se lió a frotarme con una esponja de verdad, como de los mares del Sur, y tuvo el buen gusto y la cortesía de no hurgarme por las orejas ni por las narices. Iba dando vueltas por el pecho y luego por la tripa, y la esponja, que se le escapaba para más abajo y allí había que limpiar con muchísimo tiento. Empecé a encontrarme bien y ya no quería salir del agua y Nati que se asombraba: ¡Mira cómo se ha puesto la bruja! Ninguna mujer como Nati me hizo sentir el beneficio de la higiene. Dejó la esponja y sus dedos se ocuparon de la bruja: ¡mira, mira, se quiere escapar! Porque la bruja se había puesto de pie y parecía buscar la superficie. ¡Toma, toma, toma! Y pegaba a la bruja unos golpecitos estremecedores. Yo me quería reír, pero era incapaz. Entonces me sacó del agua y me secó. A partir de aquel día —y ante el asombro de mamá— yo exigí que Nati me bañara puntualmente, porque me había convertido en el niño más limpio de Madrid. Pero hay más. Como jugábamos con el agua y Nati se mojaba, un día se quitó la bata y se quedó en bragas y sostén, y otro día se quitó el sostén, aunque nunca las bragas, y llegó a meterse en la bañera conmigo, y luego, cuando estaba yo solo y tenía un poco de miedo, en la cama. Todas aquellas cosas las hacía con inocencia la Nati, porque seguramente venía acostumbrada de jugar en el pueblo con sus hermanos y sus primos. A mí tampoco me causaba gran efecto —sin contar la curiosa transformación de la bruja—, aunque no dejaba de comparar las enormes tetas de María del Alcorque con aquellas pequeñitas y duras de la Nati, y me quedaba con las de María del Alcorque, como es natural. No hago estas consideraciones por afán morboso o retorcido, ni muchísimo menos: las hago porque en esta historia el hambre infantil cuenta lo suyo, y aquel período —de los seis a los siete años— resultó de primera clase en la zona sexual. Luego ya fue un tema diferente, pero nunca más lucido:

yo —en cuestión de mujeres— lo pasé muy bien de 1934 a 1935, aunque resultara injusto y triste el final, porque cuando cumplí siete años la Nati juzgó que ya tenía uso de razón y que me podía bañar solo. Mal asunto que me llevó por otros caminos bastante más aburridos y poco después —cuando empezó la guerra— a la solitaria cama de mamá.

Me impresionó mucho Madrid, pero no se lo dije a nadie, y lo que más me gustaba era la Puerta del Sol, la calle Alcalá y la Casa de Fieras. La Nati me llevó un día, en el metro, a la Puerta del Sol y me quedé mudo. Nunca en mi vida había visto tantísima gente, ni tantos tranvías amarillos dando vueltas: en el centro de la plaza, un guardia —con casco blanco, pito y porra— dirigía la circulación, y por las aceras andaban muchos vendedores, de arriba para abajo, pregonando la mercancía, y pobres de pedir, incluso uno muy viejo que tocaba el clarinete, soldados, curas y monjas y mujeres con el culo muy gordo a las que les echaban piropos los hombres, que era una costumbre muy madrileña, y en cambio a la Nati no le decían nada, porque era poca cosa. Mi padre me había dado tres pesetas —entonces, un dineral— y yo me compré un sobre de sellos del extranjero, con el que empecé mi colección, e invité a la Nati a un refresco, que se llamaba Espumosos Herranz. Después nos subimos a un autobús de dos pisos, como los de Londres de ahora, y desde arriba se veía la capital y los coches e incluso los tranvías, y no digamos la gente, muy chica ella, y yo sin abrir la boca, como si Madrid fuera igual que Sorbas. Cuando llegamos al final del trayecto, volvimos a sacar el billete y a dar vueltas, hasta que por fin nos paramos en el Retiro.

A Nati le hacía muchísima gracia mi acento y se reía, pero sin mala intención, y a mí me sonaba el suyo de lo más chocante, con tanta jota, tanta ese y la elle encima, tan redicha de pronunciación. Así me acostumbré a callar, aunque poco a poco, fui tomando confianza con la Nati e incluso marcaba el deje y me comía las sílabas, para que se riera. Al principio no me entendía, pero luego acabó traduciéndome sin el menor esfuerzo, mientras yo —lenta y pacientemente— me iba quitando el acento de Sorbas para evitar disgustos, sobre todo con los niños de mi edad.

La Casa de Fieras era muy chica y no tenía nada que ver con el lujoso zoo de estos tiempos, pero a mí siempre me pareció acogedora, en su ridícula humildad, incluso me gustaba el olor picante, acre, a sobaco de tigre, aliento de león y pis de hiena. De mayor volví muchas veces a pasear, a mirar a los animales y a estudiar los apuntes de notarías, ya por costumbre o superstición. Pero aquella mañana fue un descubrimiento que me guardé en el buche, como tantas otras cosas.

Se cruzaba una verja de hierro y a la izquierda estaban las jaulas, de barrotes redondos, estrechas y peligrosísimas, con un pasillo delante. Allí es donde peor olía, y la tonta de Nati, haciéndose la fina, sacaba un pañuelo del bolsito y se lo ponía en la nariz. Eran los felinos, los osos pardos, los lobos esteparios, el papión de culo morado y los camesí, todos con su letrero en latín y en español, y la mayoría durmiendo. Por más que grité no pude despertar a ninguno, ni siquiera conseguí una triste mirada.

Mis padres se habían trasladado a un hotelito de Agustina de Aragón (calle particular, se prohíbe el paso). Tenía un jardín muy pequeño, que entonces estaba absolutamente pelado, y nada de pradera, como se estila ahora, ni muchísimo menos piscina. Era una casa de dos pisos, con un solo cuarto de baño y una azotea, un atrio y un patinillo, como decía la abuela Marita, que se había venido a vivir con nosotros. En el centro de la calle había una casa de pisos, creo que eran cuatro, rodeada por los resecos hotelitos, y la calle era nuestra, de los niños, porque nunca pasaban coches. Papá seguía trabajando en el despacho del abogados Mata y Súñer y frecuentaba la tertulia política de don Rafael Guerra del Río y al mismo jefe del partido radical, don Alejandro Lerroux, a quien llamaba cariñosamente *don Ale*. Mamá iba al Ateneo, a La Voz, a Unión Radio —a veces colaboraba en montajes teatrales— y a la Granja El Henar, donde se juntaba con sus amigas progres, que entonces eran casi todas socialistas. A papá se lo llevaban los demonios y no se cansaba de repetir que un día se iba a encontrar a *la Pasionaria* merendando en casa y que por ahí no pasaba. Mamá solía responder que más valía encontrarse a *la Pasionaria* que al general Sanjurjo, y entonces se peleaban de una forma muy estrepitosa y yo me metía debajo de las faldas de la camilla, mientras la abuela Marita decía que mis padres iban a arruinar el carácter del niño. A partir de aquel otoño mamá se empeñó en que yo tenía ganglios, que me sentaba muy mal el clima de Madrid y que mejor sería enviarme con la otra abuela a Soria: la abuela Julia, viuda de González, casi desconocida para mí. La amenaza nunca se cumplió, por fortuna. Mi abuela de verdad —Marita Jordán, de Chamorro— solía reprochar a mamá sus manejos, asegurando que quería librarse de nosotros para hacer política de izquierdas y poner en ridículo a su marido. Pero yo sé que no era cierto, que mamá estaba muy preocupada conmigo, tanto que me prohibió comer garbanzos, lentejas, alubias, morcillas y huevos y me ponía inyecciones de cal, de hígado y precisamente de huevo, que hace falta ser retorcida. En aquellos dos años —hasta que empezó la guerra— no me dejaban bañarme en el mar, ni en el río, ni en poza alguna; iba con abrigo y bufanda hasta el mes de junio y me sentía absolutamente humillado en presencia de otros niños, que aprovechaban el abrigo y la bufanda para burlarse cruelmente de mí.

Una mañana entró en la calle de Agustina de Aragón un carroza memorable. Era verde oscuro, precisamente verde carruaje; grande, como una enorme caja de galletas, y ponía en letras doradas Muebles Herraiz. En el pescante iba un cochero muy bien vestido, que guiaba un enorme caballo de los que llaman percherones y yo creí que sólo repartían leche. Se detuvieron frente al hotelito número siete —vecino al nuestro—, se abrieron las puertas de la carroza y salieron dos mozos vestidos de azul, mientras en la puerta del hotelito siete aparecía una señora con una niña pequeña. Los de la carroza —y quizá el caballo, también— se quedaron de muestra, porque la señora era espectacular: alta, rubia, con el pelo recogido en un moño arriba, con un jersey que marcaba bien y pantalones anchos, como una artista de cine; yo era la primera vez que veía una mujer con pantalones, porque mamá era gordita y no se atrevía a ponérselos, y la abuela ya no estaba para muchos trotes. El cochero preguntó si aquella casa era la de los señores Arenales y la mujer guapa le dijo que precisamente aquélla era. Entonces empezaron a descargar muebles, unos muebles preciosos, nuevos, todos barnizados a muñequilla, los del comedor, del salón y la alcoba de los señores Arenales. A mí me dio mucha envidia ver aquellos muebles, porque diferencia había con los de casa, y también me debió de dar envidia ver a la mamá Arenales, aunque eso nunca lo he reconocido: las dos envidias juntas generaron algo así como prevención o resquemor hacia la niña de Arenales, que debía de tener unos tres años.

Entré en casa y me fui derecho a mamá, preguntándole dónde había un paraguas, pero mamá no me quiso oír y en cambio la Nati, sí, que me agarró de la mano y me llevó fuera, diciendo que no molestara a mamá, que estaba escribiendo un discurso. Yo lo que quería era un paraguas para darle un paraguazo a la niña de Arenales.

Mamá seguía escribiendo el discurso y no debió de darle mucha importancia al grito desgarrador y al llanto que le siguió, pero su actitud fue otra cuando me vio entrar con el paraguas y la expresión un poco ida:

—¿Qué has hecho, *Pitito*? —me preguntó recelosa.

—Darle un paraguazo a la niña de Arenales.

Debo significar ahora que una de las cruces de mi niñez fue que me llamaran *Pitito*. A la edad de dos años me llevó María del Alcorque a la feria de Níjar y, al verme fascinado ante un puesto de pitos, me compró uno, que yo no dejé de tocar en toda la tarde, ni por la noche, ni a la mañana siguiente, hasta que se rompió. Mi abuelo Eusebio me puso *Pitito*, con *Pitito* me quedé y cuando quería un juguete yo decía: ¡pitito, pitito, pitito! A los cinco años intenté que se olvidara aquel nombre humillante, pero ya fue inútil, y lo peor de todo es cuando llegó a conocimiento de Gaspar Arenales.

Mamá —arrastrándome de la mano— corrió a casa de los vecinos, donde la señora hermosísima intentaba calmar a la niña del paraguazo. Mamá no sabía dónde meterse, pedía perdón y se le trabucaban las palabras de la vergüenza que tenía. La rubia —que se llamaba Victoria Parra, señora de Arenales— se reía a carcajadas, sin dar ninguna importancia al incidente, y decía que yo era muy gracioso, y de aquel paraguazo nació una amistad para toda la vida y mi tormento infantil. Por la tarde mamá ayudó a la mudanza de los vecinos, se llamaron de tú las mamás e incluso los papás, y a mí me presentaron a Gaspar Arenales como *Pitito* González Chamorro y la cagamos.

Gaspar Arenales tenía entonces siete años, y yo seis, y ya marcaba notable diferencia. Era alto, fuerte, de ojos verdes y un poco pelirrojo, esquiaba divinamente, jugaba al fútbol y nadaba a *crawl*. Yo sabía tirar con honda y matar lagartos, pero en Madrid mis habilidades servían de poco. Aquella tarde merendamos todos en casa: los niños Arenales, bocadillos de chorizo y cacao con leche, y yo compota de pera e infusión de manzanilla, porque estaba muy delicado de la tripa:

—Si me lo dejas quince días, te lo devuelvo nuevo —dijo la hermosa Victoria.

Yo me quería morir de bochorno, entre otras cosas porque —cada vez que abría la boca— Victoria Parra se reía de mi acento, pero no con mala intención, sino por lo gracioso que resultaba, y así, con las mismas, decidí hablar lo menos posible. La niña Marisa Arenales se fue con una amiga y a Gaspar y a mí nos mandaron a jugar al jardín, aunque hacía un poco de fresco. Gaspar me llevó a un rincón y me preguntó por qué le había pegado un paraguazo a su hermana Marisa, y yo no supe qué contestar. Entonces me empujó, me tiró al suelo y, con las piernas y los brazos, me sujetó contra la tapia. Los ojos de Arenales brillaban de una manera muy rara y me dijo en voz muy baja, una voz que no olvidaré nunca, porque parecía la de un hombre:

—Te vas a arrepentir de haber pegado a mi hermana.

Luego se llenó la mano de tierra y me la puso delante de la boca y me mandó que comiera la tierra; yo no quería, me entraban ganas de llorar, pero me daba vergüenza, y para acabar con aquello me llené la boca de tierra y me la fui tragando como pude. Me echó otro puñado y también lo comí, y éste tenía bichos. Así fue cómo nació el miedo.

Al volver a casa, Nati me agarró en la escalera y me metió en el baño, porque estaba lleno de tierra y sucio hasta las cejas y, aunque me preguntó, yo no quise decir nada. Cuando me fueron a dar la cena, empecé a vomitar tierra, y mamá se quedo espantada, sin saber qué hacer, y papá gritaba:

—¿Pero has comido tierra, animal? ¿Has comido tierra?

Me dieron entonces agua de carabaña, para que vomitara
más, y fueron a buscar al doctor Sánchez, que era de Turrillas y
me había visto varias veces. A pesar de que hablaba en voz muy
baja, yo le oía desde mi cuarto:

—Se trata una reacción lógica —decía el doctor Sánchez—: el
niño está martirizado por la compota, la merluza en blanco y el
puré de zanahoria, quiere comer lo mismo que otros niños y
protesta a su manera, por otro lado, a nadie le hace daño comer
tierra. ¿Habéis oído hablar de la teoría psicoanalista? De los mecanismos de defensa primitiva, del subconsciente infantil y de
las simbolizaciones: Martín se defiende de nuestra tiranía, la paterna y la médica, y simboliza su libertad en la tierra

El doctor Paco Sánchez era de los pocos españoles que habían leído la obra del doctor Freud y le gustaba demostrarlo
ante sus clientes y amigos, y —también justo es reconocerlo—
estas teorías, especialmente aplicadas a los niños o a los viejos,
solían tranquilizar a los parientes, aunque no aliviaban al enfermo.

Aquella noche no pude dormir, me la pasé con los ojos abiertos, repitiendo las maldiciones que había oído en los cortijos,
llamando a mi abuelo Chamorro, pidiéndole que diera de latigazos a Gaspar Arenales y jurando que, cuando fuera mayor, lo
mataría sin remedio. Al día siguiente, que era domingo, vino a
verme la hermosa señora Victoria con sus dos hijos. La niña se
quedó azorada, detrás de los pantalones de la mamá, y el niño
se cruzó de brazos y me miró directamente a los ojos: yo sostuve su mirada, queriéndole decir que de mi boca no había salido palabra alguna, porque yo no era un chivato.

Claro que estas cosas también tienen su lado bueno; la Nati
me compró un cuento de Calleja, la abuela otro de Pipo y Pipa,
mamá me trajo un gato pequeñito —aunque yo quería un perro— y papá me dio un duro de plata. A cambio de estos regalos
tuve que prometer no volver a comer tierra en mi vida.

El gato era muy gracioso, un poco de portería, pero muy gracioso y jugaba conmigo, aunque como todos los de su familia, marcando las distancias, y no es que se pudiera comparar con un perro, porque ni era noble, ni leal, era independiente y egoísta, pero me hacía las veces de juguete vivo. Gaspar Arenales solía venir a jugar a casa, yo iba a la suya, y casi había olvidado el episodio de la tierra, hasta la tarde del gato. La guapa Victoria se había hecho amiga de mamá y casi todas las semanas iban juntas al cine, al teatro o a merendar, aunque nunca hablaban de política, porque era un tema que Victoria Parra ignoraba desdeñosamente:

—¿Todavía no te has dado cuenta de que esto no es un gato? —me preguntó Gaspar Arenales.

—¿Y qué es?

—Un perro.

Aquello era absurdo: era gato y bien gato; pero Gaspar Arenales se empeñó en que era perro y había que enseñarle a pasear, y entonces le ató una cuerda al cuello y empezó a tirar de él y a reñirle por malcriado. El gato se defendía, intentando huir, saltaba sin tino y quería maullar, pero la cuerda no le dejaba. Por fin se quedó quieto y Arenales, como hacen los médicos, le tomó el pulso:

—Tienes razón: era un gato.

He pensado mucho en el gato, en mi niñez y en Gaspar Arenales, que cambió tanto al cumplir quince años, y después de dar muchas vueltas al tema —ya bien entradas las pesadillas— llegué a la conclusión de que Gaspar Arenales no hacía aquellas cosas por maldad, ni porque estuviera marcado por un destino criminal, sino porque necesitaba manifestar su poderío y, sobre todo, porque intentaba dominarme, y bien me lo demostró. Tal vez el doctor Paco Sánchez lo hubiera podido explicar, pero yo creo que tampoco sabía nada de estas cuestiones. El caso es que me quedé pegado a la pared sin poder abrir la boca y Gaspar Arenales —pensé entonces, que arrepentido— me dijo que todo lo hacía por mí, que a los cinco años se sabe muy poco de la vida y que tenía que ser fuerte, porque me estaba convirtiendo en una nena, pero que él me iba a ayudar. De momento enterramos al gato en el jardín y debo reconocer que fue emocionante: Gaspar rezaba en voz muy baja y yo decía —como la abuela Marita— «líbranos de todo mal, líbranos de toda mal, amen, Jesús» y Gaspar le echaba bendiciones a la tierra y me miró de reojo y yo estuve a punto de salir corriendo, porque no me apetecía tomarme una ración de mantillo. Luego fuimos a la cocina, Gaspar cogió un cuchillo muy afilado y dijo que íbamos a hacer un pacto de sangre, que seríamos amigos toda la vida y que nunca podríamos separarnos: me dio el cuchillo, extendió la mano y me mandó que le hiciera una cruz hasta que saliera sangre. A mí me daba no sé qué, miedo o asco, pero por otro lado me apetecía hacerle daño, y así, cerrando los ojos, le marqué una cruz en la palma de la mano. Pero quedaba lo peor y yo tenía que demostrar que no me estaba convirtiendo en una nena y no me iba a quejar, ni mucho menos a llorar: Gaspar Arenales, mirando hacia otro lado, me hizo una cruz y juntamos la sangre y para siempre jamás estaríamos unidos:

—Pero no se lo puedes decir a nadie, porque es un secreto sagrado: ni lo del pacto ni lo del gato.

Fue muy amable al no amenazarme entonces, porque se pasaba el día amenazándome. Nati, cuando me desnudó para bañarme, descubrió la cruz, que ya me dolía mucho, y me preguntó que con quién había hecho un pacto de sangre, y yo, que con nadie, que me había pinchado con un rosal. Ella entonces se puso furiosa y empezó a decir que si la tomaba por idiota, que si ya no era amigo suyo, que eso era un pacto de sangre, que lo sabía de memoria y que no tenía más remedio que contárselo o nunca me volvería a hablar. Yo le dije que con Gaspar Arenales, pero que era un secreto, y a ella le gustó la razón y estaba más que feliz, porque Gaspar Arenales era un niño muy guapo, un hombrecito ya, y tenía los ojos preciosos y era listísimo, y me venía muy bien tener un amigo tan deportista como él. Entonces me entró una furia terrible y empecé a echarle agua y a gritar y Nati a reírse, que si estaba celoso perdido, que aquella furia eran celos, pero que no me preocupara, porque ella era mi novia y se iba a casar conmigo y no le importaba ningún otro hombre. Entonces se me vino el mundo encima y me eché a llorar, porque me estaba convirtiendo en una nena, y por eso había firmado el pacto, para acostumbrarme al dolor:

—Tu eres un hombre muy hombre —dijo la Nati—. Sólo los hombres muy hombres tienen brujas como ésta.

Y empezó a acariciarme la bruja y a decir que estaba tan bonita, que menudo avío me iba a hacer cuando fuera mayor, que habría tiros y navajazos por ella. Pero la bruja seguía indiferente, triste y aburrida, y la Nati empezó a preocuparse, y tanto se preocupó que la bruja se despertó:

—¡Mira, mira, ya vuela! —decía Nati riendo—. ¡Tú que vas a ser una nena, tú vas a ser torero o aviador!

El matrimonio de mis padres, durante aquel octubre de 1934, estuvo a punto de irse al garete, como tantos otros en España. En las últimas elecciones —cuando las mujeres obtuvieron el derecho al sufragio— mamá votó por izquierda republicana, la abuela Marita por la CEDA de Gil Robles y papá por el partido de don Alejandro Lerroux. Ganó el bloque de derechas y, poco después, el señor Eloy Vaquero —que había sido nombrado ministro de Gobernación— le ofreció un cargo de gobernador civil a mi padre. Mamá dijo que de ninguna manera se juntaba con un gobierno reaccionario y que se volvía conmigo a Sorbas, y papá, que iba a arruinar su carrera política, y que si se ponía burra, aquí paz y después gloria, pero él acudía a la sacrosanta llamada de la patria. Puso el caso en conocimiento del señor Vaquero, que le dijo que un gobernador necesitaba una gobernadora, sobre todo si pertenecía a un partido de orden, y papá quedó fuera y mamá empezó a adelgazar. Días después la huelga general, la revolución y la represión hicieron de aquel octubre un mes difícil de olvidar. Mamá no salía de casa, estaba encerrada y lloraba todas las tardes. Papá no hablaba y la abuela Marita rezaba en casa, porque le habían quemado su iglesia particular. La única que estaba contenta era Nati, que no pudo votar en las elecciones porque no había alcanzado la mayoría de edad. Un día, en el baño, se quedó en bragas y sostén, y muy orgullosa se puso en jarras, con las piernas abiertas y muy chulita: llevaba un sosten con una teta roja y otra negra y las bragas divididas diagonalmente en rojo y negro, y me enseñó entonces a decir ¡Viva la CNT! ¡Viva el amor libre! ¡Viva el comunismo libertario!; pero era un secreto tan bien guardado como el del pacto con Arenales. Mamá se rindió cuando se tranquilizaron los ánimos —como decía la abuela Marita— y, por consejo de su amiga Victoria Parra, firmó la paz con papá, que puso como condición que abandonara las malas compañías: el Ateneo, El Sol y Unión Radio Madrid. Mamá solía decir que se bajó los pantalones como don Niceto Alcalá Zamora, como Azaña o Prieto, pero que ella no se bajaba los pantalones por la patria, ni por miedo, que se los bajaba por amor a su marido. Y es cierto, mamá estaba muy enamorada de papá. Una cosa chocante, hija, decía la hermosa Victoria Parra.

En mayo de 1935 el señor don Antonio Royo Villanova, ministro de la Gobernación del nuevo nuevo gobierno de Lerroux, volvió a llamar a mi padre proponiéndole esta vez la ciudad de Lugo. Papá pidió veinticuatro horas al ministro, que le acortó el plazo hasta la puesta de sol del día siete. Aquellos señores, tanto los de derechas como los de izquierdas, eran muy aficionados al teatro y a las puestas de sol como plazo final. Papá le dijo a mamá ¿tú dirás lo que hago? y ella le contestó, lo que tú mandes, pero te vas a equivocar. Porque mamá era muy de «tijeretas han de ser».

Pobre papá; fue gobernador de Lugo cinco cochinos meses, ganó una huelga de marisqueros y otra de maestros rurales —en colaboración con la guardia civil—, sufrió dos atentados, se jugó la vida pensando que iba a llegar a ministro y se quedó entre dos aguas, como casi todos los de su raza, a punto de morir a manos de rojos y nacionales, para acabar bajo los muretes de una casilla de peones camineros en Caudet (Teruel).

Yo fui a Lugo en el mes de julio, aprovechando un viaje en automóvil de don Elías Comesaña, hombre riquísimo —que había tomado a papá bajo su protección—, dueño de media provincia y diputado del partido radical. El señor Comesaña tenía unos setenta años, era muy alto, pálido, de ojos azules y mucho pelo blanco. Emigró a Estados Unidos —casi todos los gallegos iban a Méjico, Argentina, Venezuela o Cuba—, se hizo millonario en Chicago y Nueva York y según cuentan fue chófer de Al Capone en los años veinte y tomó parte en la matanza de San Valentín. Tanto cariño le tomó a mi padre que decidió dejarme toda su fortuna, porque él no tenía hijos, pero en cuanto fue cesado el gobernador de Lugo olvidó su promesa. Fuimos en un coche enorme y muy lujoso con su señora, doña Vista Aguja, que vestía de color crema y ya se mareó en la Cuesta de las Perdices. El autómovil lo conducía un mecánico, al que don Elías, antes de salír, preguntó algo, y él se limitó a sacar un pistolón emocionante que llevaba en una sobaquera de cuero; y también venía una criada gorda —de negro— con guantes de encaje, gorro de servicio y delantal blanco.

Salimos de madrugada y a mí me llevó Nati al hotel Palace, que es donde estaban parando los señores Comesaña. Medio dormido me sentaron en un traspuntín y desde allí, cuando arrancamos —entre explosiones—, vi a la Nati, llorando, que corría un poco, detrás del coche, y me tiraba besos, hasta que se la tragó la oscuridad.

El viaje era larguísimo, el automóvil —a pesar de su aspecto lujoso— no pasaba de sesenta y hervía en todos los puertos del trayecto, ¡y mira que hay puertos entre Madrid y Lugo! Dos veces pinchamos y una nos reventó un neumático; doña Vista siguió vomitando, mientras don Elías aliviaba el viaje dándole tientos a una petaca de plata. A eso de las doce y media orillamos en un pinar donde había una fuente de agua muy fría. El mecánico sacó una cesta de mimbre y la criada —que se llamaba Mari Mar— puso un mantel de hilo y lo sujetó con piedras. De la cesta salieron embutidos de chorizo y lomo, que yo no podía comer, y langostinos, que me daban urticaria, y luego tortilla de patata —muy prohibida por mamá— y filetes empanados. Yo me lo zampé todo —ante el risueño asombro de don Elías— y ni me dio urticaria, ni ardor de estómago, ni carrerillas, ni nada.

Ya de noche llegamos a Lugo, yo iba dormido como un leño y apenas recuerdo la presencia de mis padres, que salieron a un patio del gobierno civil y a un guardia de asalto, que me cogió en brazos y me llevó dentro, mientras doña Vista ponderaba mi exquisita educación y aceptaba un caldo con jerez porque tenía el estómago un poco revuelto.

A la mañana siguiente me desperté en una habitación enorme, que tenía una cama, también muy grande, con aparatoso dosel, y daba a un cuarto de baño —todo de mármol— de proporciones gigantescas y bañera altísima alzada sobre garras de dragón. Yo no sabía qué sitio era aquél, porque había olvidado el viaje y, sentándome en la cama, llamé a mamá. Ella entró inmediatamente, como si estuviera detrás de la puerta, y guiándose por la luz del cuarto de baño, vino a darme un beso: entonces, lo recordé todo de golpe. Mamá abrió una ventana, que daba a un paisaje gris y verde y fondo de torres de iglesia, seguramente de la catedral. Yo pregunté si se veía el mar y ella me dijo que no, que al mar iríamos un día de éstos, cuando hiciera buen tiempo.

Estuve toda la mañana inspeccionando el gobierno civil, de pasillo en pasillo, bajando y subiendo anchas escaleras de piedra blanca o estrechas de madera vieja; entrando en destartaladas y polvorientas salas de respeto, hasta que me colé en el lujoso despacho del gobernador. A papá no le hizo ninguna gracia la irrupción y mandó que me cortaran las alas y me pusieran un ayo, antes de la puesta de sol, como era de rigor. Tal vez fueran otras sus palabras, pero mi imaginación —que también perdí en pocos años— tradujo una simple orden al lenguaje fantástico que solía emplear mamá en algunas ocasiones.

Lugo me sorprendió mucho: yo sólo conocía Madrid, Sorbas, Níjar y Almería, cuando iba al médico o a la estación del tren, a recibir forasteros e incluso a mis padres, en sus ocasionales visitas al cortijo. La ciudad de Lugo —aquella mañana bajo la lluvia, según su vieja costumbre— me pareció de otro mundo, un tanto misteriosa, como de cuento. Las piedras de los edificios eran negras, brillaban a la luz y chorreaban agua, y entre ellas nacían brotes verdes y había musgo, resbaladizo y húmedo, cosa que nunca vi en Almería. Por la calle iban señores y señoras con paraguas y algunos con grandes zapatos de madera —que dicen zuecos— golpeando los adoquines y haciendo un ruido que me parecía emocionante. También me llamaron la atención las mujeres, que llevaban grandes cestas sobre la cabeza y caminaban muy erguidas, con la espalda tiesa, sin tocar los recipientes, y era cosa de admirar. Pero sobre todo, la muralla del tiempo de los romanos que rodea Lugo y más aún el río Miño. Yo no había visto nunca un río, porque en Almería no hay ninguno y el de Madrid no vale la pena. A partir de aquella fecha siempre quedé enganchado a los ríos y hube de pasar largas horas mirando el Sena, el Támesis, el San Lorenzo, el Rin, el Hudson, el Danubio, el Nilo e incluso el Tajo, en Lisboa. También el mar de Galicia me impresionó lo suyo, porque nada tiene que ver con el Mediterráneo, y la marea sube y baja de forma más violenta; pero el río, el río dentro de la tierra, sobre todo cuando la tierra está verde y húmeda, es mucho más raro de ver.

A estos paseos me acompañaba un guardia de asalto, Celso Navajas, el ayo que me adjudicó papá. Celso Navajas trabajaba en el gobierno civil: era mayor y muy alto, tenía el pelo gris cortado a cepillo, uniforme azul marino, botas lustrosas, llevaba pistola y había nacido en un pueblo que se llama Chantada. Durante los treinta días que estuve en Lugo —más no pudo ser, porque la humedad me hacía daño a los bronquios— el guardia de asalto hizo las veces de Nati, cosa que mamá veía mal, porque Navajas cobraba del erario público y no se podía abusar, pero la verdad es que Celso Navajas lo pasaba muy bien, llevándome al cine y de excursión en vez de estar medio aburrido, haciendo de ordenanza en un antedespacho. Lo del cine, para mí, fue una novedad: el gobernador tenía pase gratis para los cines de Lugo y allí que nos íbamos, casi todas las tardes, aun repitiendo programa. Entonces no había películas aptas para menores, ni censura, sobre todo tratándose del niño del gobernador. Lo malo es que no se doblaban al español y a mí no me daba tiempo a leer los letreros y mucho menos a Navajas, que a veces me explicaba, inútilmente, de qué iban las películas, porque ésa era otra: yo no entendía una sola palabra a Navajas y Navajas no me entendía a mí, porque se ve que el acento andaluz y el gallego son cosas muy distintas, y aunque hablábamos el mismo idioma necesitábamos diccionario.

De todo el tiempo que estuve en Lugo lo que más me gustó es cuando a mi madre le hicieron madrina de una bandera de la guardia civil. Yo vi la ceremonia —con Navajas— desde un balcón del Ayuntamiento. Mamá no quería de ningún modo y decía que, en las circunstancias que vivía el país, aquello era una provocación, pero papá se empeñó y más que nadie el diputado don Santiago Alonso, que mandaba mucho en Lugo. Mamá, como digo, era la madrina y el padrino —parece ser que las banderas son como los niños de faldones— don Elías Comesaña. Hubo un desfile de la guardia civil, un concierto de la banda de la guardia civil, discursos —que yo no oí en absoluto— y regalos: a mamá —que iba vestida de negro y llevaba peineta y mantilla— le pusieron una banda blanca y azul y le regalaron una pistola de oro de Éibar y cachas de nácar. Luego, por la noche, le dije que me diera la pistola, y ella que muy bien, que me la daba a condición de que matara a mi padre: debía de ser broma o estaba muy nerviosa, porque después se echó a llorar.

Yo dormía solo en la alcoba de la cama grande y aunque sabía que la de mis padres era vecina y que compartíamos el cuarto de baño, pasaba mucho miedo. Por las noches oía el viento, el grito de las lechuzas y luego las campanadas del reloj, y hubiera querido que mamá durmiera conmigo, pero no me atrevía a decirlo, porque me acordaba de Gaspar Arenales y pensaba que tenía razón, que me estaba convirtiendo en una nena. Así empecé a tener pesadillas, casi sin darme cuenta. Por suerte no recuerdo ninguna, aunque sé que —en todas ellas— salía Gaspar Arenales, a quien le chorreaban las manos de sangre y me mandaba comer tierra, digo yo que sería toda la tierra de Galicia, incluso la de las playas donde no me dejaban bañarme.

XII

POPEA

(Testimonio del comisario Arruza)

Septiembre seguía dando que hablar, las temperaturas nocturnas rondaban los treinta grados y no se producían tormentas como en el mes de agosto. Resistí la tentación de marcarme una pastilla y traté de dormir a pelo, pero el asesino Xarradell, la perra Benito —que había recibido el alta— y mis achaques habituales no me dejaban tranquilo. Ignoro por qué tortuoso camino se aposentó en mi memoria *Hamlet, príncipe de Dinamarca*, pero allí estaba, y quise recordar el nombre de su chica y el de su padre, incluso. Fue inútil y aun se agravó el tema, porque había olvidado el de la otra chica, la que despacha Otelo y el del perverso que le mete la duda en el alma. Sin embargo me acordaba perfectamente de la delantera *stuka*, la del Sevilla en los años cuarenta: López, Pepillo, Campanal, Raimundo y Berrocal, y la defensa del Valencia, Eizaguirre, Álvaro y Juan Ramón. Ése era un síntoma de buena memoria, aunque puede resultar engañoso: López, Pepillo, Campanal, Raimundo y Berrocal, Eizaguirre, Álvaro y Juan Ramón, pero ¿qué cené anoche? Ni siquiera recordaba haber cenado: ¡la chica se llama *Ofelia* y su padre, *Polonio*, el buen chambelán de la corte! ¿Pero qué cené anoche? Seguí dando vueltas en la cama y oí cómo entraba Pilar en casa y con qué cuidado cerró la puerta, que sería para no despertar a la niña Marga, porque yo le importo un ajo. Tal vez no, quizá sea injusto con ella. ¡La otra chica se llama *Desdémona* y el traidor es Yago! Claro que ni con Desdémona, Ofelia, Polonio y Yago me puedo dormir. Todavía no me ha salido el susto del cuerpo, cómo es posible borrar un día entero y olvidar, en un cine, a la niña Marga. Desde entonces he llenado mis bolsillos de avisos: cuál es mi nombre, dónde vivo, qué número de teléfono tengo, cómo se llama mi hija. Sigo dando vueltas en la cama y el sueño no acude. No pienso volver a casa del asesino Xarradell, es una trampa, más que trampa, traición; o peor aún: cruzar la línea, pasarse al enemigo, que sólo te falta justificar el asesinato de Vicente *Carajo* y la señora Florita. Mañana tengo un día muy cargado y a ver cómo me las arreglo con el tema Benito-Pilar, que Benito me cuesta los ahorros de tres años. No quisiera recordar versos, porque acabaría absolutamente desvelado, ni pensar en la muerte o la decadencia, y no digamos apiadarse de uno mismo. El sueño vino poco a poco, de tal manera que ya no sabía si soñaba despierto o me dormía a ratos.

Desperté cansado y aburrido y arrastrando los pies fui a la cocina a prepararme el desayuno, como todos los días, y como casi todos los días del año iba hablando solo por el pasillo:

—A ver si se ha terminado el café, que no me falta más que eso.

Pero había café recién molido, pan tierno, aceite de oliva, jamón y buena sandía, porque en verano mejor es olvidar el zumo de naranja. Mientras desayunaba, rectifiqué mis buenos propósitos de la noche anterior y decidí volver a casa del asesino Xarradell, entre otras razones porque nunca he dejado un caso a medias y sobre todo porque, a estas alturas, me aburro sin Xarradell y además estoy un poco asustado.

Aquel día iba a dar con Teresa Zivor, que tiene una tienda de antigüedades en la calle Claudio Coello. Teresa Zivor era «la señorita muy guapa, extranjera ella», que así la describieron los señores de Aguirrezabala.

El asesino Xarradell me miró a los ojos, intentó ocultar su vivísimo interés y aprovechando una pausa, que provoqué de intención, mostró su extrañeza por lo que —según él— era un tema singular: yo sólo hablaba de mujeres guapas, atractivas y arrebatadoras, empezando por las de mi familia, y así presentaba a la difunta Margarita, a mi hija Pilar e incluso a la niña Marga, además de Linda Lebreles, la doctora *Pitusilla*, la enfermera pelirroja, las secretarias del doctor Arlis, la cliente de Great and Small y ahora esta nueva, Teresa Zivor. Me hizo ver que yo me refería a las mujeres clasificándolas en rubias altas, magníficas, como de cine o de novela, o en pequeñitas, delicadas y de libro de estampas o devocionario, tipo doctora María Carrasco Valdés y esta nueva, Teresa Zivor. Yo le dije, entonces, que a partir de aquel momento trataría de ser sobrio y muy de Aranda de Duero y que me pensaba ahorrar todo tipo de descripciones coloristas, y Xarradell me respondió que ni se me ocurriera, que aquellos detalles, al parecer superfluos, le ayudaban a mejor recordar mejor la situación y que, por favor, fuese a Teresa Zivor sin rencores.

Las visitas al asesino Xarradell se habían hecho frecuentes, pero nunca aburridas, los dos nos entendíamos hablando mucho y, de vez en vez, echando fuera nuestros pequeños secretos. Nunca le dije que, en setenta y dos horas, sin contar tres años de persecución, me hizo ver más luz que en cuarenta años de aburrimiento, y que ahora me estaba dando el sitio que ya nadie me daba, ni siquiera en la pensión Trinidad. Lo que sí le dije es que nuestros destinos bien pudieran haberse cambiado, porque ni él era criminal, ni yo policía, que simplemente nos había tocado representar aquellos papeles. Xarradell —ante tamaña sandez— siguió en lo suyo, sin despegar los labios, y yo aproveché el silencio para echar un sorbito de *pastis* con hielo, porque lo del té con hierbabuena era para impresionarme. Además, una vez con las cartas sobre la mesa y sabiendo que él veía perfectamente y que yo no estaba sordo, me pidió permiso para bordar almohadones, habilidad que le había enseñado Viriato Gazapo, alias *Flasgordon*, el mismo que se ahorcó en Burgos. Ahora Santiago Xarradell se ocupaba en hacer a punto de cruz, hilo azul sobre lino blanco, dos palmeras entrelazadas, una mora con pandereta y apunte de paisaje árabe, de minarete incorporado. Sin mirarme, pasando sus dedos sabios y sensibles sobre el lino, me dijo que cuando entró en el presidio número uno casi todos los reclusos se lo quisieron tirar, y me lo dijo en francés, y al advertir mi extrañeza, lo repitió en castellano, mirándome como si yo fuera el culpable de aquella tristísima situación. Fue entonces cuando Viriato Gazapo, alias *Flasgordon* —que estaba condenado a muerte—, se me declaró. Miré de través a Xarradell y pensé que tampoco era para tanto y Xarradell cazó la intención y afirmó que, en aquellos tiempos, él era un trueno, y no quise contestarle. Viriato Gazapo, alías *Flasgordon*, me tomó bajo su protección, si alguien me tocaba un pelo le rebanaba el cuello, y eso sin motivo, sin darle yo pie o esperanza. Era curioso observar cómo al asesino Xarradell le temblaban ligeramente las manos al recordar al *Flasgordon*. Ahora su voz sonaba lineal y un poco emocionada. En la cárcel uno se siente muy solo, don Leopoldo, y aquel hombre rudo, maricón y analfabeto, estaba solo, y yo también, y me había elegido a mí, como eligen los perros a su amo, y no quiero menospreciar a los perros ni a Viriato Gazapo, que comía en mi mano, para entendernos. Primero le enseñé a leer y a escribir y luego nociones de francés, que todos los días dábamos verbos y vocabulario, y tenía una pronunciación muy aparente, que parecía de Marsella o de algún sitio del Mediterráneo. Xarradell me preguntó si me aburría y yo le dije que no, que era una historia muy edificante. Usted sabe que según el antiguo Código Penal a los condenados a muerte había que tratarnos con toda corrección e incluso con mimo, si puedo decirlo así, que teníamos un régimen de comidas distinto, recibíamos visitas, podíamos pasear por el patio y otras ventajas, hasta que nos llegara el garrote vil. El pobre Gazapo era feliz en lo que cabe, pero un mal día le vino el indulto y la cadena perpetua de regalo envenenado, le cambiaron de celda y se acabaron sus privilegios. Para colmo de males a mí me trasladaron al penal del Puerto de Santa María, el de las carceleras de Conchita Piquer, y el *Flasgordon* se quedó en Burgos, que era donde estábamos: se quedó en Burgos solo y para los restos. Un día recibí la noticia —todo se sabe en la cárcel, señor comisario— de que el Gazapo se había ahorcado en la ducha, y aún me faltaba otra sorpresa. Poco después vino a visitarme Balbina Latorre, que era hija suya y no me pregunte por los apellidos, y Balbina Latorre me trajo una carta de su padre, que empezaba diciendo *cher ami* y acababa *avec tout mon amour*. Lo curioso del caso, lo que a mí me hizo llorar, señor comisario, llorar como un chiquillo, es que Viriato Gazapo se ahorcara precisamente a las nueve y veinticinco, porque él sabía que a las nueve y veinticinco yo despaché a mi Flora y al pianista *Carajo:* por eso todos los relojes de esta casa están parados a las nueve y veinticinco. Bebí un sorbo del *pastis* y dejé hablar a Xarradell. Balbina Latorre siguió acompañándome y luego vino con la niña, la que vio usted al llegar aquí, la chica del gorila de la montaña; sin ellas yo, seguramente, no estaría en este mundo y, desde luego, en esta casa. Sorbió los mocos como un niño pequeño y suspiró luego, para adornar su confesión con un bonito final: lo único que siento, señor comisario, es no haberle dado una pequeña compensación al pobre Gazapo, que se parecía a Boris Karloff, y a mí Boris Karloff siempre me gustó mucho.

Qué iba yo a decir si en cada uno de nosotros hay un Boris Karloff escondido. Sonreí un poco azarado, no debo negarlo, y reanudé mi relato con la seguridad de que Xarradell no volvería a interrumpirme. Teresa Zivor —le dije y lo repito— era una delicada criatura mezcla de húngaro y cordobesa, nieta de un empresario de variedades, judío austro-húngaro, establecido en Viena, que llegó a España huyendo de los nazis en el año 1940. Con su señora, Aida Platko, que tocaba el bandoneón de oído, y sus cinco hijos, montó un espectáculo con el que recorrió las ferias de España durante muchas temporadas. El abuelo Zivor fue profesor de idiomas en Córdoba, guía especializado en temas arábigo-andaluces, representante de artistas, y profundo conocedor del flamenco y del toreo y acabó sus días haciendo el horóscopo en el diario *Córdoba*. Ferenc Zivor, el hijo mayor del empresario, puso una tiendecilla de recuerdos folclóricos en la judería, casó con una guapa cordobesa —de nombre Rafaela González Marín— y de esta unión vino al mundo la referida niña Teresa, que ya fue una señorita y estudió Geografía e Historia en Granada. Lo que no entiendo es por qué los señores de

Aguirrezabala decían que era extranjera, cuando en realidad marcaba un precioso deje cordobés. Teresa Zivor —con dos divorcios a la espalda— tiene cuarenta años cumplidos, pero no aparenta más de veinticinco, y por eso yo, muchas veces, me refiero a ella diciendo la chica, sobre todo para distinguirla de la niña Marga.

Aquella mañana me hice cargo de la perra Benito, que me recibió bien, incluso movió el rabo y me dirigió una mirada de simpatía o tal vez de agradecimiento, aunque estaba algo deprimida, según me dijo María Carrasco Valdés. Le brillaban los ojos y aún seguía con la cabeza vendada, asomando el hocico negro y las dos orejas por arriba, pero había engordado y estaba echando pelo nuevo. Hasta la puerta me acompañó la doctora *Pitusilla* y la enfermera pelirroja, que me había preparado una bolsa con medicinas de colores y el régimen que debíamos seguir rigurosamente. Cuando echamos a andar, Benito se volvió a medias, juraría que despidiéndose de Great and Small. Así recorrimos unos treinta metros: la perra caminaba a mi derecha, sin tirar de la correa, con perfecta educación. La dejé oler un árbol, hizo sus cosas y me miró con interés. Yo pensaba llevarla desde la calle Orense al bar Chiquito, por si ella reconocía el camino o le tiraba la querencia, que buenas muestras había dado siguiendo el rastro de su amo desde el monte de Peñalara a la Sacramental de San Isidro, pero Benito —quizá sospechando mi propósito— se sentó en el suelo, con toda la razón del mundo: al fin y al cabo era una convaleciente.

Por fin tomamos un taxi y mandé que nos llevara a Diego de León. Desde Príncipe de Vergara iríamos andando, por si la perra reconocía el territorio, y así fue: antes de llegar al bar Chiquito levantó las orejas y movió nerviosamente el rabo, y al bajar del coche tiró de la correa en dirección a la calle de Velázquez, produciendo un leve quejido, como si recordara algo o le dañara un recuerdo. Pasamos delante del mercado de Diego de León y allí se detuvo, sin saber qué dirección seguir. Entonces intenté cruzar la calle, para alejarme de la esquina, y Benito se opuso, clavando las patas en el suelo y tirando de la correa en sentido contrario: estaba bien claro que quería ir hacia Velázquez. La dejé, abrió la boca y respiró de una forma distinta, desalentando y no por el calor, sino por la emoción.

Así —a más velocidad de la prevista y al borde del ridículo— entramos en el bar Chiquito. Yo solté a la perra, que había olvidado mi presencia y se dedicaba a oler por todas partes, arriba y abajo, a derecha y a izquierda, como si estuviera buscando una pieza, hasta que la encontró. Al extremo de la barra leía un periódico una mujer pequeña, de piel morena muy dorada, ojos grandes y pelo negro recortado: era Teresa Zivor, y parecía arrancada de un cuento infantil. Benito lanzó un alegre ladrido y saltó hacia ella, derramando un café sobre el periódico: Teresa Zivor dio un grito enfurecido y le tiró un viaje, que si le alcanza me la vuelven a ingresar en Great and Small. Yo, medio escondido tras una máquina de juegos, observaba aquella curiosa pantomima, que parecía la secuencia de una película muda. Benito saltaba en torno a la chica, que también había entrado en el baile y quería quitársela de encima, hasta que —con los brazos en alto, casi bailando— se detuvo atónita. Fue como si se hubiera parado el tiempo, como si empezara un juego mágico y sorprendente donde sólo ellas jugaran. Teresa Zivor se agachó hasta equilibrar su altura con la de Benito, que movía el rabo tan deprisa que no se veía, y sonrió, porque el aspecto de la perra resultaba más que cómico, pero la sonrisa le duró poco y dijo una palabra, juntando dos veces los labios:

—Popea.

Benito, al oír aquello, le lamió la cara, y ella la abrazó como, si en vez de perra, fuera niña. Me acerqué entonces, al tiempo que Teresa Zivor preguntaba ¿qué te han hecho? Y Benito se lo estaba diciendo con los ojos y yo me tomé la libertad de presentarme, por si se me permitía mediar: encontré a Benito —ya Popea— en el cementerio, sobre la tumba de Gaspar Arenales, y según mi entender, por dos veces, alguien trató de matarla. Entonces, Teresa Zivor se echó a reír, porque le resultaba muy gracioso el aspecto de Popea con su venda blanca, las orejas tiesas, el hocico puntiagudo, que parecía el lobo disfrazado de abuelita. Aquella chica, lo descubrí más tarde, pasaba del frío al calor y del llanto a la risa sin transición ni recelo, ni mucho menos disimulo o vergüenza. Tras un largo silencio, que Popea aprovechó para lamer la nariz de Teresa, me dijo que había estado en el entierro de Gaspar Arenales.

Teresa Zivor me llevó a la tienda de antigüedades que tiene en la calle Núñez de Balboa. Popea tiraba de mí como si en ello le fuera la vida, y Teresa reía feliz al comprobar que la perra recordaba el escenario. Nos detuvimos junto a un portal y me pidió que aguardara: cinco peldaños descendían hasta una puerta baja donde ponía *Zivor 40* y dos ventanas apaisadas que hubieran podido ser escaparates en caso de verse el interior. La verdad es que yo no sabía si aquello era un bar discreto o una tienda de antigüedades. De pronto se iluminaron las ventanas —ofreciendo variadísimos objetos—, Popea empezó a ladrar y Teresa abrió la puerta con ademán exagerado, casi circense. Solté a la perra, que desapareció dando un grito agudo y nervioso, y yo bajé la escalera, pensando que aquella era la entrada de un castillo embrujado, pero al revés.

Teresa, que había encendido las sabias luces del interior, me dejó observar la tienda a gusto. Los muebles —en perfecto estado— apenas dejaban un rincón libre, y al fondo, cerca de una vitrina, llamaba la atención una butaca de raso violeta junto a una mesita octogonal con varios libros: sin duda aquel era el sitio de Teresa Zivor. Brillaban las colecciones de cristal azul, de ese azul vivísimo de las botellas de agua de azahar, y las paredes estaban llenas de cerámica de Talavera de la Reina y de Puente del Arzobispo —siglos XVIII y XIX— y de relojes, todos funcionando, pero ninguno a su hora. Entre los relojes había cuadros y yo comprendí, pese a mi corto saber, que eran de buena familia y muy diversas escuelas. Uno, sobre los demás, me llamó la atención: era un óleo grande, bien proporcionado, aunque algo relamido: en tonos ocres, verdosos y amarillos, un mar embravecido rodeaba la roca, donde una bella muchacha de aspecto humilde leía una carta, mientras el viento le revolvía el pelo y se supone que las gaviotas gritaban al fondo. Abajo, en el marco de madera carcomida, había un letrero de metal dorado: *a letter from John*.

—Lo pintó mi abuelo a los dieciocho años, cuando aún no había visto el mar. También él miró el cuadro y yo le dije que no se vendía. Teresa Zivor se acercó a mí y me puso una mano en el hombro, como si me conociera de siempre:

—Bueno... yo no vendo casi nada o pido tanto dinero que no me lo pueden dar: lo que tengo aquí me gusta mucho más que el dinero.

En las ventanitas-escaparates habían aparecido dos niñas que señalaban una colección de pisapapeles de cristal. Teresa apagó la luz y continuamos viendo a las niñas en tono oscuro —como sumergidas en un líquido pesado— mientras ellas miraban desconcertadas, porque desde el exterior los escaparates eran negros otra vez. Teresa volvió a encender y las niñas rieron divertidas, buscando en torno suyo, como si estuvieran en la verbena, hasta que llegó una poderosa y activa mamá: las niñas protestaron, pero ya habían desaparecido las bolas de cristal y la mamá no atendía a razones.

Teresa Zivor me dio la espalda y se dirigió a un precioso mueble, alto y estrecho, medio campesino, encerado, de madera labrada. Yo creo que se volvió para que la pudiera mirar a intención, y así fue como puse mis ojos en su cuello largo, en la nuca, donde se le encrespaban ciertos pelillos que dicen abuelos y que me iban muy bien de nombre. Llevaba un vestido verde hoja de parra, de tirantes y muy escotado por atrás, que me hizo pensar en el dicho «quien se viste de verde, con su hermosura se atreve». Trajo, entonces, un frasco de cristal de La Granja, dos copas talladas, y me sirvió de un vino viejo, refinado y oloroso. Como las niñas del escaparate —después de brindar pronunciando una palabra rarísima— me dijo que así había aparecido Gaspar Arenales y que se quedó prendido en un espejo veneciano donde ya no se reflejaba nada en absoluto. Ella le quitó la luz y Gaspar Arenales miró a su alrededor y entonces le cambió el espejo por un cáliz del siglo XVIII y dio la luz de nuevo. Gaspar Arenales se asombró del prodigio, pero despreció el sagrado copón. La chica Zivor apagó por segunda vez y en lugar del cáliz puso una cámara kodak del año 36. Aquel objeto acabó con la resistencia de Gaspar Arenales, que corrió a la puerta y llamó a la campanilla de recurso. Yo no sabía que con luz traidora, objetos disparatados y un escaparate se podía coquetear, pero la chica Zivor me aclaró el tema: es que me había enamorado locamente de Gaspar Arenales, pero me alegro de que haya muerto, porque no quiero atarme a nadie más. Volvió a levantarse y, al buscar en una arqueta de poco calado, pude admirar la perfección de sus rodillas, zona que se suele menospreciar por falta de conocimiento. Teresa Zivor me trajo una foto de Gaspar Arenales y era la primera vez que lo veía: iba vestido como Clark Gable en *Mogambo*, y ella, al ver mi cara de decepción, me aclaró que esa foto tenía veinte años y que no era de disfraces. Gaspar Arenales había cumplido sesenta, tieso y derecho, sin un gramo de grasa, con todos los dientes y todos los pelos, un poco corto de entendimiento, eso sí, pero muy divertido y muy bien educado, y más que nada, bueno a morir y cariñoso.

Callamos durante unos segundos, mientras bebíamos el vinillo tan rico y yo procuraba no mirar a Teresa por no cortarla, aunque mi experiencia de unas cosas y otras me decía que aquel ejemplar no se cortaba con facilidad. La chica Zivor —sentada sobre una alfombra persa— se había recogido en sí misma, abrazando sus preciosas rodillas donde ahora apoyaba la cabeza. Pasó una moto muy ruidosa y entonces me dijo que había estado en el entierro de Gaspar Arenales y que fue muy triste, porque no había nadie y ni siquiera llovía.

—Yo recuerdo el entierro del abuelo Fe en Córdoba, y llovía mucho, y también recuerdo el entierro de papá y llovía en Córdoba. Aquí en Madrid, no, y eso que era el mes de agosto, además aquel cementerio no me gusta, parece un mirador, y está lleno de estatuas, y sobre todo meterme en una tumba, con unos desconocidos, a mí me daría reparo. Estaban los dos sepultureros y aquellos parientes, tiesos y escurridos, los dueños de la tumba, de los que nos habíamos reído tanto el pobre Gaspar y yo. Y yo, en una esquina, con gafas negras, para que no se me notara el sentimiento. El que no estaba era su amigo el notario. Al terminar les dije a los parientes les acompaño en el sentimiento, y como los sepultureros nos miraban les di diez mil pesetas, y a quien no vi fue a Popea y pensé que se había escapado o que estaba muerta.

—¿Y el notario, quién era su amigo el notario? —le pregunté a la chica Zivor, recordando a los señores de Aguirrezabala, de la calle Arturo Soria.

—No lo he visto nunca, ni sé cómo se llama.

—¿Tiene su despacho en la calle Génova?

Teresa Zivor se encogió de hombros y yo me resigné a buscar a todos los notarios de la calle Génova, que podían ser cinco o cincuenta. Fue entonces cuando eché de menos a la perra y me volví a la chica Zivor, que sonrió y me dijo que fuera con ella. Al fondo de la tienda había una puerta baja que daba a una especie de patio encristalado por el techo y muy luminoso: aquel patio era un taller y estaba lleno de muebles, algunos en perfecto estado y otros en fase de restauración, y también había cuadros a medio restaurar. Popea estaba sentada frente a un buró inglés, como si esperara que se abriera un cajón secreto o algo así. Teresa Zivor me dijo que aquel mueble lo había arreglado Gaspar Arenales, que era muy manitas y parecía profesional y que, según le dijo, se había hecho sus muebles en Kenia. Después abrió la tapa y sacó un trapo que desplegó divertida y, mucho más, cuando yo me turbé como si fuera idiota: eran unos calzoncillos de color naranja con dibujitos de conejos copulando. Mi obligación era preguntar y ella me hizo saber que efectivamente aquel juvenil calzoncillo perteneció al difunto. Luego abrió otra puerta y me invitó a pasar a una alcoba de unos doce metros cuadrados, que tenía una enorme cama con almohadones de colorines, una cómoda mallorquina, un armario doble con lunas biseladas y una butaquita calzadora. La perra Popea abandonó su puesto y saltó a la cama, donde se hizo una rosca, y yo —como si aquello fuera una indiscreción— miré hacia otro lado. En las paredes había fotografías, todas de la familia Zivor, desde el abuelo Ferenc —que ella llamaba Fe— hasta Rafaela González Marín, vestida de gitana en la feria de Córdoba. Teresa —que quiso completar la visita— me abrió la puerta de un cuarto de baño —tan pequeño y redicho como su dueña— lleno de trapitos, frascos y cremas. Al salir hice un esfuerzo de voluntad, le pedí los calzoncillos de Arenales y ella me los entregó con aire inocente: yo se los puse en los hocicos a Popea, que apenas abrió un ojo para mirarme con indiferencia, mientras Teresa reía encantada informándome de que había lavado el calzoncillo, como era natural, y la perra sólo podía oler a detergente. Entonces me dio mucha vergüenza y pensé que la jubilación me había llegado a su hora.

Yo no tenía intención de marcharme y, una vez superado el
pronto de vergüenza, volví a sentirme a gusto. Teresa Zivor
miró uno de los relojes —que no servían para saber la hora— y
me dijo que a las nueve venían a buscarla, pero que tenía
tiempo. Por el tono que empleó supuse que venía a buscarla un
hombre y que pocas ausencias le había guardado al difunto Arenales, y ella, adivinando mi pensamiento, me dijo que no estaba
dispuesta a malgastar lo poquito que le quedaba de vida decente, que en tres semanas había querido mucho a Gaspar Arenales, pero que ya estaba bajo tierra y aquí paz y después gloria,
que ella no era una frívola, ni muchísimo menos, y siempre lo
llevaría en el corazón, pero así están las cosas. Yo no tenía derecho a preguntar nada y además no quería asustarla, pero Teresa
es de ese tipo de gente que habla y piensa al hablar y quizá yo
fuera la persona que necesitaba en aquel momento.

Su relación con Gaspar Arenales apenas duró tres semanas,
aunque podía haber llegado al año o a las dos años, pero nunca
más, porque la diferencia de edad era mucha y a ella le gustaban los hombres jóvenes y sin compromiso, que en bastantes
líos se había metido. Entonces sonrió divertida y daba gusto
verla, porque al sonreír se iluminaba como si tuviera luz por
dentro. Gaspar Arenales tenía dos amantes en Kenia y una mujer holandesa que había huido de su presencia y vivía en Ams-
terdam con un profesor de gimnasia. En Kenia —y de otras mujeres— tuvo varios hijos y tres de ellos se llaman Gaspar, el
mayor iba a quedarse con el negocio de safaris fotográficos y al
Gaspar chico quería traerlo a España, porque él pensaba esta-
blecerse aquí y poner una agencia de viajes o algo parecido. Me
habló mucho de la sierra del Guadarrama, de sus tiempos de estudiante, de su exilio y de su único amigo, y la verdad es que
aquellos días estuvieron bastante bien, que incluso pasamos el
puente de la Virgen encerrados aquí.

Mientras tanto, yo iba por otro camino, dándole vueltas a la
cabeza y sin atreverme a tomar notas. Cuando Teresa Zivor habló del entierro de Gaspar Arenales y mencionó a su único amigo
y al notario —que son la misma persona— noté como las sienes
me latían ligeramente y el característico estremecimiento en mi
ombligo-alarma, igual que en la calle de Arturo Soria, domicilio

de verano de los señores de Aguirrezabala. Apenas tenía juego y no podía despreciar ninguna carta, ni siquiera un humilde dos de trébol. Sólo tenía un perro-testigo, quizá un crimen, pero me faltaba el motivo y, desde luego, el criminal, que tal vez fuera aquella misma chica.

Teresa Zivor volvió a llenar las copas de aquel vino generoso y certero y pronunció la palabra que yo no entendía. Quizá hubiera podido evitar la muerte de Gaspar Arenales. La chica Zivor me contó que el día veinte de agosto tuvo que ir a Badajoz, por un asunto de testamentaría, y luego a Jaén, por culpa de algunos muebles que salían a pública subasta, y le propuso a Gaspar Arenales que fuera con ella, pero él dijo que no se le había perdido nada en Badajoz ni en Jaén y muchísimo menos en agosto, lo cual demuestra que tampoco estaba tan enamorado. Teresa Zivor —según sus propias palabras— se picó con su amante y no le llamó por teléfono hasta el último día, ya arrepentida, porque era una bobada. El conserje de los apartamentos le dijo que el señor Arenales había salido de viaje sin dejar ningún mensaje, y al día siguiente leyó en el periódico la noticia de su muerte, y ya estaba puesta en el cementerio con un ramo de flores y diez mil pesetas de propina. ¡Puta vida! Se le habían llenado los ojos de lágrimas, le temblaban los labios y decía malas palabras. Se puso en pie y se fue a su cuarto, que no me fuera, que le gustaba hablar conmigo. Es muy cierto que uno se hace viejo, porque en aquel momento me latieron las sienes y sentí que estaba invadiendo un territorio prohibido.

La chica dejó la puerta entreabierta y comenzó a moverse por la alcoba sin dejar de hablar con voz plana —que yo trataba de entender— pero siempre dándole vueltas a lo mismo:

—Es que me parece mentira: Gaspar Arenales era un hombre fuerte, conocía la sierra del Guadarrama de arriba abajo, palmo a palmo, cómo se va a matar en Peñalara y en el mes de agosto, en Peñalara, donde suben los niños chicos y los abuelos, él que había escalado el Kilimanjaro, el Gorongoro y todos los montes de África. Tuvo que pasarle algo, un ataque al corazón, una embolia o cualquier cosa.

Iba de un lado a otro, del cuarto de baño al armario y a la cómoda, buscando ropa y tirando la que llevaba puesta, como si estuviera enfebrecida. Advertí, entonces, que olía de una forma peculiar, como a especias o a hierba serrana, algo que nunca había sentido: un aroma suave, húmedo, de piel, de poros abiertos, tal vez de rabia o de pena, era un olor de mujer, quizá mezcla de húngaro y cordobesa o vaya usted a saber. Luego el tiempo y el agua de la ducha se lo llevaron y minutos después Teresa Zivor reapareció, envuelta en una sábana de baño y oliendo a perfume de marca; llegó hasta el armario y con absoluta naturalidad —que a mí me parecía desprecio— tiró la toalla al suelo. Yo podía verla a través de uno de los espejos: estaba desnuda y me miraba sonriendo. Aparté los ojos y me dijo que no fuera simple, que para los gitanos todo es cara, y yo pensé en mi abuela *Pringá* y seguí mirando con un poco de esfuerzo. La chica de recias piernas y bonitas rodillas, que sin referencias hubiera parecido altísima, se echó a reír y señalándose la ingle dijo:

—Aquí le pegó la cornada un rinoceronte.

Después se volvió de espaldas al armario y se puso un dedo en los riñones y dijo que en tal parte tenía el navajazo de un fagocero y en el cuello la mordedura de una cobra —si es que había cobras en África—, y dando la vuelta, para dirigirse de nuevo al espejo, se llevó el dedo desde el pubis hasta el ombligo:

—Y de aquí a aquí, la cuchillada de un marinero turco. Y a ver quién me explica cómo un tío de esa clase se mata en Peñalara él solo, a ver cómo se traga ese sapo.

Entonces comenzó a sacar vestidos, uno blanco, otro azul claro, otro crema, otro negro y otro rojo, y me preguntó de qué color se vestía, y yo, por decir algo, que de rojo, y ella se echó a reír: de rojo se me cruzan los cables y no sabe una lo que puede pasar. De nuevo volvió a moverse por la habitación y a entrar y salir del cuarto de baño, olvidada ya de Gaspar Arenales, a quien había sustituido la perra Popea:

—Popea se viene conmigo —le dije yo.

Y callé mis propósitos, entre otras cosas porque no sabía por dónde tirar. A las nueve en punto, según mi reloj —mientras en uno de consola daba la media y en otro, de pie, las cinco—, Teresa me llevó, con aire misterioso, cerca de la ventana-escaparate y señaló la calle: por la acera paseaba un hombre. La chica me miró divertida y como hiciera antes puso una mano en mi hombro, y suponiendo que mi juicio podía resultar un poco severo, se adelantó a decir que era un sabio, que el mundo astronómico —para él— no tenía secretos y que, andando el tiempo, sería premio Nobel: de momento era un tipo de unos cincuenta años, más bien rechoncho y triponcillo, con aspecto de funcionario y vestido de azul marino. Teresa Zivor me pidió que me quedara un momento en la tienda, porque no quería que el sabio la viera salir con un hombre, y la verdad es que me gustó la gentileza, y luego ya, desde la puerta, me advirtió que no me llevara ningún objeto de valor y que dejara la luz encendida. Desde el escaparate vi cómo la apasionada mancha roja —al fin se puso el vestido rojo— iba por la acera y besaba gentilmente al sabio, colocándose una mano a la espalda y moviendo los dedos como si me dijera adiós. Al echar a andar volvió la cabeza y me sonrió: supongo que me sonrió, porque yo a distancia no distingo.

Xarradell dejó de bordar el almohadón árabe:
—¿Qué se llevó usted de la tienda, señor comisario?
—Nada.
—Yo me hubiera llevado unas bragas.
—Pero es que usted, además de asesino, es un ladrón y un sinvergüenza.
Y cínicamente callé mi pequeño hurto: una barra de labios de Teresa Zivor.

XIII

SAN SEBASTIÁN 1936

(Testimonio del notario González Chamorro)

Mi tío José Luis —el hermano mayor de mi padre— era interventor en la Delegación de Hacienda de San Sebastián y como él mismo decía, además de interventor, era un *sportman*, que había jugado al fútbol con los hermanos Regueiro y al tenis formando pareja con Lilí Álvarez. Soltero hasta la fecha, tenía fama de discreto y traía de cabeza a muchas señoras de San Sebastián, porque el tío José Luis era un buen ejemplar, alto y delgado, aunque un poco blando, de sonrisa acogedora, educadísimo y servicial. En política no llegó a mojarse, aunque aprovechando que tenía una abuela de Hernani —mi bisabuela Nieves Zaldúa— coqueteó con los nacionalistas, se hizo amigo de José Antonio Aguirre y, de la misma tacada, socio del Athletic de Bilbao y de una exclusiva sociedad gastronómica de San Sebastián.

Un día del mes de junio de 1936 recibí una postal de mi tío José Luis, que aún guardo, porque me impresionó muchísimo ver mi nombre escrito con aquel solemne *señor don* por delante. Claro que luego, en el texto, me apeaba el tratamiento:

«Querido Pitito, quiero invitarte a San Sebastián, para que pases aquí el verano: hay unas playas preciosas y unas niñas guapísimas y te vas a echar novia. Se lo he dicho a tus papás, que están muy contentos y van a venir contigo. Hasta muy pronto, un beso de tu tío, José Luis.»

La postal me produjo lo que se dice sentimientos encontrados: por lo pronto, mi tío se equivocaba de medio a medio, porque mamá me tiene prohibidos los baños de mar y que se las apañen las playas preciosas y, además, las niñas guapísimas me tenían sin cuidado, porque mi corazón lo llenaba todo la Nati, aunque ya no se ocupaba de mi revoltosa bruja. En mi inocencia les trasladé la invitación a mis padres, pero ellos ya sabían del viaje, cuyas causas me ocultaron entonces: la victoria del Frente Popular, en las elecciones de febrero, había puesto a papá y, no digamos al señor Lerroux, con un pie en el estribo, el diputado y peluquero de Lugo don Celso González Mariña se las tenía juradas, y ya no se atrevía a salir a la calle y ni siquiera a asomarse por el casino, lo que más le gustaba del mundo. Lo que yo no imaginaba entonces era que la Guerra Civil curaría todos mis males, que podría bañarme en el mar, comer huevos fritos, garbanzos y chorizo, y que mamá nunca más volvería a ponerme una inyección de calcio. No fue una cura milagrosa: simplemente dejaron de ocuparse de mí y yo gané libertad, por decirlo de alguna manera, aunque por otro sitio me pusieron la cadena al morro, como los osos de los gitanos.

La noche antes del viaje me dijo mamá que Gaspar Arenales venía con nosotros, para hacerme compañía y que no estuviera sólo y aburrido, porque es muy malo no tener hermanos. Yo me quedé tieso: al menos aquel viaje a San Sebastián me alejaba de Arenales. Tratando de disimular —por si llegaba a oídos del propio— dije que me gustaba ir solo, que prefería hacerme amigos nuevos, que era más emocionante, yo que sé: tonterías. Pero ya estaba decidido: Gaspar Arenales iba a San Sebastián con los González Chamorro, la niña Marisa Arenales, a Tarragona, con su abuela Vicky, y la guapa Victoria Parra se quedaba en Madrid con su marido y todos tan felices.

A las cinco de la mañana del 13 de julio de 1936, salimos en el Fiat *Balilla* de papá con destino a San Sebastián. Delante iban mis padres y junto a mí, Gaspar Arenales. La abuela Marita se quedó en la verja haciendo recomendaciones, mientras me achuchaba la Nati y me llenaba de lágrimas y mocos, ante la irónica y asquerosa mirada de Arenales y mi propia y humillante vergüenza. Cuando arrancó el coche —como en el viaje a Lugo— Nati corrió detrás unos metros, hasta que se detuvo, moviendo la mano y luego convirtiéndola en un puño cerrado, cuando creía que no la miraba nadie. Hasta el año cuarenta no nos enteramos de que Nati murió en el frente de Somosierra, aquel mes de agosto de 1936. Vino a vernos su madre y traía, escondida, una foto-postal dedicada a mí: la Nati muy chulita, con el mono de miliciana, el gorro torcido y un fusil *mauser* y por detrás decía:

«Para Martín, mi novio, el más guapo y el más valiente de los hombres. Con un beso de su Nati. ¡Viva la CNT! ¡Muera el fascismo! ¡Viva el amor libre!»

Mamá me dio la foto y yo —que no soy sospechoso— la he guardado siempre, y todos los años, en el mes de agosto, le mando decir una misa a mi Nati y yo sé que ella lo agradece.

Las calles de Madrid estaban desiertas, empezaba a salir el sol y ya algunos barrenderos andaban limpiando y a mí me entraba el sueño. Papá y mamá no hablaban, porque iban como resentidos o recelosos el uno del otro. Gaspar Arenales me dio un codazo y me enseñó la palma de la mano derecha, lo cual significaba que habíamos firmado un pacto de sangre. Yo dije que sí, que más valía verlas pasar, y entonces Gaspar me pegó un pinchazo en un costado y gritó, ahogando mi pobre lamento, mientras me ponía en la mano un clavo. Mamá se volvió, descubrió el clavo e inmediatamente supuso que yo trataba de mortificar a mi amigo Arenales y me echó una bronca terrible, mientras Gaspar decía que no tenía importancia, que era culpa suya. Papá, que estaba muy nervioso, se puso a dar voces y yo qué sé, que me abandonaba en el camino y juro por Dios que me hubiera gustado muchísimo más que seguir a San Sebastián. Mamá puso orden y le mandó a Gaspar que me diera un beso y me perdonara, y el muy cerdo me lamió la oreja y dijo que tuviera mucho cuidado, que estaba a su servicio y que no se me ocurriera desobedecerle nunca, por los siglos de los siglos, o lo iba a pasar muy mal.

Ya bien entrada la mañana, pegando el sol de firme, llegamos a Somosierra, donde pusimos gasolina y echamos agua, porque el pobre *Balilla* había hervido dos veces, y a la caída del puerto nos encontramos la carretera cerrada por cinco hombres que nos mandaron parar. Mis padres se miraron asustados, uno de los hombres se acercó a nosotros y, metiendo la cabeza por la ventanilla, dijo: para el Socorro rojo. Papá sacó dos duros de plata del bolsillo, mientras mamá, que tenía una foto en las manos, decía como de pasada:

—Menos mal que he encontrado la foto donde estoy con don Manuel Azaña... Fíjate, creí que la había perdido.

Y se la enseñó a papá, cuidando que el tipo del Socorro rojo la viera bien, pero le salió el tiro por la culata:

—Azaña es un asesino, un burgués y un traidor —le dijo otro de la partida, acercándose a su ventanilla.

Mamá no sabía si tapar la foto o pedir disculpas, cuando Gaspar Arenales me mandó que levantara el puño, cosa que yo hice gustosamente, y entonces el que había pedido dinero sonrió, enseñando una dentadura muy blanca, y dijo ¡salud, camarada!, menos mal que nos había salvado la juventud o algo así. Papá arrancó dando los buenos días, mamá con un ¡viva la República! y yo orgulloso de mi actuación y —por primera vez— agradecido a Gaspar Arenales. Sin embargo, papá murmuró entre dientes que me iba a enseñar a levantar el puño y tres o cuatro kilómetros más allá, paró el coche y me sacó a rastras, mientras mi madre salía por la otra portezuela. Papá —que nunca me había pegado— me arreó dos bofetadas y unas voces, que yo no entendía ni palabra, mientras mamá le agarraba del brazo llamándole cobarde y *cagao* y desafiándole a que nos dejara allí mismo si le quedaba un rastro de cojones en el solar de respeto. Yo nunca le había oído decir aquellas cosas a mamá, ni había visto a papá ponerse rojo de furia a punto de estallar y liarse a zarandeos para que nos metiéramos en el coche, y cuando así ocurrió mamá se echó a llorar, yo creo que más de vergüenza y de rabia, y Gaspar Arenales sonreía, como si nunca hubiera roto un plato. El *Balilla* arrancó dando un salto y echando humo enfiló la carretera, hasta que vimos una pareja de la guardia civil, uno a cada lado del camino, con el fusil en bandolera y aguantando la solana. Papá detuvo el coche en seco y cuando se acercaron los guardias les dio los buenos días, señores, y advirtió que, más adelante, había unos bandidos robando a los viajeros y uno de los guardias le pidió los papeles del coche. Papá dijo que era gobernador de la República y ex diputado a Cortes y los guardias civiles revisaron los papeles, y cuando acabaron de verlos le manifestaron —yo creo que con cachondeo— que en aquel kilómetro terminaba su zona de vigilancia y se dieron la vuelta. Papá arrancó de mala manera gritando ¡viva España! y diciendo que si fallaba la guardia civil estábamos perdidos.

Así continuamos casi hasta a Aranda de Duero, donde volvimos a encontrar un piquete del Socorro rojo, que nos obligó a detenernos. Uno de ellos —el que parecía mandar, jovencito y con gafas— se acercó a nosotros, nos saludó educadamente, dándonos el trato de señores y disculpándose, porque no tenía más remedio que pedir ayuda para el Socorro rojo. Papá sacó otros dos duros y ya estaba dispuesto a firmarle un recibo el chico de las gafas, cuando Gaspar Arenales me dijo que levantara el brazo. Yo no era idiota, ni pequeño, y bien sabía que aquel gesto le iba a traer problemas a mi padre, pero por no desobedecer a Gaspar Arenales, por vengar las injustas bofetadas recibidas kilómetros antes y las lágrimas de mamá, levanté el brazo como si fuera Mussolini. Uno de los hombres —éste tenía aire de campesino— abrió la portezuela y ordenó que saliéramos todos fuera, niños y mayores, y a empujones tuvimos que obedecer. Papá estaba ahora de color verde y le temblaba la barbilla, y mamá rebuscaba algo en el bolso, yo creo que la pistola de nácar. El chico de las gafas no había perdido los nervios ni el dominio de la situación: sonriendo dijo que así eran los niños, que imitaban todo lo que veían y que nosotros no teníamos por qué ser fascistas, pero sin embargo debía multarnos por educar mal a las criaturas, que representaban el porvenir de la humanidad: con cuarenta duros el Socorro rojo daba por zanjado el incidente. Mamá, entonces, le dio dos carnets de la CNT con sello y firma, fotos y nombre legal. El chico de las gafas no podía comprender aquello, papá callaba azorado y mamá sonreía orgullosa. Todos se habían acercado a mirar los carnets, hasta que, sin entender nada, pero aceptando los documentos, nos mandaron seguir. Papá insistió en que se quedaran las diez pesetas, pero el chico de las gafas las devolvió. Papá levantó el puño y tragando saliva dijo: ¡salud y libertad, compañeros!

Y ya fuera del alcance del grupo anarquista le preguntó a mamá de dónde había sacado aquellos asquerosos carnets, que por cierto le iban a salvar la vida, y esta vez de verdad, en el San Sebastián revolucionario.

—Sin yo pedírselos, me los dio la Nati... ¿Te acuerdas de ella? Esa chica que tú querías echar a la calle porque tenía un sostén con un pecho rojo y otro negro. Pero no creas que te los dio a ti o a mí, son de Martín González Chamorro, para que viaje tranquilo con sus papás.

—Pues podías haberlos sacado antes y nos habríamos ahorrado dinero.

—Los otros eran de la UGT, querido.

Porque papá se sabía muy bien los partidos de derechas, incluso los más tibios, pero ignoraba los de enfrente. Para él todos eran putos rojos del mismo color: los socialistas, los comunistas, los ácratas y los nacionalistas, todos rojos, desde Companys a Durruti.

A la caída de la tarde llegamos a Tolosa, donde nos esperaba el tío José Luis, que me dio un beso inquieto, dos a mamá y un gran abrazo a papá, y después dijo que aquella madrugada habían asesinado a Calvo Sotelo en Madrid. Yo no entendía muy bien la noticia y, además, tampoco me impresionó mucho, pero luego supe que aquella muerte significaba la guerra civil.

Ya de noche llegamos a San Sebastián y el tío José Luis nos llevó a su casa, en la misma Delegación de Hacienda, donde él tenía un piso. La Delegación de Hacienda estaba en la plaza de Lasala, que era muy pequeña y muy bonita, con una fuente en medio, en la parte vieja de la ciudad, cerca de la Comandancia Militar. Nuestro piso daba al puerto y desde los ventanas se veía el Club Náutico —que parecía un barco anclado— y detrás la bahía con la isla de Santa Clara, el monte Igueldo y más cerca, el Urgull, a donde tantas veces fuimos Gaspar y yo. En una habitación pequeña, seguramente amueblada por el tío José Luis

—con dos camas gemelas y un armario de luna—, nos metieron a Arenales y a mí, y no me hizo ninguna gracia la compañía, en primer lugar porque estaba acostumbrado a dormir solo y, en segundo, porque me horrorizaba la idea de tener que aguantar a Gaspar todo el verano. Cuando ya nos habíamos puesto el pijama, Arenales se plantó en medio de la habitación y dijo que mi padre era un cobarde y un *cagao*, que se lo había oído a mi madre en la carretera de Burgos, y yo cerré los puños, pero no me atreví a moverme, porque aquello sonaba a provocación y, sobre todo, porque Arenales era mayor y más fuerte que yo. Entonces él dijo que además de *cagao* y cobarde, era un mariquita y una nenaza y que se había ensuciado los pantalones con los tipos del Socorro rojo. Yo pensé muy deprisa: si intento pegar a Arenales, seguro que me destroza, pero algún golpe valía la pena llevarse, primero porque defendía a mi padre y era una causa noble y, segundo, porque echarían a Arenales a la calle y yo me libraba de su presencia. Así que, entre unas cosas y otras, cerré los ojos y me tiré al pozo: la verdad es que fue magnífico, le pude pegar como en las películas, en la cara, en la boca, en los ojos y un cabezazo que le partió el labio, pero en mi furia y en mi alegría atolondrada, que así era, no advertí que el muy cerdo no movía un dedo, que me dejaba sacudir a mi antojo y que no se defendía, hasta que consideró que ya era suficiente y de un empujón me mandó a la otra pared. Sentado en el suelo, me quedé medio muerto —que ya no podía más—, vi cómo me sonreía y supuse que todo era una trampa, porque abrió la puerta y se fue al lavabo, en donde —después de soltar los grifos— se puso a hacer un ruido escandaloso. Mamá llegó al cuarto de baño y la oí gritar asustada, y luego los pasos de papá y del tío José Luis y cómo me sacaban a tirones y, por segunda vez, mi padre me pegó aquel día, sin explicarse mi hazaña, porque la diferencia física entre Arenales y yo era más bien notable. Mientras tanto el tío José Luis decía que él se había zurrado la badana muchas veces con su hermano y con los primos, que los niños se pelean como los cachorros de cualquier especie, y mamá preguntaba ¿por qué?, ¿por qué?, ¿por qué? —seguramente recordando el episodio del clavo en el *Balilla*— y yo, mudo, recibiendo las bofetadas, pero sin atreverme a decir que Arenales había dicho que papá era un cobarde, un cagón y un mariquita, y mamá también, y eso era lo peor. Por fin nos metieron en la cama y apagaron la luz, y yo sin abrir la boca, esperando el castigo de Arenales, que amenazaba ser terrible y en éstas habló en voz baja y ronca:

—Me las vas a pagar, *Pitito mierda seca*. Es la primera y última vez que me pegas, para que lo sepas, *Pitito mierda seca*, y por cada leche te voy a dar un millón de leches, y tu padre es un *cagao*, un cobarde y un mariquita, y no se te ocurra decírselo a nadie, porque te rebaño el cuello como a una gallina, que eso es lo que tú eres: una gallina, *Pitito mierda seca*.

Ya era malo lo de *Pitito*, pero añadiéndole gallina y mierda seca resultaba más que humillante. Yo me eché a llorar, tapándome la cabeza con la almohada para que no me oyera Gaspar Arenales, que había montado aquella retorcida función para hacerse el bueno, para ganar el aprecio de los mayores y tenerme siempre esclavizado por los siglos de los siglos: lo único decente del caso es que le había partido una ceja y la boca. Así, tratando de que no me oyera hipar, pensaba en mi abuelo Eusebio Chamorro —que le hubiera dado de zurriagazos— en los cortijos de Sorbas y Níjar, donde me gustaría volver, en mi María del Alcorque y en la Nati. Me estaba dando mucha pena, decía malas palabras en voz baja y juraba que, algún día, cuando fuera mayor, le iba a sacar las tripas y los ojos y toda la sangre y lo iba a echar a los cerdos para que le comieran la pilila. Aquellas amenazas terribles, el risueño porvenir y el viaje —que fue muy largo— me rindieron y me tranquilizaron a medias; saqué la cabeza de debajo de la almohada y, sin darme cuenta, cerré los ojos en la oscuridad.

Por suerte, la guerra empezó cinco días después: la madrugada del 18 de julio se organizó una suculenta ensalada de tiros en la placita de Lasala, vecina al Gobierno Militar. Arenales y yo —con ignorancia histórica— dormíamos en la habitación del armario de luna: fue entonces cuando mis padres se despertaron y, algo inquietos por el ruido, decidieron que aquello eran fuegos artificiales en honor de san Federico, nombre que les sonaba mucho, porque así se llamaba el padrino de papá, y menos mal que el tío José Luis avisó a tiempo y, sin dar lugar a controversias o pareceres, me llevó a su alcoba de gran cama con olor a chica reciente —que todo se supo— mientras papá, animado por el ejemplo, extrajo a Gaspar Arenales de entre sus sábanas malolientes y me lo metió en mi propia cama. Por suerte, los niños, por muy revenidos que sean, andan un poco fuera del siglo y de la realidad, y por esta regla, Arenales y yo seguimos durmiendo ajenos a Mola, que se había sublevado en Pamplona, y a Franco, que estaba haciendo solitarios en Santa Cruz de Tenerife. Luego lo he pensado muchas veces: cómo aquella gente del treinta y seis —fue el caso de mi padre— podía confundir el principio de una guerra civil con fuegos artificiales en honor del modesto san Federico, ignorado en Guipúzcoa, Álava, Logroño, Navarra y Vizcaya, cuando habían sufrido tres atentados afinadísimos y estaban amenazados de muerte. Menos mal que el tío José Luis tenía los pies en el mundo y por eso creo que duró tan poco en estas ásperas tierras que lo vieron nacer.

El tío José Luis tenía también una criada extravagante, que se había traído de Murcia, su último destino, antes de San Sebastián. Se llamaba Vicenta Vistas y era alta y seca como una vara. A mí me parecía viejísima, aunque no había cumplido los cincuenta. Iba siempre en grises y alivio de luto, presumía de hablar francés y de continuo se quejaba del clima y de la lluvia de San Sebastián. Bebía mucho y hablaba sola por los pasillos —aunque nunca de política—, pero también era una cocinera de fuste y una mujer muy discreta, cualidades que debieron de contar al ajustarla mi tío. A Gaspar Arenales y a mí no nos hacía ningún caso, como si no existiéramos, a mis padres los tragaba difícilmente, y al tío José Luis lo respetaba con disciplina cuartelera y a veces le daba coba de buena clase, platos especiales y tratamiento de excelencia, porque era el dueño del dinero y punto. Por lo visto había trabajado en la embajada española de París, pero cogió la manía de meterse en la cama del embajador —cuando estaba ausente, claro— no por nada reprochable, sino por curiosos efectos etílicos o manía de grandeza. El caso es que una noche la pilló el canciller y puso el tema en conocimiento del señor don Fernando de los Ríos Urruti —ministro de Estado—, que, furioso por lo ridículo de la situación, destituyó al propio canciller, dejó cesante a la cocinera y no cayó el embajador porque en realidad no fue culpable de nada. Vicenta Vistas había dejado en Lorca (Murcia) a su hijo Vicentico, que era inocente, y a su madre, que estaba ciega y un poco sorda, y por no separarse de ellos la noche anterior a la toma de San Sebastián, se marchó a Bilbao en un *bou* —que así se llamaban los barcos pequeños—, pero tuvo la mala suerte de naufragar en aguas de Zumaya y se ahogó la Vicenta, sin volver a ver a Vicentico y a su madre, la ciega de Lorca. De todas formas, la marcha de la cocinera no fue muy sentida por mamá, que podía haber heredado el muermo, porque el tío José Luis tuvo que irse a Bilbao, en contra de su voluntad.

A la mañana siguiente, cuando ya todos sabían que lo de san Federico era una sublevación gorda, Vicenta trajo una bala, que había atravesado los cristales de la ventana de nuestro cuarto y estaba incrustada en la pared, en el sitio de mi cabecita, caso de que el tío José Luis no me hubiera sacado a tiempo de la habitación. Mamá cogió la bala y, en cuanto se tranquilizaron las cosas, le puso una cadena de oro y se la colgó al cuello.

Aquellos días en San Sebastián fueron muy emocionantes y aún recuerdo escenas o momentos como si fueran fotografías de las que se repasan cuando uno tiene anginas. Desde el mismo 18 de julio empezaron los tiros en torno a la Comandancia, donde se habían hecho fuertes los militares. Gaspar Arenales y yo podíamos circular por el piso, aunque no nos dejaban salir a la calle, y desde las ventanas vimos cosas nunca vistas: emplazar un cañoncito de montaña al pie de la Delegación de Hacienda y cómo salían soldados con casco, que parecían de plomo. Cuando disparaba el cañón, temblaba toda la casa y respondían los fusiles y las pistolas de los milicianos, desde otros edificios, y en el Club Náutico entraban los soldados, rompiendo ventanas y puertas, y se ponían a pegar tiros, y lo que ocurría en la calle aún era más emocionante: yo vi una camioneta —cargada de municiones— que venía por el paseo y, de pronto, un balazo se llevó al chofer al otro mundo y la camioneta se puso a dar vueltas de peonza, como un *y no cae* —que eran unos coches de juguete que había entonces— y se fue al agua, donde desapareció sin remedio, haciendo círculos, y también un muerto en el muelle, que me parece verlo ahora, y estuvo varios días tapado con una manta, dejando los pies fuera, unos pies muy grandes y muy tiesos, y una vieja que levantaba la manta, miraba y decía que no. Hasta que al fin reventó el cañoncito de montaña, todos los fusiles callaron y el tío José Luis nos dijo que allí —de momento— la guerra había terminado.

A pesar de todo, a Gaspar Arenales y a mí nos mantenían encerrados en el piso, y nosotros, a falta de otras posibilidades, nos dedicábamos a jugar al parchís o a la oca y siempre ganaba Arenales, que estaba suave y tranquilo, como un perrito faldero, y de cuando en cuando lloraba acordándose de sus padres y de su hermana. Ver llorar a Gaspar, cosa que jamás había ocurrido, me producía un raro placer y una congoja difícil de explicar, aunque nunca supe si aquellas lágrimas eran fingidas o auténticas.

Papá iba en bata y zapatillas todo el tiempo, suspirando por los pasillos y, en cuanto era de noche, se metía debajo de una manta y ponía radio Burgos o radio Pamplona para enterarse de los avances de los nacionales. Mamá escondía su tristeza y sus penas políticas, cuidaba de su marido como si fuera un niño chico, me olvidaba a mí, se hacía con la intendencia y en los momentos de tregua se iba, por la puerta de atrás, con Vicenta Vistas y traían cosas de la tienda de ultramarinos donde se abastecía el tío José Luis. Así fue cómo —tal vez por error o negligencia de Vicenta— una noche cené tortilla francesa de dos huevos y un resto de chipirones en su tinta, y mamá, al enterarse, por poco pierde el conocimiento. Pero no me ocurrió nada: al contrario, dormí de un tirón, seguramente soñando con granjas de gallinas y huevos fritos con chorizo. También llegó a casa un oloroso jamón, que guardaron en un armario de ropa blanca para que no lo vieran los rojos, que ya habían ganado la guerra en San Sebastián.

Al cabo de dos o tres días nos dejaron ir con Vicenta Vistas a la tienda de ultramarinos, que estaba en la calle Fermín Calvetón, y donde despachaba la hija del dueño, una chica de nombre Blanca Arenzana. En cuanto entré me quedé tieso, mientras Gaspar Arenales —que en el fondo es idiota— se dedicaba a mirar los botes de conserva. Blanca Arenzana olía exactamente igual que las sábanas del tío José Luis. Yo la miré muy despacio, ella me sonrió y, en secreto, me largó una pastilla de chocolate Matías López: por lo visto nos unía el misterio del tío José Luis. Blanca Arenzana —de quien también me enamoré locamente— era mujer que sabía imponerse, una belleza del barrio viejo, como de veinte años de edad, pelo negro y nariz aguileña. En San Sebastián empezaban a escasear los alimentos y ya nacían las colas y, sobre todo, los milicianos se armaron de papel y lápiz para firmar y no pagar nunca. Blanca Arenzana los mantuvo a raya —y yo lo vi— gracias a su valor y a su indiferencia por el resto del mundo: en cuanto se hacía de noche traía a casa latas de conserva y embutidos con el pretexto de guardarlos, mientras ella se escondía en la cama del tío José Luis, cosa que yo sospechaba. Mamá debía de saberlo, pero jamás se lo pude preguntar, porque me daba vergüenza. Un día, Blanca Arenzana, harta de guerra, de milicianos, de nacionalistas, de curas perseguidos, del tío José Luis, de amores imposibles y de padres asustadizos, quemó la tienda y se fue a Francia cruzando a nado el Urumea: así como suena.

Por fin mamá pudo hablar con su amiga la hermosa señora Victoria Parra. El plan consistía en mandar a Arenales a Madrid, pero la señora Victoria Parra —con mucho misterio— dijo que ella y la niña pensaban veranear en San Sebastián y que Joaquín —el padre de sus hijos— se quedaba en Madrid. Todo aquello era normal, porque al fin y al cabo San Sebastián y Madrid pertenecían a la España republicana y a nadie le podía extrañar que quisieran juntarse las familias en terreno leal. De tal modo se me escapó la suerte y Gaspar Arenales —que podía haber vuelto a Madrid— se quedó en casa, con sus queridos tíos postizos, y encima tuve que sufrir un discurso de papá, recomendándome que lo cuidara mucho y que no le volviera a pegar porque estaba separado de su familia.

A don Ramón —delegado de Hacienda— no le dejaban salir de su despacho, porque era sospechoso y se había negado a soltar el dinero de la caja y a firmar los papeles, y el tío José Luis se tuvo que hacer cargo del negocio sucio. Días más tarde fusilaron a don Ramón y mi tío ocupó su puesto, dio la combinación de la caja, firmó los papeles y por eso se tuvo que ir a Bilbao. El tío José Luis no era ni de derechas ni de izquierdas, pero acabó afiliándose al partido nacionalista y en cuanto pudo se fue a Venezuela, en donde se casó con una rica de Caracas y si te he visto no me acuerdo.

Un día, cuando ya no quedaban facciosos en San Sebastián, el tío José Luis dijo que nos teníamos que mudar de casa, porque el maldito peluquero de Lugo —don Celso González Mariña—, que en 1935 quiso cargarse a papá, había telefoneado a la Delegación de Hacienda preguntando si paraba allí el hermano del señor interventor, y como el tío José Luis tenía buenos amigos y mejores relaciones con los nacionalistas, escondieron el dato, pero ya se andaba olfateando el peligro. El tío nos mandó mudar a un piso de la calle Peña y Goñi, al número dos, justo enfrente del Palacio del Kursaal. La verdad es que el traslado resultó muy emocionante: mi padre —sin corbata y con boina— llevaba dos maletas, y mamá una pequeña. La Vicenta, que se vino con nosotros, un hato de ropa con el jamón escondido, y Gaspar Arenales y yo, paquetes varios. En el bulevar, que es una paseo ancho y muy bonito, nos detuvieron dos gudaris, que eran los soldados vascos, y con mucha amabilidad nos preguntaron que a dónde íbamos, mamá dijo que a la estación del tren, y los gudaris, después de saludarnos, nos dejaron seguir. Lo malo fue al cruzar el puente del Kursaal, por donde venían formados unos quince o veinte milicianos con bandera roja, fusiles y dando gritos, y al ver a mamá se pusieron a silbar y a reír y luego a decir unas cosas que yo nunca había oído, y por último la tomaron con mi padre, que estaba muy pálido y apenas podía moverse. Mamá se acercó a él y le dijo que no se preocupara y anduviera rápido, y Gaspar me miraba sonriendo, como si quisiera recordarme que mi papá era un cagón y una nenaza, pero la verdad es que no podía hacer otra cosa, porque no se iba a meter con los milicianos, que por suerte sólo querían armar barullo y divertirse y se iban puente del Kursaal adelante. Por fin llegamos a la calle Peña y Goñi: el portero —que tenía casi ochenta años y se llamaba Doñabeitia— nos abrió la puerta y subimos al piso cuarto, y allí mismo, al cerrar, mi madre abrazó a papá, se echó a llorar y sin importarle la Vicenta, ni nosotros, ni nada, le dijo que le quería mucho, que lo primero era estar vivos, que la política le traía sin cuidado, ni siquiera Azaña, ni la República, ni los militares, ni la Guerra Civil, ni el mundo entero. Papá tenía los ojos cerrados y se abrazaba a ella, y yo —que casi no podía respirar— me volví a Arenales, dispuesto a darle una hostia, que era una de las palabras que habían dicho los milicianos; pero Gaspar aguardaba, sin moverse, con los ojos bajos, como si le impresionara aquella escena. Muchas veces he pensado en esto de los hombres y las mujeres y en los que se llegan a casar y nunca se entienden, hasta que ocurren catástrofes, y cómo algunos hacen madres de sus mujeres y en ellas buscan protección, lo mismo que yo hacía de niño por razones naturales.

El piso de Peña y Goñi era muy bonito, estaba muy bien puesto y pertenecía a los padres de una novia del tío José Luis, de muy buena familia todos. Mamá nos destinó a una habitación de dos camas y nos prohibió salir a la calle, aunque nos dejaba asomar al balcón y algunas veces subir a la terraza, y en la terraza fue donde Gaspar Arenales recobró sus viejas mañas. Primero pintábamos con tiza, sobre los baldosines del suelo hacíamos sinuosas carreteras y con chapas de cerveza jugábamos a la *vuelta a España*: yo era el ciclista Mariano Cañardó y, a veces, Vicente Trueba, *la Pulga del Cantábrico,* y Arenales era Julián Berrendero, que ganaba siempre. Aquel juego duró poco y, una mañana, Gaspar hizo otro invento: se subió, de la cocina, la tabla de la carne y un cuchillo muy grande. La gracia consistía en apoyar la tabla en un poyete y lanzar el cuchillo para clavarlo en la madera, igual que en las películas. Gaspar no fallaba nunca, y allí se quedaba el cuchillo, temblando, pero a mí se me daba mal y siempre le pegaba con el mango y se caía al suelo, hasta que una de las veces rebotó torcido y se fue a la calle. Entonces nos asomamos con mucho cuidado y vimos un grupo de gente que discutía y señalaba hacia los balcones, hasta que llegaron dos guardias de asalto, sacaron las pistolas y empezaron a gritar que los fascistas habían tirado un cuchillo para provocar al pueblo, y parecía que ellos solos iban a ganar la guerra. Por fin salió el pobre portero, lo agarraron del cuello, se lo llevaron a empujones y yo pensé que lo fusilaban allí mismo, hasta que un militar con boina se hizo cargo de la situación y del cuchillo, le debió de quitar importancia al caso y mandó soltar al anciano portero Doñabeitia.

Pero los juegos de la terraza no terminaban en la vuelta a España o en lanzamientos de cuchillo, porque Gaspar Arenales había descubierto algo muy divertido. La primera vez yo creí que se suicidaba él solo. Corría por la terraza y, al llegar al final, apoyaba la mano en la barandilla y saltaba, quedándose de pie, como un artista de circo: luego abría los brazos y, sin mirar a la calle, iba por el borde riéndose y diciendo que era Monsieur Blondin, un personaje para mí desconocido. Yo entonces me pegaba a la pared y no quería mirar, deseando por un lado que Gaspar Arenales se estrellara en Peña y Goñi y por otro que librara la vida. Pero el juego no terminaba tan fácilmente, porque Arenales me obligaba a subir al borde de la terraza y yo no podía negarme, porque era su esclavo y habíamos firmado un pacto de sangre. Hasta entonces no tuve vértigo ni sentí lo que se llama auténtico terror: a partir de entonces marca otro palo. Gaspar me ayudó a subir y yo estaba hecho un burujo retorcido, y luego dijo que me pusiera en pie y miré hacia la calle, que era la zona del Kursaal, y por poco me mareo de últimas. Él me mandó mirar al cielo y las nubes iban muy deprisa, y cuando me hice al mal rato, me dio con un dedo en el pecho:

—¿Quieres matarme, *Pitito mierda seca*? —ni loco podía yo hablar—. Pues si quieres matarme, empuja con un dedo y te librarás de mí, por los siglos de los siglos, que eres tan nenaza y tan *cagao* como tu padre.

Me daba con el dedo en el pecho y yo me iba como si temblara todo San Sebastián, porque en aquel momento algo silbó por encima de la terraza, el ruido de una fábrica en movimiento, de un tren volando, de una verbena descomunal o cualquier cosa del otro mundo. Era el estropicio de la guerra, lo que nunca habíamos escuchado, que nos quedamos entre tiros de fusil *mauser* y de pistoletazos del nueve largo. Y luego una explosión tremenda, que levantó una columna de polvo en Lasarte o donde fuera. Yo me tiré de cabeza y caí en la terraza, aunque podía haber caído al paseo del Kursaal, y oí entonces el grito asustado de mamá:

—¡Niñooos!

Y otro silbido: era un barco de guerra, de nombre *Almirante Cervera*. Aquello se convirtió en una costumbre, porque se conoce que los marineros nacionales no podían pasar un día sin bombardear San Sebastián, pegaban diez o doce cañonazos por la mañana y luego ya, con la conciencia tranquila, se iban a casa. Por suerte para mí, el *Almirante Cervera* y luego el acorazado *España* habían sustituido a los juegos de la terraza: Gaspar y yo —con unos viejos gemelos de teatro— salíamos al balcón por la mañana y era de ver cómo, en la línea del horizonte, aparecía el barco y se paraba a bombardear San Sebastián impunemente. Allá al fondo se veía la silueta del crucero y luego un fogonazo blanco: Gaspar Arenales y yo contábamos los segundos y a los dieciséis reventaba la bomba, pero lo más emocionante era el silbido, que no nos daba ningún miedo, porque el portero Doñabeitia nos dijo que los barcos fascistas sólo bombardeaban los barrios pobres y que en Gros no teníamos nada que temer. Pero un día papá se enteró de nuestro juego y nos sacó del balcón a tortas, y se puso más furioso cuando yo le dije que los fascistas sólo bombardeaban a los pobres. Entonces mamá —que estaba haciéndome un jersey por si venían mal dadas en invierno— me echó una sonrisa cómplice y yo me acordé de las monitas republicanas y de su querencia política, como me acuerdo ahora mismo. A partir de aquel día, ya era septiembre, el juego del balcón se convirtió en una aventura clandestina.

De cuando en cuando venía de visita don Telmo Vidaurreta, jubilado del ayuntamiento, administrador de fincas —entre ellas Peña y Goñi, 2— y compañero de tertulia del tío José Luis. Venía con el pretexto de interesarse por nuestra salud, pero en realidad buscaba refugio, conversación y desayuno, porque —según decía— su cabeza estaba pregonada por los rojos. Yo no llego a octubre, don Julio, no llego. Y era mentira, porque en San Sebastián nadie le hacía caso, ni mucho menos le miraba mal. Don Telmo Vidaurreta, por motivos ignorados, abandonó su casa, se dedicó a dar vueltas por la ciudad, a dormir donde le pillaba y a lavarse en la fuente de la plaza Lasala. Era un viejo alto y delgado, de bigote blanco y ojos amables que siempre llevaba cuello duro y botines de piqué, aunque aquellos adornos trasnochados pusieran en peligro su vida. Pero no era verdad: en San Sebastián todo el mundo lo conocía y todos le dejaban andar a sus anchas, tanto los anarquistas como los nacionalistas e incluso los emboscados. Don Telmo parecía un símbolo de buena suerte, pero él lloraba siempre diciendo que le buscaban los rojos para matarlo sin piedad. El señor Vidaurreta se reunía con mi padre y le contaba, en secreto, cómo iban los negocios de la columna del coronel Beorlegui, del avance de los requetés, la toma de Oyarzún y los males del Irún incendiado, y un día nos trajo una carta desgarradora del tío José Luis, que tuvo que irse a Bilbao sin decir adiós a su hermano. Mamá lloró mucho aquella mañana y papá debió de perder el rumbo, pero el señor Vidaurreta traía las últimas instrucciones del tío José Luis. La casa de Peña y Goñi estaba en el punto de mira del peluquero don Celso González Mariña y había que abandonarla ya mismo. Aquella tarde —los navarros se asomaban a las puertas de San Sebastián— teníamos que salir de casa fingiendo que huíamos a Bilbao, pero en realidad nos esconderíamos en el consulado del Perú —en la Avenida— donde nos esperaba el cónsul honorario, que era cofrade del tío José Luis en una distinguida sociedad gastronómica.

A eso de las siete, otra vez con las maletas a cuestas, salimos a la calle mis padres, Gaspar Arenales y yo. Venía gente por todas partes y se iban hacía el puerto unos y otros hacía la carretera de Bilbao. Los milicianos habían desaparecido de San Sebastián y sólo cuidaban el orden de la evacuación los gudaris de Aguirre. Al llegar al portal del consulado entramos sin que nadie lo advirtiera. El cónsul, amigo del tío José Luis, un vasco tripa saco con falso acento criollo, nos acogió amablemente y destinó a mis padres a una alcoba que daba al patio, y a nosotros nos puso dos colchones en el salón de respeto. San Sebastián estaba sin luz y lo mejor que podíamos hacer era dormir. Oímos tiros y gritos y pasos de gente que corría, pero como aquello formaba parte de la banda sonora de la recién estrenada Guerra Civil no hicimos demasiado caso.

Al amanecer nos asomamos al balcón. La avenida estaba desierta y sólo se oía el piar de los pájaros, que empezaban a despertarse. En la esquina había un muerto tieso, vestido de etiqueta, y por el fondo de la calle venía un requeté, con boina roja, manta, capote y fusil a la bandolera, como si tal cosa, andando muy despacio. Arenales y yo seguimos a la aparición y luego volvimos a mirar al muerto, hasta que sin hablar y sin ponernos de acuerdo salimos a la calle y cruzamos hasta llegar al cadáver: era el señor don Telmo Vidaurreta, que tenía las gafas puestas, los ojos abiertos, una mano levantada —como si estuviera saludando—, un agujero negro en la frente y otro en el pecho, donde sus verdugos le habían puesto una dedicatoria, escrita en el cartón de una caja de zapatos: «Por vendido y por traidor. ¡Viva Cristo Rey! ¡Viva España!» Me dieron ganas de vomitar y se me iban los ojos, cuando oí la voz de Arenales que me mandaba:

—Regístralo.

Yo me negué, no podía ponerle las manos encima y ni siquiera mirarlo, pero Gaspar Arenales me dijo que era mi amo, que habíamos firmado un pacto de sangre y que, por los siglos de los siglos lo tenía que cumplir, que aquella misión era muy importante y que obtendríamos una gran recompensa, y en caso de negarme mi familia sufriría las consecuencias. Por si acaso, volví la cabeza y busqué en los bolsillos del señor Vidaurreta, hasta que topé con una pluma estilográfica marca Parker, que entregué a Gaspar Arenales.

—Ahora dame las gafas.

Lo mejor era quitárselas sin pensar más y así lo hice, pero le rocé la cara, sentí un frío que venía del otro lado del mundo y grité entonces. Gaspar Arenales me sonrió:

—Eres una nena, *Pitito mierda seca.*

Y me puso las gafas, mientras por el fondo de la avenida se oían voces patrióticas, empezaban a abrirse los balcones y una banda militar tocaba el *Oriamendi.*

XIV

LOS CALZONCILLOS DEL NOTARIO

(Testimonio del comisario Arruza)

A pesar de la hora, ya eran más de las once y media de la noche, bajé a la pensión Trinidad, arrastrando una maleta vieja y tirando de la perra, que no comprendía nada. Me abrió la puerta Feli —la chica que se queda de sereno en la pensión— y pregunté por la señora Lebreles, que había ido al cine con unas amigas. En el mostrador, que adorna una foto de la bahía de La Habana, un cartel de la Semana Santa de Valladolid, tres golondrinas de metal y una litografía de Juan XXIII, solicité habitación y Feli me dijo que bien sabía yo que estaban prohibidos los perros, cosa que a mí me importaba un carajo y así lo hice constar pegándole un golpe al timbre mecánico. Feli —más muerta que viva— me entregó la llave de la diecisiete y en la diecisiete me encerré con la dichosa perra vendada y una maleta en malas condiciones. Por supuesto no pensaba volver a casa mientras estuviera el *fúrer*, que me había tocado en la tómbola. Durante unos minutos hablé con las paredes, le conté mis penas a la cama y a la mesilla de noche y luego me acerqué a la ventana y miré hacia los pisos de arriba. Aún estaba encendida la alcoba de Pilar. Mejor para todos. Al mismo tiempo llamó a la puerta la chica-sereno, temblorosa, asustada y rabiosa —todo junto— diciendo que no se hacía responsable y que aquello podía considerarse allanamiento de morada:

—¿Allanamiento? ¡Ya te voy yo a dar allanamiento, mamarracha!

Echó a correr por el pasillo y se escondió detrás del mostrador, sin duda alguna a llorar sus penas, porque Linda Lebreles bien podía ponerla de patitas en la calle. Lo triste del caso es que a mí me caía muy bien Feli, una chica borrosa y asustadiza, que trabaja de día en un supermercado de Móstoles y aprovecha la nocturnidad para estudiar empresariales en la pensión y sacarse unos duros de paso.

Puse en marcha mi memoria —feo empeño—, pero no recordaba una bronca parecida con el *fúrer,* en todo el tiempo que llevamos viviendo peligrosamente juntos. Al ver a la perra se quedó lívida o más bien verde furioso y gritó que aquel animal o ella, y que ya mismo se llevaba a la niña Marga; que vivirían en el arroyo, debajo de un puente o donde fuera, y que no me preocupara, que se metía a puta y todos contentos. Me tragué la lengua, pero no dejé de anotar que sus furias y sus bondades iban siempre al son que le marcaban los hombres, y bien seguro estaba yo de que aquella noche había roto con el novio nuevo, para mí un desconocido, como de costumbre. La jodía cama, por culpa de la jodía cama, no tuve más remedio que decirle. Y ella, a llorar a gritos, y yo, con llantos nada se arregla, que por un pobre animal herido no vale la pena llorar, y el que se va de casa es servidor, pero no tendrás quien lleve al colegio a la niña, ni quien tome los recados al teléfono, ni te haga la compra en el puto mercado. Eso dije, pero a voces, mientras Marga se agarraba a los pantalones de su madre y acompañaba la fiesta con llantos excepcionales.

Más tranquilo —sobre todo porque Pilar nunca cumple sus amenazas— me senté en una butaquita raída, despeluchada, muy de casa de huéspedes, y miré a la perra, que movía el rabo, como si quisiera quitar importancia al drama. ¿Cómo se llamaba la perra? Era Benito... ¿Pero y el otro nombre, el que le dio la chica que tampoco sé cómo se llama y es medio polaca o algo así? Lancé un suspiro, que bien podía haber firmado Aurora Bautista en sus buenos tiempos, y todo lo que pude recordar fue que la perra Benito tenía nombre de emperatriz romana. Esto de los suspiros trágicos me viene de mi abuela *Pringa*, muy ducha en melodramas caseros. Pero no era tiempo de lágrimas, porque la nueva batalla sería aún más cruenta: Linda Lebreles no iba a rendirse como la pobre Feli, y ya me veía yo durmiendo en el metro y de verdad, no de boquilla. Aquellos presagios hicieron conjuro, porque alguien llamó a la puerta, diciendo: ¿Da usted su permiso, don Leopoldo? Y sin darme tiempo a responder, hizo su entrada el ama de la casa de huéspedes. Ya estaba dispuesto a gritar y a defenderme cuando ella me preguntó, más que melosa, a qué se debía la novedad, y yo, estúpidamente, dije que conocía el reglamento de la pensión:

—Admitimos perros en circunstancias especiales y, sobre todo, admitimos perros si son tan lindos como éste.

La hermosa cubana se sentó en la butaca despeluchada y cruzó las piernas, que yo no tuve más remedio que admirar.

—¿Le han echado de casa, don Leopoldo?

Como un niño —o como un viejo— conté la historia de mi desventura, procurando no cargar las tintas, porque yo sabía que la señora Lebreles y mi hija Pilar no pasaban de un frío saludo en la escalera. Cuando terminé mi triste relato ella me preguntó si había cenado y, al negarlo, me dijo que no me molestara, que me servirían la cena en mi cuarto. Luego se puso en pie, se estiró la falda y más no hubo.

Al quedar solo me vino un nombre a los labios: Nerón. Aquella palabra me produjo un nuevo suspiro e hizo nacer en mí una sensación incómoda y me refiero al interior del espíritu. Linda Lebreles llevaba una blusa blanca con topitos azules, bastante escotada, pulseras y sortijas, una falda también azul —muy corta— y zapatos de tacón, y yo me preguntaba si aquel vestuario era el adecuado para ir al cine con las amigas o para cortejar. Además venía suave, amable, satisfecha, y me hablaba de usted, como si no nos conociéramos o mucho peor, como si hubiera sido cesado y aún peor, jubilado de últimas. Claro que esto, antes o después, había de ocurrir sin remedio: Linda Lebreles me dejaba por un joven y era muy lógico, me abandonaba como hicieron otras mujeres, porque a mí siempre me han abandonado las mujeres. Lo malo es que en una noche se junta todo. Alguien volvió a llamar a la puerta, aunque esta vez esperó a que yo diera la venia, con voz doliente. Era Feli, medio compungida, tan miedosa, con una bandejita donde brillaba una copa, bien conocida a la vista: un daiquiri preparado por la señora Lebreles. Dada mi melancólica situación, el exilio y mi fracaso sentimental, no tuve que hacer mayor esfuerzo de voluntad y pedí disculpas a la pobre Feli e incluso le pregunté si necesitaba mi DNI; ella negó, un poco tiesa, y otra vez me dejó solo. Al terminó del daiquiri —como si lo hubieran cronometrado en Suiza— volvió Feli con la bandeja de la cena: caldito del mediodía, salmón ahumado, tarta lebreles, especialidad de la casa, y media botellita de Viña Ardanza. Mucho para un jubilado y muy poco para un condenado a muerte. Después de cenar, saqué la bandeja al pasillo, miré hacía el fondo, pero ya no había luz y sólo se escuchaba el tranquilo ronquido del huésped vecino. Deshice la maleta y me metí en la cama con la certeza de que, aquella noche, no iba a pegar ojo. Por fortuna, la perra Benito respiraba en silencio, como una señorita bien educada, y sólo llegaba a mis oídos el grosero sonido de una televisión trasnochada. Quise pensar en aventuras imposibles, pero no me venía el sueño y sí —en cambio— las obsesiones del día. Quizá fueran las dos de la madrugada cuando se abrió la puerta de mi cuarto, que luego alguien cerró con tiento. Sentí un olor suave y rozar de pies desnudos, sobre la madera del piso y entre las sombras adiviné a Linda Lebreles, que se quitaba una bata y entraba en mi cama conteniendo un inexplicable sollozo: ¿Has visto la tele? En la Puerta del Sol han asesinado a un comisario de policía y yo pensé que eras tú, mi amor, porque llevaba una gabardina igual que la tuya. Entonces sonreí y me sentí orgulloso, casi heroico: yo, un anciano pasivo, un inútil funcionario sin memoria era llorado por una mujer hermosa. Ya no me importaba si había ido al cine con sus amigas o al encuentro de un nuevo amante, porque yo era quien le hacía llorar. Sentí su cálida piel junto la mía y sus labios acariciaron mi cuello...

—Un momento, señor comisario —la voz del asesino Xarradell hizo enmudecer a don Leopoldo Arruza—: ¿También debo apuntar sus hazañas amorosas? —y ante la desconcertada pausa, que se produjo entonces, añadió, con cierto regodeo: Recuerde que la perra se llama Popea y la señorita Teresa Zivor; pero usted olvida un dato de primera clase y bien le informaron en su momento: el mejor amigo del señor Arenales era un notario de esta capital.

Entonces yo interrumpí al impertinente Xarradell y le dije que el mejor amigo de Gaspar Arenales, el de siempre, el viejo y querido amigo de la infancia, es un notario que se llama Martín González Chamorro, que tiene su despacho en la calle Génova, casi esquina a Almagro, y vive en el lujoso parque del Conde de Orgaz.

Al día siguiente suministré a Popea sus medicinas de colores y le preparé un plato de leche fría con *crispis*, porque aquella mañana la quería bien despierta. Luego me fui al comedor a desayunar. Linda Lebreles aún no se había levantado y la chica que sirve —Fuencisla Velasco, de Sepúlveda (Segovia)— me miró con disimulo y cierta picardía mal escondida. Yo pedí café con leche y porras —hacía mucho tiempo que no desayunaba porras— y saludé a doña Celita Tamajón, estable, y al señor Ortueta, ex guardia municipal, jubilado del ayuntamiento. Siempre me gustaron las casas de huéspedes, aunque a mí lo que me hubiera gustado de verdad era vivir en un gran hotel —como el escritor Julio Camba o el financiero don José María Aguirre González— y si digo gran hotel me refiero al Palace, en Madrid, al Cristina, en San Sebastián, o el Alfonso XIII, en Sevilla; pero hay sueños de lujo que los funcionarios no podemos permitirnos soñar. Con el café —bien cargado— le eché un piropo *mental* a Linda Lebreles, que ponía su orgullo de cubana en hacer el mejor café del barrio. Doña Celita Tamajón intentó hablarme de las peligrosas calles de Madrid y del asesinato del policía, ayer mismo, en la Puerta del Sol, y yo —después de responder con corteses monosílabos— saqué unos papeles del bolsillo y me sumí en falsa lectura: entonces doña Celita Tamajón la tomó con el pobre señor Ortueta, que estaba leyendo *Marca* y cayó como un pardillo en la trampa. Entre porra y porra, las sienes empezaron a latirme con suave insistencia y a llegarme los fríos al ombligo, como en el caso de *Maripiojos*. Los fríos del ombligo presagiaban acontecimientos y yo sabía que aquella mañana podía ser crucial. Me bebí el rico café, entré en la diecisiete y, por primera vez, traté a Popea como a un testigo principal. La perra se sentó frente a mí, me lamió el dedo, que le puse al alcance del morro —frío y húmedo, sin fiebre—, y se dispuso a escuchar. Yo, entonces, seguro de que nadie me podía ver, dije nombres, así Tomás, José Luis, Gregorio, Sebastián, casi cien nombres, procurando que ninguno acabara en AR. Después, Baltasar, y Popea alzó las orejas imperceptiblemente. Mi ombligo registró el hecho y seguí la experiencia, pronunciando el infinitivo de un verbo, el primero de todos, amar, y Popea respondió como en el caso de Baltasar. Ahora muy despacio me miró a los ojos, luego me quitó la vista, se tumbó en el suelo y puso la cabeza entre sus dos manos delanteras. Yo acaricié las vendas de la perra, pensando que era un viejo chocho y que mejor estábamos en casa de Linda Lebreles. Después me senté en el suelo con cierta dificultad y un amago de calambre me sacudió la pantorrilla izquierda: tengo que hacer gimnasia. Entonces le conté una película a Popea, la de la perra *Lasie*, que tenía un amo que se llamaba Gaspar: G-A-S-P-A-R. Ella levantó la cabeza: Gaspar Arenales, dije entonces. Popea se puso en pie y me miró como si nunca me hubiera visto, luego se fue a la puerta, olió por debajo y comenzó a mover el rabo. Por fin se volvió hacia mí: los ojos de la perra habían cambiado, brillaban como los de un animal salvaje, inclinó la cabeza y tensó el rabo, enseñándome los dientes, porque no me estaba viendo a mí. Desde el suelo le eché los brazos y la perra retrocedió gruñendo, pero luego se sacudió, vino hacia donde yo estaba y me lamió las manos quejándose como si fuera una niña.

Xarradell bajó la cabeza y yo me sentí en ridículo. Es verdad, Popea lloró recordando a su amo, porque los animales también lloran.

—Qué me va usted a decir, señor comisario, si en el penal de Santa María Xarradell tuvo un ratón que lloraba e incluso hubiera jurado que también lloran las cucarachas.

Nunca sé cuándo Xarradell se ríe de mí o habla en serio.

—Y también lloraba, antes de ahorcarse, digo —continuó el asesino— Viriato Gazapo, alías *Flasgordon*.

—Pero ese Viriato Gazapo era un hombre.

—Xarradell tiene sus dudas, señor comisario.

La verdad es que yo prefería que no se dirigiera a mí en tercera persona.

No me fue difícil averiguar que en la calle Génova había dos notarios, uno en la acera de los pares cerca de la plaza de Colón y otro en los impares, casi en Almagro. El primero se llamaba Asenjo, y el segundo, González Chamorro. Sin saber qué papel iba a interpretar, entré en el despacho del notario Asenjo, que si bien estaba repintado y olía a barniz reciente, a pesar de los ordenadores y de los teléfonos que sonaban sin cesar, parecía más cercano a oficina galdosiana que al siglo XXI, sobre todo por la edad de los empleados, el marrón sufrido de las paredes y los cuadros que las adornaban, casi todos ilustraciones bíblicas y motivos religiosos, además de un cartel del *Faro de Vigo* que tenía cierta gracia. Me fijé en una gran fotografía de la catedral de Santiago y una acuarela que representaba a un gaitero tocando la gaita delante de un hórreo y un mar embravecido. En el mostrador de entrada pregunté a un empleado de color gris —que me hizo un gesto pidiendo paciencia— por el notario señor Asenjo, y él, mirándome como si yo fuera retrasado mental, me corrigió advirtiéndome que el señor Asenjo era señora, y yo le dije que si estaba seguro de que la señora era notario, pregunta que tomó a mal el empleado gris diciendo que ya era hora de que las personas mayores —se refería a mí— nos acostumbráramos a tener notarias, juezas, abogadas y registradoras. Después de aquella lección de igualdad sexual, me disculpé diciendo que yo buscaba un notario aficionado al alpinismo, y él me dijo que al alpinismo no, que un poco a la pesca, y yo me despedí cortésmente, salí a la calle y paseando al sol me fui Génova arriba hasta llegar al número siete, que allí se encuentra el despacho del notario González Chamorro. El número siete es una casa antigua donde hay dos productoras cinematográficas, un dentista y varias academias que llenan la escalera de estudiantes con más ruido del necesario y protestando siempre porque el casero les ha prohibido usar el ascensor. Empujé la puerta —*entre sin llamar*— y me sorprendió el escenario, que más parecía agencia de publicidad que oficina notarial. Los muebles eran pulidos, rectos, del llamado estilo nórdico, los cuadros de las paredes modernos, pero sin compromiso con vanguardia alguna, y las butacas de espera, anchas y cómodas. Las revistas, como siempre: todas del corazón, alguna ecológica o financiera, y reinando sobre aquel imperio a la última se movían dos chicas, más de relaciones públicas que de oficina jurídica.

Yo pregunté por el señor notario y ellas que si tenía cita: ninguna cita, ninguna prisa, un asunto personal. La chica número uno me ofreció la mediación del oficial primero y yo lo rechacé. Cinco minutos después acudió dicho oficial primero —un joven de pelo panocha y diseño deportista—, que volvió a insistir sobre la imposibilidad de un encuentro con el señor notario. Pero yo no me rendía fácilmente: me sobra el tiempo, joven, y lo que tengo que decirle al señor notario es de muchísimo interés y estrictamente personal. En las notarías hay que andarse con ojo, porque un falso paralítico, una anciana desahuciada o un pobre inocente pueden ser portadores de millones y nunca se sabe lo que le puede tocar al ilustre gremio. Saqué, entonces, un libro del bolsillo y me dispuse a esperar: siempre que voy al dentista, a las revisiones del hospital o a demostrar, en el montepío, que aún sigo en este mundo cruel, llevo un libro pequeño en el bolsillo: éste era *Memorias de un desmemoriado*, de Luis Ruiz Contreras, Madrid 1945, que me llamó la atención por lo oportuno de su título. Iba ya por la página cincuenta cuando me detuve un instante tratando de recordar lo que decían los primeros capítulos, pero mi atención se fue con el notario González Chamorro, al que esperaba pacientemente. Es probable que —al recibir mi tarjeta— desconfiara, porque a nadie le gusta la policía, ni siquiera a los benditos notarios, pero tampoco podía rechazarme sin motivo, sobre todo tratándose de un servidor público. Muchas vueltas le di a la visita, por mi parte quizá un poco apresurada: si el señor González Chamorro estaba limpio, me recibiría, y si fuera culpable y sabio —como yo supongo— también me recibiría pronto. Con un profesional no hubiera actuado así, pero con un aficionado presunto, la regla es otra, aunque no lo entendiera mi viejo maestro, el buen comisario Lanuza, desaparecido en trágicas circunstancias. Mi intención era muy simple:

dejarme ver, avisar a alguien, a un posible decía yo, por abreviar, ni siquiera a un sospechoso, tocarle las orejas y con suerte, obligarle a cometer un error —si es que tenía algo que guardar— porque aquella primera visita no sería la única y con menos juego empecé otras partidas. Después de una bronca familiar y de un poco de amor —no mucho— volvía a vivir las emociones de la caza, el ombligo me avisaba y el golpear de mis sienes lo confirmaba: Leopoldo Arruza no estaba muerto y ni siquiera jubilado; eso sentí en aquel despacho de la calle Génova.

Santiago Xarradell dejó de bordar, se subió las gafas hasta la frente y me dijo con cierta solemnidad resignada:

—Con todos mis respetos, señor comisario, es usted un hijo de puta.

No era la primera vez que Santiago Xarradell me llamaba hijo de puta: durante las famosas setenta y dos horas de Málaga, lo dijo muchas veces, y otros cosas peores, pero yo no le sobé los morros, me bastaba con tenerlo despierto y ahora no iba a cambiar el manual de instrucciones.

—A usted no le importa la justicia, usted lo que quiere es pasarlo bien.

Me hizo gracia que un confeso mencionara tan señorona palabra como si fuera un párvulo: es cierto, la justicia me la trae al fresco, entre otras cosas porque nunca creí en pomporrutas imperiales ni en quienes las administran. Si yo hubiera sido fuerte y negro, habría sido boxeador; y si gitano, artista; y si valiente, torero; y de ser rico, entonces hubiera elegido mi destino —como hacen los ricos— para ganar más dinero. No era mi tema ser protagonista, pero estar vivo sí que me importa, porque la enfermedad y la muerte me vienen llamando más de la cuenta; bajar escalones me da miedo y ya los bajo con la niña Marga, camino del jardín de infancia y en la compra, en el mercado de San Miguel, y con mis olvidos y con el, *fúrer,* y sólo me retiene en el descansillo Linda Lebreles y ahora este notario, que de pronto me quita treinta años de encima. Le dije a Xarradell que no era la primera vez que me llamaba hijo de puta y que no se lo tenía en cuenta, pero que me concediera la gracia de acompañarme en aquella excursión. No vamos a echar cuentas de la justicia, claro que si tanto le importa a usted, le nombro juez, fiscal y defensor, y no se lo juro —porque no creo en juramentos—, pero le regalo la sentencia en blanco que en su día tenga a bien dictar el señor juez. A punto estuvo el asesino Xarradell de comerse el bordado, pero supongo que al mirar mis manos, llenas de manchas, y mis ojos faltos de luz, algo sintió, porque me dijo: vamos, señor comisario, farsante entre los farsantes, chapucero, verdugo y tramposo, hable lo que quiera, muerda al notario en el cuello y equivóquese, que yo me pongo de casete a su disposición, pero no acepto responsabilidades.

Entonces, sinceramente conmovido, murmuré:

—*Ciertos animalitos*
todos de cuatro pies...

Y me respondió Xarradell, recogiendo su maltratado punto de cruz:

—*... a la gallina ciega*
jugaban alguna vez.

Intenté de nuevo concentrarme en *Memorias de un desmemoriado,* cuando un personaje vestido con *blazer* azul marino, botones dorados y pantalones de franela en forma de tubo, se acercó a mí, cojeando discretamente: tendría unos sesenta años, era amarillento y muy flaco, se frotaba las manos como un prestamista de teatro e intentaba dar a su sonrisa cierta imposible amabilidad. Él mismo se presentó:

—Germán Posadilla, oficial del señor González Chamorro, que me envía por si puedo ayudarle, a sus órdenes.

—No se preocupe usted, no tengo ninguna prisa.

Posadilla no se atrevió a contradecirme ni se le ocurrió ninguna excusa, sólo me ofreció un café y cuando yo le dije que si le añadía dos porras lo aceptaba, se retiró murmurando una disculpa.

El antedespacho de una notaría —aunque esté puesto a la última y parezca el de un arquitecto— siempre gotea desconfianza, algunas veces, miedo; en ocasiones, odio, y aquel del señor González Chamorro no iba a ser excepción. Sobre los colores neutros de los muebles y el sepia-garbanzo de las paredes flotaba algo así como una atmósfera mala de respirar. Cerré el libro *Memorias de un desmemoriado* y me lo guardé en un bolsillo: una anciana erguida, muy de provincia antigua, acompañada de un joven difuminado, me miraba sin ninguna curiosidad y tosía de cuando en cuando. Tres hombres —uno de alzacuellos— cuchicheaban y, a veces, hacían cuentas en un papel. Una mujer, mal teñida de rubio a mechas, no dejaba en paz al reloj, mientras su acompañante tamborileaba en el suelo con impaciencia. La mujer le tiró de la manga y apenas sin mirarle dijo: Fermín, hazme la caridad de estarte quieto. El caballero se contuvo y, a punto de sacar tabaco del bolsillo, recibió el segundo aviso: no fumes, por favor. Todos fueron cumpliendo su horario de visita, incluso dos lívidos hermanos gemelos que se miraban mal por un asunto de herencia peleada, digo yo. A eso de las tres menos cuarto vino el señor Posadilla y en tranquilizador susurro me anunció que el notario podía recibirme, pero sólo diez minutos de reloj.

El despacho del señor Martín González Chamorro era casi tan grande como el de mi amigo y antiguo colaborador Antoñito Arlis. Los dos amplios balcones, que daban a la calle Génova, tenían cristales insonorizados —de los que funcionan bastante bien— y largas cortinas en tono crema que se confundían con las paredes enteladas del mismo color dando al despacho un cierto aspecto de enorme caja de bombones por dentro. La mesa —de diseño, como las butacas y las sillas— era excesiva y estaba cargada de papeles. En el centro había otra mesa redonda, de cristal muy limpio y sillas nórdicas y, por último, un tercer ambiente, de más confianza, tremendo sofá y butacones sin fondo. En la pared principal, una fotografía enorme —más de metro y medio— en blanco y negro, virado en sepia, un paisaje bravo, desolador, inquietante y sin duda hermoso, y enfrente un retrato al óleo del mismísimo notario, vestido de cazador, años sesenta y firmado por Álvaro Delgado. Don Martín González Chamorro vestía con pulcritud pero sin amaneramiento, más cerca de la referida agencia de publicidad que de un despacho jurídico. Era gordito, calvo zapatero, pero en cambio tenía afilados y sagaces ojos verdes más de la sierra de Gata que de la calle Génova. Sonriendo con gesto precavido me llevó a la mesa redonda y me preguntó si yo era el comisario Arruza, y precisé que era ex comisario y me vino bien la foto grande, que me sonaba a Almería y él dijo, campos de Níjar, y entonces pude hacer referencia a las películas que se rodaron por aquellos pagos y al admirable libro de Juan Goytisolo, *Campos de Níjar*. El notario —que había nacido en aquella comarca— me preguntó el motivo de mi visita. Sólo quería confirmar si el testamento ológrafo es válido jurídicamente y él me dijo que en ciertos casos, y yo —que venía bien preparado— añadí que lo había escrito todo de mi puño y letra, porque me resultaba más sencillo. Los ojos del señor notario echaban maliciosas chiribitas y mirándose a las manos añadió que aquella era una forma de testar cómoda y confidencial, muy útil para enfermos e impedidos, pero que tenía ciertos inconvenientes burocráticos y probatorios, porque no dejaba de ser un documento privado y que, además, en estos tiempos que corren la letra autógrafa se imita con peligrosa facilidad, y él me aconsejaba que acudiera a un notario a no ser que estuviera en peligro de muerte o a punto de naufragar. Entonces dio la entrevista por terminada preguntándome si nos conocíamos de algo por casualidad. Yo le dije que no, y como la pregunta tenía otra en la recámara, precisé que era cliente de La Cruz Blanca y que pasaba todos los días delante de su portal:

—¿Y merecía esperar tres horas, comisario?

Me tendió una mano entre dos aguas sin darme tiempo a responder, y yo me dejé acompañar por una de las chicas de relaciones públicas. Aquel día sí fui a La Cruz Blanca y pedí un barro y una ración de patatas fritas, porque no llegaba a los camarones. Don Martín González Chamorro había estado impecable, aunque no pudo resistir avisarme al final de la entrevista: ¿Esa pregunta merecía esperar tres horas? Era una advertencia-amenaza, que nunca hubiera hecho un notario desprevenido y que, por poco, me lleva a hacerle otra pregunta: ¿Se debe algo? Y ya ahí seguro que nos enredamos, para mal de mi causa.

A mí lo que me pasa, y en eso tiene un poco de razón don Santiago Xarradell, es que no sé si me importa que el notario asesinara al señor Arenales, pero me llevan los diablos cuando pienso que quiso matar a Popea y después intentó envenenarla, en la Sacramental de San Isidro, si es que González Chamorro tiene alguna relación con la señora de las albondiguillas, cosa que debo aclarar con el *Coco Chico* a la mayor brevedad posible. Mientras lo recuerde, seguiré en ello y para los malos tragos está don Santiago Xarradell, si llego a olvidarlo. Popea es algo más que un perro, es mi amiga, mi confidente, y es mía, ahora de nadie más. Le pongo la mano en el morro y me la muerde, despacio, mirándome a los ojos y sin hacerme daño, mueve el rabo cuando me ve y si digo su nombre alza las orejas, por encima de la venda y parece preguntarme: ¿ha llegado el momento? Ahora la saco a pasear tres veces al día, aun a costa de las bromas que me gastan en el bar La Oficina y las gracias de las marujas que vienen del mercado de San Miguel. En la pensión ya nadie menciona la irregularidad y eso que llevo dos noches aquí, un poco encerrado.

Ayer tarde vino a verme mi hija Pilar —que nunca pisa la pensión— y yo dije que la pasaran a la salita de respeto. Pilar estaba ya rendida y me dio pena, porque al fin y al cabo es joven y dura. Se había puesto su mejor vestido, como si fuera a salir con un novio, y después de mantener el tipo durante unos minutos y decir alguna impertinencia —es incapaz de callarse— me contó que había roto con Gregorio, y yo no sé quién es Gregorio, que estaba un poco nerviosa y que retiraba las inconveniencias de la otra noche, y yo también las retiré, forzando la escena, hasta que el *fúrer* me pidió que volviera a casa, con la perra, si era mi deseo. Hubiera vuelto en aquel instante, pero me pareció un poco blando y dije que lo pensaría. Por los ojos de Pilar pasó una nube negra y a punto estuvo —la conozco bien— de echar las patas por alto, pero se tragó el sapo y mencionó, de pasada, el hecho económico, como ella dijo. Transcurrieron unos segundos y a punto estuvo de hablar, y yo sé lo que iba a decir, pero sólo movió los labios, como si se le escaparan silenciosas palabras. Por suerte no se planteó el tema Linda Lebreles ni mi ridícula ancianidad. Pilar se puso en pie y entonces me abrazó —por segunda vez— me llenó la cara de lágrimas y me pidió un pañuelo, que olió con prevención antes de llevárselo a los ojos, y ya en la puerta de la salita, como si fuera un mutis de teatro, dijo con sonrisa perdida:

—Es que te queremos mucho, ¿sabes?

Y cerró muy despacio. A pesar de que la interpretación del *fúrer* había sido un poco exagerada, me emocionó, porque aquella era toda mi familia, aunque no deje de considerar que si el llamado Gregorio-novio no la abandona en mala postura, su actitud hubiera sido otra. Ya en mi habitación le comuniqué a Popea las novedades y me asomé a la ventana que da al patio. Vi cómo se encendía el cuarto de Pilar y pensé que podía hacer dos cosas o tres: tirarse en la cama de bruces y llorar como en las películas, sentarse con cara de perplejidad sin entender nada, o plantarse frente al armario y llenarme de improperios, insultos y quejas.

En la caja de ahorros pedí el saldo de mi cuenta y me dijeron que aún me quedaban ciento dieciocho mil pesetas, saqué treinta y cinco y algo avergonzado me fui a la calle, por cierto con José Ramón Valdemoro, director de la sucursal, que me invitó a café. Don José Ramón, que me conoce desde que hacía de chupatintas en la caja, me habló del tiempo, centrándose en el otoño —la mejor estación de Madrid— y abundando en que habíamos tenido un verano atípico; claro que su lengua decía unas cosas y sus ojos preguntaban otra, y yo tuve que agarrar al toro por los cuernos y le aseguré que no me gastaba el dinero en mujeres y que lo tenía guardado para una enfermedad. Don José Ramón Valdemoro se hizo cruces y me dio su palabra de honor de que jamás había pensado una cosa así. Yo le agradecí el interés, como siempre motivado por mi edad, porque el director estaría pensando que los ancianos somos medio lerdos y que cualquier pelandusca —o pelandusco, según los casos— nos puede ventilar el capital. Entonces decidí contarle la cruda verdad:

—Mire usted, señor Valdemoro, ese dinero me lo he gastado en el hospital —puso cara de circunstancias y yo alcé una mano—, en un hospital de perros, en la operación de una perra que se llama Benito o Popea y en la UVI de perros.

Don José Ramón Valdemoro lanzó una sonora carcajada y cuando pudo hablar, dijo:

—Demonio de... demonio de... —se le iba a escapar lo de viejo— de... señor Arruza, gástese su dinero en lo que le parezca, que yo no soy quién para aconsejar a nadie, y que le aproveche a usted.

Resulta que la verdad es increíble, pero también resulta que sólo me quedan ochenta y tres mil pesetas.

Me busqué sitio en una esquina y como los de mi quinta somos de suyo añorantes, pensé en los buenos tiempos, cuando estaba de plantón en la calle y no sentía el frío, ni el calor, ni la lluvia o el viento. Eran las nueve en punto de un día fresco y soleado y en la sierra del Guadarrama habían caído nieves primerizas. Medio tapado por un periódico observaba la casa del notario González Chamorro, que ya estaría en su despacho. A eso de las diez un chófer sacó del garaje un coche verde botella, de muy buena familia, y por la puerta principal apareció doña Veracruz de González Chamorro, que se subió al coche verde botella, por la parte de atrás, dando así testimonio de señorío. Doña Veracruz —de soltera Mondéjar— era alta, de pierna recia, grandes ojos negros, labios de favorita y rica en bodegas y predios manchegos. Al cabo de cinco o diez minutos me dirigí a la verja del jardín, llamé al timbre y una voz femenina, con acento caribeño, me preguntó quién era:

— Soy Valentín Pimentel, primo de la señora Vera.

—No se encuentra.

—De todas formas me gustaría dejarle mi tarjeta, señorita Pompeya.

No hubo respuesta y yo aguardé entonces. Al cabo de unos minutos volvió a sonar la voz caribeña y me ordenó que echara la tarjeta al buzón. Lo que eché fue un billete de mil duros y me mantuve en silencio. Sentí que la mujer abría el buzón y supuse que se había quedado de un aire, pero no oí ningún ruido y era buena señal el silencio. A los treinta segundos puse el cebo de un segundo billete, ella me preguntó quién era y yo le confirmé que, en verdad, primo de la señora Vera, y que no llevaba malas intenciones, que sólo quería dejarle mi tarjeta de visita. Apenas en un susurro ella me dijo que esperara un momento y lo hice, pensando que había perdido —tontamente— dos mil duros. Pero no fue así: la puerta produjo un chicharreo electrónico, yo la empujé, cerré a mi espalda y no pude menos de sonreír. Una muchacha, lívida y temblorosa, me aguardaba cinco metros atrás sosteniendo de la cadena a un feroz doberman que parecía

el protagonista malo de un cartel político. Aquella chica, dominicana y gordita, de aspecto inocente, se llamaba Pompeya Camila Wellington y servía en casa del notario González Chamorro. Yo me acerqué despacio y tendí la mano al perro, que me la
olió sin ninguna prevención y movió la cola, satisfecho, porque
percibía aromas de Popea. Luego le acaricié la cabeza y le dije a
Pompeya Camila que necesitaba unos calzoncillos del señor
González Chamorro porque le estábamos preparando una
broma muy graciosa en Socuéllamos con motivo de su aniversario de bodas, y para animar a la dominicana le ofrecí un
nuevo billete de mil duros. Pompeya Camila debió decirse que,
por aquel precio, valía la pena robar unos gayumbos de su amo,
me ofreció la cadena del perro, echó a correr y yo me quedé paseando con el doberman, que era pacífico y amable y ya viejo, a
juzgar por su aspecto. Pompeya Camila me trajo una bolsa de
plástico que contenía unos calzoncillos azul cielo pero olían divinamente. Recordé entonces la indiferencia de Popea ante el
calzoncillo de Gaspar Arenales y el acertado comentario de Teresa Zivor, y le dije a la muchacha que lo que yo necesitaba eran
unos calzoncillos bien sucios, o sea, sin lavar, por aquello de la
broma, y reí como si le hubiera contado un chiste. Pompeya Camila no se movió, y vista su actitud, pasiva y recelosa, no tuve
más remedio que ofrecerle otros cinco mil duros. Por fin me
trajo el calzoncillo ideal: una desdichada prenda —de dibujo escocés— que no tuve más remedio que oler. Devolví el perro y
Camila Pompeya Wellington me recordó, ya con sonrisa encantadora, que olvidaba darle la tarjeta de visita: la verja estaba cerrada, a mí no me convenía hacer ruido y así tuve que sacudirme una nueva tarjeta de Cristóbal Colón firmada por el
gobernador del Banco de España.

Con unos gayumbos sucios caminaba yo por la calle del
Papa Negro pensando en la cara del director don José Ramón
Valdemoro si le cuento que me había gastado cinco mil duros
en aquellos calzoncillos de mierda. O en la risa que le iba a dar.

Ya en la pensión preparé el número que tenía reservado a Popea y le dije que se sentara en el suelo. Así lo hizo, mirándome
con sus ojos brillantes, como si estuviera segura de que se pre-

paraban acontecimientos trascendentales. Yo me senté en la butaca despeluchada, pidiendo atención, porque del experimento o como quisiera llamarlo dependía todo, y todo eran muchas cosas. Entre mis manos tenía, muy bien cerrada, la bolsa de los calzoncillos del notario, cuyo nombre pronuncié en voz alta: Popea se limitó a mover las patas delanteras, como si quiera echar a correr, y abrió la boca, jadeando de impaciencia, pero no porque le dijera algo lo de González Chamorro. Entonces utilicé mi primera baza y llamé a Gaspar Arenales, como si pudiera oírme. Popea lanzó un quejido, uno solo, que parecía el lamento de un niño, y se levantó: sentada, sentada, no te muevas, Gaspar Arenales, Gaspar Arenales, no te muevas, quieta y escucha. Era como estar invocando a un muerto y martirizando a una perra aún convaleciente. Bajé la luz, para que se centrara en el sentido del olfato, le di la espalda y saqué de la bolsa de plástico los calzoncillos del notario. La perra se transformó, vino hacia mí, parecía haber crecido dos palmos y me arrancó los calzoncillos con la fuerza y la saña que le faltaban al viejo doberman. Luego, gimiendo con voz sorda, destrozó aquella prueba culpable poniendo en el empeño algo más que la vida. A la media luz del cuarto yo veía los dientes blanquísimos de la perra —que rasgaban la tela— ya en silencio, sin llorar, como si estuviera matando.

XV

SAN SEBASTIÁN 1938

(Testimonio del notario González Chamorro)

Después de la entrada de los nacionales en San Sebastián y del viaje —por llamarlo así— del tío José Luis a Bilbao, papá se presentó al general Cabanellas, en Burgos, y le pidió un fusil. Pero el general, en vez de fusil le dio un capote, un gorro y una máquina de fotografías, y le nombró ayudante de José Campua, el fotógrafo, que encima era amigo de papá. El balilla azul entró en el lote bélico y mi padre, además de fotógrafo de guerra, se apuntó como mecánico, él que no sabía ni arreglar un pinchazo. Así fue por los frentes e incluso empezó a publicar fotos, hasta que cambió de profesión, se hizo jurídico militar, le dieron el grado de alférez y le pusieron en el Cuartel General de las Brigadas Navarras, con trescientas treinta y tres pesetas con treinta y tres céntimos, que nos llegaban en punto todos los meses, hasta el mal día de su muerte. Ya no estábamos en Peña Goñi, 2, porque habían vuelto los dueños del piso, y así nos trasladamos a la calle General Primo de Rivera, antes Secundino Esnaola. La casa —a mí me parecía muy moderna, pero en realidad era feísima— estaba frente a la plaza de toros y muy cerca de la calle Miracruz, en el barrio de Gros, zona popular. Nosotros vivíamos en el semiático 5º B, un piso construido con desorden y falta de imaginación, pero que mi madre arregló con su gracia habitual y pocos recursos. Las habitaciones, el cuarto de baño y la cocina iban todas seguidas, entre dos pasillos, uno interior y otro, una terraza de cemento grisdeprimente, desde la que se veía la plaza de toros —llamada El Chofre—, un colegio o convento, las últimas calles de San Sebastián y el monte Ulía, que aún recuerdo con horror. Compramos muebles a crédito —se fiaba entonces con buena voluntad—, cortinas, cacharros, vajilla, mantas y ropa de cama, y mamá alquiló un piano, que tocaba por las mañanas y a veces por las tardes, con emocionante sensibilidad, digo para mí emocionante sensibilidad. Le gustaba mucho Chopin —piezas fáciles, claro—, algo de Debussy, Albéniz y Granados. Gaspar Arenales y yo dormíamos en habitaciones separadas y aún no íbamos al colegio, lo cual puede parecer ventaja, pero en realidad era una ruina. Yo prefería estar en casa leyendo —fue entonces cuando descubrí las novelas de *Pete Rice*, *Bill Barnes* y *La Sombra*—, pero mamá quería que nos diera el aire, que fuéramos a la playa o de excursión, para quedarse a solas con Chopin y sus miedos, por la abuela Marita en Madrid, por papá en la guerra, el tío José Luis en Bilbao y toda la familia en Sorbas y Níjar. Es curioso: yo era lo de menos, porque estaba allí mismo; mi pobre hígado se había convertido en uno de los mejores, ni imaginar amenaza de anginas o de ganglio traidor, *Pitito* era de hierro y estaba prohibido tener cagaleras, y mucho más prohibido, décimas al anochecer. Para mamá sólo contaban las noticias de la radio y las que se iban filtrando por debajo de la puerta: los amigos muertos en el frente, los fusilados en las tapias de los cementerios, los perdidos para siempre:

—¿Por qué no le enseñas a nadar? —le dijo un día a Gaspar Arenales.

—No, mamá, déjalo: ya sabes que me acatarro con el agua fría.

—Pero si estás hecho un roble, *Pitito*.

Y siguió tocando un vals de Chopin. Total, una mañana soleada Gaspar y yo dimos en la playa de La Concha. Cinco o seis viejos paseaban por la orilla, como si estuvieran reñidos, algunos chicos jugaban al fútbol y ciertos bañistas profesionales entraban y salían del agua diciendo que estaba buenísima. A lo largo de mi vida he observado que sólo los señores mayores y un poco triponcillos se bañan en invierno, y que en aquellos tiempos no se acostumbraba a correr, sino a pasear, ignorando ciertos excesos, como el *footing* o el *yoging*. Mamá me había conseguido un traje de baño color granate, que me estaba muy grande, y yo me sentía en ridículo, entre otras cosas porque al menor descuido se me veían los huevecillos: Gaspar Arenales iba con un taparrabos muy parecido al de Tarzán de los Monos, aunque no era de pantera. Lentamente nos acercamos a la orilla: yo nunca había visto el mar tan de cerca; pensé en mamá y en su traición, en el piano y en Chopin, y si no retrocedí fue por no dar una alegría a Arenales, aunque tentado estuve de ponerme a toser o a decir que tenía un poco de destemplanza. Gaspar me sonreía bondadoso, me enseñaba la mano —recordándome el pacto de sangre— y me explicaba que nadar era muy fácil, que lo difícil era hundirse. De tal modo avanzamos hasta que nos llegó el agua al ombligo y, por suerte o por desgracia, no había olas. Cuando el agua me llegó al cuello estuve a punto de perder pie y Gaspar me dijo que apoyara mi mano en su hombro, que moviera los pies, como si fuera una rana, y lo hice con buen resultado. Noté que Arenales navegaba y que yo me mantenía a flote y así avanzamos unos metros, que me parecieron millas. Por aquí ya cubre, pensé. De pronto, Gaspar Arenales se me escurrió y mi mano dejó de tocar hombro, le vi volverse y reír y yo me fui al fondo, tragando de todo; cerré los ojos y me di la vuelta, sin enterarme, y el traje de baño se me escapó entre las piernas y me ahogué o eso pensaba, porque una mano me agarró del pelo, me sacó la boca a la superficie y de un ridículo empujón me echó a donde hacía pie. Tosiendo o vomitando, que ya ni me acuerdo, fui en pelota hacia la orilla, hasta que un señor pudoroso me envolvió en un albornoz. No sé cómo apareció mi amigo Arenales, que dijo:

—Ya sabes nadar, *Pitito seca mierda*.

Me puso al cuello el traje de baño color granate y no era una pesadilla, porque estaba ocurriendo allí mismo, en la playa de La Concha.

Una mañana —ya en el verano de 1937— tocó al timbre una visita y yo abrí la puerta. Más que visita era una refugiada, que venía en nombre del tío José Luis y había hecho el viaje inverso, es decir, de Bilbao a San Sebastián. Era una mujer mayor —tendría unos veinticinco años—, llevaba gabardina larga y sostenía una maleta demasiado grande. Preguntó por mamá de parte del tío José Luis González y mamá, que estaba tocando un nocturno de Chopin, dejó de tocar. Luego me enteré de que aquella señora se llamaba Luz Ángela Castañón Spencer, que no tenía dinero, ni casa, ni familia. Supe, también, que Luz Ángela Castañón Spencer era novia del tío José Luis, que incluso le había pedido que se casara con él. Después —como se sabe— mi tío se fue a Venezuela, aunque no dejó de escribir a su novia, a ésta y supongo que a otras, porque era muy aficionado al género epistolar y a romper promesas. El caso es que mamá decidió proteger a Luz Ángela y me mandó al cuarto de Arenales, quitándome la relativa paz que disfrutaba por la noche. Luz Ángela —que luego fue mi querida madrina— abrió la maleta y comenzó a sacar ropa, algunos libros y una careta antigás. Yo, que estaba recogiendo mis cosas, me quedé de una pieza, y ella me dijo que era obligatoria en Bilbao, pero que de todas formas no nos vendría mal en San Sebastián, y con un gesto gracioso me la ofreció. Yo nunca había tenido una careta antigás en las manos —digo una de verdad—, salí al pasillo y me la puse, me crucé con mi madre, que fingió llevarse un susto terrible, y entonces fui en busca de Arenales dando muestras de mi absurda inocencia. Gaspar Arenales, al verme, me dijo: quítate eso, imbécil; yo me tragué la humillación y me quité la careta, que se puso Arenales al pronto.

Por suerte las cosas cambiaron y yo recuperé parte de mi sosiego. Luz Ángela Castañón Spencer, de refugiada provisional y sin una peseta en el bolsillo, se quedó en casa, bien sentadita —como decía mamá— leyendo libros en inglés y sin dar un palo al agua ni buscar trabajo remunerado. Mamá fregaba el suelo, arreglaba el baño, hacía las camas y la comida y, ya rendida al final de la tarde, tocaba el piano, y lo curioso es que cada vez sentía mayor voluntad por Luz Ángela, que tenía la gracia de sonreír siempre y de no armar ruido nunca. Decía que recuperé parte de mi sosiego porque, en buena hora y nunca mejor dicho, los Arenales llegaron a San Sebastián pasando por Francia y así yo me liberé —aunque sólo a medias— de mi pesada cruz.

Una tarde del mes de septiembre —hacía más de un año que vivíamos en San Sebastián— aparecieron Victoria Parra y su hija Marisa, la niña del paraguazo, que había crecido mucho y bien. Victoria Parra estaba en los puros huesos, pero tenía un tipo imponente. Fue ella quien nos contó los últimos momentos de la abuela Marita, que no se paraba quieta en Agustina de Aragón y pretendía ignorar la guerra y lo que pasaba en Madrid. Casi todas las tardes iba al teatro —que le gustaba mucho más que el cine— y sólo renegaba de los cambios de nombre de las salas de espectáculos. Durante aquellos meses le dio por apuntar las obras y los actores y además los calificaba del uno al diez, como en los colegios. Victoria Parra trajo un cuaderno y se lo dio a mamá y a mí me impresionó muchísimo, tanto que, desde aquella fecha y empezando por los cines de San Sebastián, mantuve la costumbre de la abuelita, hasta que cumplí catorce años, y ahora no resisto la tentación de copiar alguna de sus notas.

«Lo que más me molesta es el cambio de nombres de los teatros, que ya antes habían cambiado, como el Infanta Isabel o el Reina Victoria, pero ahora es mucho más lioso y así a ver quién es la guapa que sabe dónde está el Teatro Ascaso, el García Lorca, joven poeta malamente asesinado en Granada, o el Joaquín Dicenta (que por cierto fue amigo de mi hermano Javier, el que quería ser autor dramático). Entre las obras que más me han gustado de los últimos tiempos, está *Alza la frente mujer* (7), del Pastor Poeta y *El agricultor de Chicago,* de Eugene O'Neill (9), y de los artistas, Ana Adamuz, Gaspar Campos, la siempre graciosa Loreto Prado, la guapísima Carola Fernán Gómez, Milagritos Leal, que nunca defrauda a los buenos aficionados, Ramper y la tiple Conchita Palacios.»

Victoria Parra trajo también un libro de misa y una piel de zorro, curiosamente blanco y negro, que mi abuela siempre se ponía al cuello en invierno. La abuela Marita fue una tarde del mes de abril de 1937 a una función de variedades en el teatro Calderón —era muy aficionada al género— y al salir decidió dar un paseo hasta el metro de Banco, pero no llegó al metro, porque una bomba, de las muchas que caían por el centro de Madrid, acabó con ella y con dos niñas desconocidas. Por lo visto salieron en los periódicos con un titular que decía «Víctimas de la barbarie fascista». Afortunadamente, la hermosa Victoria Parra tuvo el buen gusto de no traer la foto y mamá comentó que pobrecita, sólo había salido en los periódicos con motivo de una tómbola benéfica en Almería y aquel día de su muerte en la calle. Mamá encargó un funeral muy lujoso, en la capilla de un convento de madres reparadoras, y Gaspar Arenales y yo hicimos de monaguillos, vestidos de rojo y blanco, sin saber por dónde tirar. Aquella ceremonia, sobre todo por los cánticos en latín y el humo de incienso, me gustó mucho, y desde entonces me dio la manía de ir a misa todos los domingos y fiestas de guardar. Mamá —disimulando su estado de agitación— me acompañaba, porque no quería torcer su querencia agnóstica, pero le daba miedo ponerse a mal con Dios, sobre todo porque papá estaba en el frente y tanto es así que decidió que Gaspar Arenales y yo tomáramos la primera comunión en aquel convento de monjas reparadoras, vestidas de azul celeste y blanco. El padre Egusquiza —que era navarro— nos daba la doctrina y yo, por muchos esfuerzos que hiciera, no lograba descubrir la utilidad de los tochos que nos teníamos que aprender de memoria, y así llegó el día de la comunión, la tarde de la víspera, mejor dicho, cuando el padre Egusquiza tuvo que ausentarse porque le habían nombrado capitán de los tercios de Flandes, que es lo que decía Arenales, a quien yo entonces, en secreto, llamaba *Cucufate*. Total, que nos pusieron en manos del viejo jesuita don José María Berridi, que había sido capellán del general don Ramón Cabrera, llamado el *Tigre del Maestrazgo*. Tardé meses en enterarme de la jugarreta de Arenales y me enteré cuando tuvo a bien contármela, en penosas circunstancias. *Cucufate* se confesó diciendo que se llamaba Martín González Chamorro y contó todos los pecados que le salieron del pito, y luego dijo que había leído *Los tres mosqueteros*, *La dama de las camelias* y otros libros de Alejandro Dumas que estaban en el Índice y te llevaban directamente al infierno. El padre José María Berridi por poco tira el confesonario del susto. Le dijo a Gaspar que, de ese pecado tan espantoso, le tenía que absolver el señor obispo de Vitoria o de cualquier otra diócesis, pero que para no escandalizar a la familia y a los amigos me daría la comunión con una hostia sin consagrar. Al día siguiente me vistieron de capitán de fragata y a Gaspar Arenales de falangista —jefe de centuria—, grado que ostentaba en la realidad y ya hablaremos después. El anciano padre José María Berridi —ochenta y siete años— se plantó en medio del altar y dijo con voz tonante:

—¡Martín González Chamorro, en pie!

Yo me levanté como si me hubiera picado una víbora y el capellán del general Cabrera me taladró con sus ojos medio ciegos. Luego llamó por su nombre y con voz mucho más amistosa a Gaspar Arenales, que me echó un reojo poco ecuménico. El viejo jesuita nos hizo un sermón particular, especialmente centrado en las penas del infierno, en las calderas de Pedro Botero, en los peligros que conllevan las malas mujeres, en la perniciosa influencia del cinematógrafo y en los pecados de las lecturas viciosas. Mamá comentó con Victoria Parra y Luz Ángela Castañón Spencer que más bien parecía aquel discurso destinado a un tercio de la legión que a dos niños que se acercaban por primera vez a la Sagrada Forma, y lo que más me extrañaba a mí era que el padre Berridi cuando se refería —a voces— a los tizonazos de Satanás y las sartenes de aceite hirviendo me miraba con ferocidad y, en los raros momentos de tregua, al hablar de los espíritus celestiales e incluso de los serafines, que tocaban el arpa, intentaba sonreír a Gaspar, el jefe de centuria. Después, las madres reparadoras que estaban escondidas, entonaron el *bendita sea tu pureza y eternamente lo sea, pues todo un Dios se recrea en tan graciosa belleza.* Luego vino la misa y sonó el órgano, y en su momento el capellán carlista hizo su trabajo sacando una hostia pura del copón, que se tragó el canalla de Arenales, y ya cerca de mí, mirándome a los ojos con fuegos vengadores, otra, que extrajo hábilmente de la manga de su sotana y yo lo vi, pero, dada mi inocencia, supuse que aquello era signo de amor o de singular predilección. El caso es que yo no había hecho la primera comunión y Arenales estaba en pecado mortal o algo peor.

A la mañana siguiente nos visitó el capitán de Sanidad Militar, doctor don Alejandro Rovira, acompañado por un alférez de Infantería y un soldado, que traía la maleta de papá, el capote y cinco álbumes de fotografías. Al recibir la fatal noticia de la muerte de mi padre, mamá cayó en los brazos del emisario, que por suerte era médico muy acreditado en Madrid. De los brazos del doctor Rovira —en 1939 ya fue *tío Alejandro*— no salió mamá hasta el accidente de aviación. Recuerdo al *tío Alejandro* como uno de los hombres más guapos que he visto en mi vida: tenía el pelo gris y los ojos violeta, que más bien parecía americano de cine que médico de Madrid. Durante aquellos años vino mucho a casa, me curó de las paperas y me aficionó a la filatelia. Yo sabía de sobra que pretendía a mamá, pero no por eso me caía peor, ya que el tío Alejandro —a partir de ahora lo voy a escribir como si fuera el tío José Luis— además de guapo, era inteligente y cariñoso. Lo malo es que no se podía casar con mi madre, aunque estaba divorciado, porque Franco decidió que los divorcios de la República no valían un pimiento (véase ley de Divorcio de 2 de marzo de 1932; decreto de 2 de marzo de 1938 y ley de 23 de septiembre de 1939). A mi madre aquello no le importaba mucho, pero el tío Alejandro andaba un poco dolido, sobre todo por ella y por el qué dirán, y decían bastante. El tío Alejandro paraba en el Gran Hotel de Zaragoza y de cuando en cuando venía al Londres de San Sebastián o se iba al Alfonso XIII de Sevilla, e incluso, al Palace de Lisboa, viajes que a Victoria Parra le olían a chamusquina, tanto que dio en decir que el doctor Rovira era del servicio secreto. Yo creo que a la hermosa Victoria Parra le hubiera gustado beneficiarse al tío Alejandro y que tenía envidia de mamá, que estaba rellenita, pero era muy graciosa. No cuento estas cosas en plan chisme familiar, sino a mayor gloria de mi madre, siempre fiel a su marido, a quien quiso hasta el día de su muerte y que si acabó consolándose —pero nunca olvidando— fue porque el tío Alejandro, poco a poco, se convirtió en el otro amor de su vida. Lo malo es que los dos amores vinieron muy juntos, pero ella debía de saberlo y defendió al nuevo, porque un luto excesivo o un hipócrita disimulo le hubieran privado del amor del doctor Alejandro Rovira.

Como otras veces, dormí con mamá, aunque aquella noche fue distinto, porque me abrazaba y lloraba, pegando su cuerpo al mío, y a mí me daba vergüenza notar su calor y su piel y además las lágrimas, y no dejaba de pensar que mamá era una mujer de muy especial trato y que me estaba condenando por mis malos sentimientos e incluso por mis manos inquietas, que solo se atrevían a acariciarle la espalda. Después del accidente de aviación —incluso ahora— he soñado con mamá docenas de veces y no eran pesadillas, sino cuentos de amor como aquellos de *Las mil noches y una noche*. La única persona en el mundo que ha recibido estas confidencias es mi madrina, porque nunca jamás se lo confesé a nadie, ni a mi mujer, ni a mis hijos, y a un cura menos, que yo no me fío de los curas desde aquel jesuita, capellán del *Tigre del Maestrazgo*, que me dio una hostia falsa. Los malos pensamientos son gracias del espíritu y, en este caso, homenaje a mamá, que a la mañana siguiente me dio un beso, como un rodillo pasó por encima de mí y me dijo que la vida seguía distinta, pero seguía, y que no tenemos derecho a rendirnos.

Luz Ángela Castañón Spencer, por primera vez, estaba preparando el desayuno y fue entonces cuando se nos vino encima la caca de los vecinos. En el ático vivía una familia de italianos: él, ella, una nona muy vieja y dos niños asquerosos, que se paseaban vestidos de fascistas, saludaban brazo en alto y eran más que chulos. El padre de los niños hacía de corresponsal de guerra, aunque nunca salió de San Sebastián, la madre no pegaba sello y según la hermosa Victoria Parra tenía amores con un cocinero afamado, y la nona era una bruja que siempre me estaba amenazando —desde su terraza— y, a veces, escupía o tiraba patatas crudas a la nuestra. Fue un ruido tremendo, como si se hubiera caído la pared y luego una torrentera salvaje. Mamá pensó que nos estaban bombardeando y dijo que me fuera al sótano, pero un intensísimo olor a mierda nos alucinó de últimas, porque no había noticias de que los rojos bombardearan de tan ingeniosa forma. Las tostadas de la madrina se quemaron, se salió la leche, sonó el timbre y vino el portero recomendando calma: ya estaban las llaves de paso cerradas y no era necesario llamar a los bomberos. Mamá abrió la puerta del cuarto de baño y tuvo que agarrarse a la pared, que yo lo vi desde atrás: un río de caca, arrastrando grandes mocordos, inundó el pasillo; era la mierda de los italianos, que había reventado las cañerías. Fue entonces cuando la madrina se hizo cargo de la situación: vino desde el fondo del pasillo, pidiendo tranquilidad con voz metálica, como los extraterrestes de ahora. Iba con impermeable búfalo, en bragas, botas katiusca, la careta antigás puesta, un cubo y un escobón, y nos empujó a mamá y a mí hasta la puerta, señalando la escalera, y luego cerró de golpe, hasta que una brigada de fontaneros o similares se hizo cargo de la situación. Mamá y yo, abrazados, aguardábamos en el portal y ya chorreaba la mierda de los italianos por la cara norte del edificio, cuando se contuvo el flujo marrón y todo gracias a la madrina, que desde aquel momento ejerció su derecho a no dar golpe.

Yo creo que el episodio de la caca de los italianos tuvo mucho que ver con las paperas infecciosas cuando me volvieron las décimas al anochecer. Gaspar Arenales venía de visita y se reía de mí, porque había oído en algún sitio que las paperas te dejan impotente para los restos:

—Ya eres maricón del todo, *Pitito*, ya no te libras, que se te va a caer la picha y te quedas sin huevos.

Por fortuna, conseguí pegarle las paperas a Gaspar Arenales, que se fue a la calle Miracruz a sufrir miedos y yo me quedé en mi casa, tranquilo por primera vez en muchos meses, aunque soñaba que se me caía la picha y me quedaba sin huevos. Mamá tocaba el piano, en el cuarto de estar y cantaba, con voz muy triste, una canción que me hacía llorar, digo yo que sería por debilidad: se llamaba *La mujer es aire* y, algunas veces, mamá lloraba también, seguramente pensando que ella misma era pura frivolidad y aire y que por eso le tiraba tanto el recuerdo del tío Alejandro.

Aquel año de 1938 se jubilaron las monitas republicanas y volvieron los Reyes Magos, lo cual significó la renuncia total de mamá a sus ideas progresistas, porque se había convertido en viuda de héroe, mantenida del nuevo régimen y enamorada de capitán faccioso, aunque fuera capitán faccioso de Sanidad Militar. Como es lógico, yo sabía de la misa la media y mucho más cuando los Reyes Magos me pusieron un cuaderno, una caja de lápices de colores y un surtido de galletas Artiach que me dejaron indiferente a pesar de mis esfuerzos por disimular. Mamá lo comprendió y sin hablarnos pedimos disculpas a las monitas republicanas, que ya pasaban de largo, y deseamos buen viaje a los Reyes Magos.

Luz Ángela Castañón Spencer se había nombrado madrina por decreto y aunque no pegaba clavo iba de prestigio, del que ganó en el episodio de la caca de los italianos. Se hizo de la Sección Femenina y pronto le dieron mando y un economato muy bien surtido, y además se apuntó a una tertulia, en el bar Choko, donde acudían actores, toreros, deportistas, poetas, gentes del varieté y algunas mujeres poderosas, y donde nunca estuvo mi madre, que pertenecía ya a casta más humilde e inclusc un poco martirizada. Luz Ángela Castañón no me abandonó en tiempos de paperas y en cuanto remitieron las fiebres, se dedicó a acompañarme, bien cruzada de piernas, en una zapatera color naranja, y a leerme novelas escogidas que me hicieron el gusto al terror, a los policías y a los asesinos. Nunca olvidaré *Drácula*, ni *¡Arde, bruja, arde!*, ni mis primeras amistades con Conan Doyle, Gaston Leroux o Chesterton, ni los detectives de la Biblioteca Oro, tipo Perry Mason, Hercules Poirot o el chino Charlie Chan.

En la convalecencia de las paperas, cuando peor lo pasaba Gaspar Arenales, solían venir de visita la hermosa Victoria Parra y su hija Marisa, que se estaba convirtiendo en una niña de azúcar. Marisa se sentaba a los pies de mi cama y nadie pensaba que podía contagiarse del mal, porque las paperas sólo atacaban a los niños poniendo en peligro sus queridos atributos. Quince días después, cuando a Marisita le crecieron las paperas, se demostró el error, pero entre tanto tuvimos ocasión de intimar. A la niña no le importaba el incidente del paraguazo, bien al contrario, sentía por mí una especie de silenciosa afición que ganaba mucho cuando me comparaba con su hermano. Un día me llamó cariño y otro dijo que me amaba locamente. Yo no sé de dónde traía estas palabras, que a mí me daban vergüenza insuperable, sobre todo porque Marisa era una niña pequeña, aunque ya iba despuntando.

Las niñas tienen querencia a las muñecas, a los cuentos, a las camas y a los lazos familiares, y Marisa me vino con un oso de peluche, dijo que se había casado conmigo en la iglesia de Santa María, y que el oso era el hijito, y se metió en la cama, llamándome cariño otra vez, y ya dentro de la cama empezó a tocarme la tripa y a ponerme inyecciones, y yo comprendí que las paperas no me habían dejado impotente. Al cabo de mucho tiempo, de tantas cosas, he ido echando cuentas de mi historia clínica, que va de las tetas de María del Alcorque a las de Joaquina Núñez, la pasión por mi Nati, el amor por la cama de mamá y luego la madrina, y mira por donde se cruza una niña a quien yo di un paraguazo de advertencia y no me queda sitio para mi señora, que en tiempos estaba hecha una gloria de Valdepeñas y que me dio cinco hijos, ni tampoco me queda tiempo para Gaspar Arenales, y no quiero ni pensar que las paperas llevaran razón.

Ya sé que te has acostado con mi hermana, me dijo Arenales en el verano del 38. Y lo vas a pagar. Yo le contesté que era impotente, que no podía acostarme con nadie y mucho menos con su hermana, que era una niña. Gaspar Arenales, entonces, se meó en un botijo y me mandó que lo bebiera todo, y cuando yo no quería me daba latigazos y me clavaba un clavo en el cuello y tuve que beberme los orines de Arenales, pero del botijo no salían meadas, sino arañas en leche, y yo me las bebía diciendo que Marisita era una niña y yo también, y pedía perdón a todos los santos. Era una pesadilla, una de las siete que se repetían cuando llegaba la mala hora.

El entusiasmo patriótico de la madrina Luz Ángela Castañón —entusiasmo que no le duró mucho— me llevó a falange de Madrid, que no era lo mismo que falange de Guipúzcoa. En aquellos años —1938-1939— Madrid estaba de moda en San Sebastián, se entiende el Madrid nacional, no aquel donde encontró la muerte mi abuela Marita y, a pesar de todo, el de mamá, que no recibió con gusto, ni muchísimo menos, mi disfraz de flecha, la E de plata que lo acompañaba, el fusil de madera y un puñal de verdad, aunque no tenía filo. Gaspar Arenales también se apuntó a falange de Madrid y, como era lógico, le hicieron jefe de escuadra y a los dos meses jefe de centuria, y llevaba tres flechas en la camisa azul y en la boina roja, y en los calzoncillos, supongo. A mí me destinaron a su centuria y Gaspar me nombró enlace y fue entonces cuando me dieron la E de plata, que en realidad era de metal blanco. Debo confesar que me emocionó el detalle y llegué a pensar que Arenales, por fin, hacía aprecio de mi persona y honor al pacto de sangre que habíamos firmado antes de la guerra. Una E era una E y me distinguía del resto de los flechas, de los que no eran jefes de escuadra, ni de falange ni de centuria de los anónimos madrileños, cuyos nombres aún recuerdo, por orden alfabético: Amo, Amorós, Borbujo, Bru, Campos, Delgado, Domínguez, Falcón, Fontanilla, González y así hasta Salas, Salgado, Suárez, Susillo, Vallejo, Yuste, Zamora y Zapata.

A la caída de la tarde, allá en los altos de Miraconcha, Gaspar Arenales me dio un montón de cartas y yo no sabía para qué. Muy pronto me lo explicó: había que convocar a los flechas para un desfile conmemorativo, que se celebraría el glorioso 18 de julio, y yo tenía que entregarles las citaciones. Y así me encontré que Amorós vivía en el barrio de Amara, Borbujo en Ondarreta, Fontanilla en Pasajes de San Pedro, Salgado en Iparraguirre, Susillo en el Paseo Nuevo y Zapata en la calle María Cristina. El enlace era el más infeliz de todos y sólo me facilitaron una guía urbana y un plano, pero ni un céntimo para el autobús, ni siquiera para el *topo*, y así iba desgastando suelas y perdiendo peso, hasta el día en que mamá se negó a que ganara la guerra, de un plumazo me borró de falange de Madrid y firmó mi deshonra. Pero antes ocurrieron desgracias mayores. El gran jefe de falange de Madrid —que llevaba tres yugos en la camisa— se llamaba Rafael Mico Canales y presumía de que su abuelo fue amigo del general Primo de Rivera, el de mi calle. Mico Canales tenía treinta años y podía ir al frente, si tanto le gustaban los tiros como decía, pero prefería formar a los falangistas del futuro y lidiar con niños, que eran los hombres del mañana. Nadie más rígido que Mico Canales, ni más valiente, ni más rendido admirador del cónsul alemán y de un sargento que conoció en la comandancia. El sargento se llamaba Frank Weidenbaum y convenció a Mico Canales de que los niños teníamos que hacer maniobras en el monte Ulía y ejercicios de supervivencia. El camarada Mico pidió un voluntario para una prueba selecta y Gaspar Arenales me llevó a mí de voluntario. Consistía en pasarse un día y una noche en el monte, sin alimentos ni ayuda alguna: sólo con un mapa, marcando piedras y caseríos con pintura azul. Gaspar me dijo que podía ser mi consagración y que después me nombrarían jefe de centuria, pero que si yo pedía socorro o alguien me encontraba, sería deshonrado para siempre, igual que en *Las cuatro plumas*, y que no se lo tenía que decir a nadie, porque era una misión patriótica. Mico me felicitó por mi valor, dijo que si la misión resultaba bien haríamos el ejercicio guerrero todos juntos, levantó el brazo y gritó ¡arriba España!, ¡viva Franco! y aquella mañana me dejaron en el monte Ulía. Gaspar Arenales engañó a mamá y a la madrina diciéndoles que yo había ido con otros niños a Tolosa a una concentración juvenil. Me pasé el día dando vueltas y marcando piedras y caseríos con pintura azul, y al llegar la noche, por poco me muero de frío y de hambre. Llorando como una nena, intenté bajar a San Sebastián, pero me caí por un barranco y me torcí un tobillo, hasta que me encontró un casero y me llevó a la comisaría de la calle Miracruz, donde vino la madrina a recogerme. Yo me quería morir de vergüenza, porque no servía para la guerra y, por supuesto, no dije nada de Gaspar Arenales, ni mucho menos del jefe Mico Canales, aunque una vez más juré vengarme y ya iban cuatro o cinco juramentos.

XVI

EL MISTERIO DEL PICO DE PEÑALARA

(Testimonio del comisario Arruza)

A veces, el asesino Xarradell y yo nos quedábamos en silencio y a mí me daba vergüenza pedirle opinión, ya que él era un simple oyente que yo utilizaba como ordenador portátil o más bien instalado a conciencia, porque nunca salíamos de casa. Y fue como si hubiera leído mi pensamiento.

La noche anterior estuve viendo, en la tele del bar La Oficina, una película policíaca que me dejó abatido y triste, irrecuperable casi: el protagonista era un sargento negro que andaba siempre dando volteretas por los aires, que salía por un ventanal rompiéndolo en mil pedazos, seguido por una lancha motora, y luego ya, en las calles de Nueva York, lo perseguía un helicóptero lleno de facinerosos y por fin encontraba a una mulata, que estaba enamoradísima de él, y el sargento negro resolvía el problema criminal a tiros, sin fallar uno y después con un lanzallamas, en los peores barrios, y encima era inteligentísimo. Es para hundirse en la miseria: ni soy negro, ni sé disparar, ni estoy luchando contra una poderosa organización y menudo sospechoso tengo yo, un notario gordito y resabiado, de testigo una perra maltrecha y sobre todo me falta lo principal: la juventud, nada menos. Por eso me quedé más que mudo, pensando que si volviera a nacer no sería policía, por mucha necesidad que pasara, y tampoco blanco. Total, el asesino Xarradell me dijo:

—Arriba ese ánimo, comisario, que no se hunde el mundo.

—Es que no veo claro mi porvenir y estoy a punto de renunciar.

—¿Y yo? ¿Qué hago yo con todo lo que me ha metido en la cabeza, que se me están saliendo las fábulas por las orejas?

—No estoy seguro de nada, Xarradell.

Suspiré pidiendo auxilio y el asesino me echó una mano cordial, sin aludir al porvenir, como un señor un poco revenido, eso sí.

—Vaya una novedad —fue lo que dijo.

—Y tampoco estoy seguro de que esto me divierta.

—A ciertas edades ya no hay diversiones, don Leopoldo; ni siquiera perseguir al prójimo.

Así transcurrió aquel diálogo, siete frases, una pregunta y, sobre todo, una duda, que se convirtió en otra pregunta: ¿y yo quién soy para perseguir a nadie? Santiago Xarradell se puso en pie, echó una mirada a la plaza de la Cruz Verde y se trajo una botella de anís para rellenar las copitas. Entonces me di cuenta de que nunca le había llevado ni un triste recuerdo, ni un detalle siquiera, y me hice el propósito de regalarle una chuchería, la próxima vez, si es que había próxima vez. Xarradell se me acercó murmurando: *J'ai quitté Paris et même la France, parce que la tour Eiffel finissait par m'ennuyer trop.* ¿Sabe quién dijo eso, don Leopoldo? Guy de Maupassant, en *La vie errante,* modestamente traducida por Santiago Xarradell, su servidor, reo y esclavo: «abandoné París e incluso Francia, porque la torre Eiffel acabó por aburrirme más de la cuenta» y a usted le está ocurriendo lo mismo, aunque no se trate de Francia, ni de la torre Eiffel; usted es su propia torre Eiffel, don Leopoldo, y eso tiene peligro, *parce que tout devient un cauchemar inévitable et torturant* y también son palabras de Maupassant: «porque todo se convierte en una pesadilla inevitable y cruel», que Xarradell puso cruel en vez de torturante, que suena a traducción, y no olvide usted la pesadilla, *torturant,* dijo el maestro, torturante, que no queda bien, pero explica mucho: el aburrimiento, don Leopoldo, o puede que la locura y, perdone, porque se nos están cruzando los cables y llevamos repitiéndonos esta frase desde anoche: *la tour Eiffel finissait par m'ennuyer trop.* Y yo le contesté: tal que si fuéramos coogiditos del brazo, Xarradell, desde la hora del desayuno, me digo sin cesar: *la Lirio la Lirio tiene, tiene una pena la Lirio y se le han puesto las sienes moraítas de martirio.*

Xarradell volvió a su sitio, abandonó la tercera persona, bebió un sorbo de anís y esperó mis nuevas, pero yo no tenía nada de qué hablar, porque había olvidado casi todo, y tampoco me atrevía a levantarme y adiós, hasta mañana, si es que vuelvo. Entonces me sonrió desde la penumbra y dijo que si todo nos iba bien, podíamos poner una agencia de detectives, y yo no supe si me tomaba el pelo, pero el caso es que se me fue una sonrisa: una agencia de detectives, pero no para investigar negocios sucios o perseguir adúlteros trasnochados, una agencia como las de aquel detective, que hacía ese actor americano, el de *Casablanca*, el que estaba casado con Ingmar Bergman, y a ver qué iban a pensar en la calle Relatores.

—Yo hace mucho que no salgo a comer fuera —dijo entonces Xarradell.

Tal vez treinta años y por mi culpa o en parte por mi culpa. Santiago Xarradell, inocente y respetuoso asesino, quería salir de casa a almorzar y ¿por qué no? Yo tampoco salía de casa, como mucho iba a la pensión Trinidad, y era el momento de quedar bien con mi colaborador, reo y esclavo. Y así le invité aquella noche, pero él me dijo que gracias, y que poco a poco, que tenía que hacerse a la idea de salir con el comisario que le mandó a la horca y además pensaba que le seguía gustando más el mediodía que la noche, ya que hay tiempo para digerir y charlar de sobremesa, que a él le entraba el sueño a eso de las once, aunque irremediablemente se despertaba a las tres. Entonces yo le dije que mañana comíamos donde quisiera, que tenía mucho gusto en invitarle, y él, un poco ruborizado, me propuso un restaurante alemán que se llama Baviera y está cerca de la iglesia de las Calatravas. Baviera ya no existe, ni su rica cerveza, ni su memorable codillo o sus patatas cocidas, y le propuse Casa Ciriaco, de toda la vida y cae por el centro, muy cerca de la Puerta del Sol, pero no recuerdo dónde. Mañana, a las dos, en Ciriaco, que le será fácil averiguarlo y, en todo caso, si tampoco existiera

Ciriaco quedamos a las dos y cuarto en medio de la plaza de la Villa, donde se nos vea bien, y si hay alguna manifestación —que todo puede ser—, delante del teatro Eslava, que ahora no me acuerdo cómo se llama.

Por fortuna aún existe Ciriaco y está donde siempre, en la calle Mayor, en la casa de Mateo Morral, aquel anarquista que tiró una bomba al paso de los reyes, en el día de su boda, que de eso me acuerdo muy bien, porque me contaba la historia mi abuela *Pringá* y los recuerdos infantiles se quedan fijos, y así fue como me vino otro cantable, éste de una revista de Celia Gámez: *se casa el rey y el pueblo se enloquece, porque es de ley y el rey se lo merece, la novia es, con la española venia y escudo inglés, doña Victoria Eugeeenia. Helos aquí, regios y enamorados...* Y ya no me acuerdo de más, chim, pum... Al estribillo: *¡Si será una bomba, que tiró Morral!* No creo yo que el notario corra mucho peligro. Y así entré en Casa Ciriaco —*¡si será una bomba que tiró Morral!*— y me fui derecho al mostrador, que me resisto a llamar barra, y pedí sólo un *vermut* con sifón, porque me proponía hacer honor al homenaje a mi asesino y ayudante. Habíamos quedado a las dos en punto, eran las dos y cinco y yo estaba un poco preocupado, esa es la verdad, pensando en el vestuario que luciría Xarradell y temiendo, sobre todo, que viniera con el bonetillo puesto. A las dos y siete minutos apareció radiante, vestido de negro —eso sí—, pero con el traje de las ocasiones, con bastón de puño de plata y sin bonetillo. Me tendió la mano y yo se la estreché en silencio, un poco emocionado, para qué voy a negarlo, y señalando hacia el comedor le dije:

—Vamos a la mesa.

Pedí una botella de blanco de Rueda y Xarradell se quedó fijo en la carta, sin decidirse por ningún plato, de tal modo que tuve que advertirle que no reparara en los precios —por otro lado muy razonables—, porque cuando yo invito, invito a conciencia. Xarradell pidió croquetas de merluza y gallina en pepitoria, especialidad de la casa, y yo, patatas con huevos y callos a la madrileña, y cuando nos quedamos solos, Xarradell sacó el bonetillo, se lo puso de la forma más natural y levantó la copa de blanco, pero sin poder aguantar la risa, y antes de que viniera el camarero a traernos boquerones en vinagre, se había guardado el bonetillo. Demonio de Xarradell, jugando como un niño, que de la risa por poco echa el vino por las narices y luego ya, de pronto serio, me dice:

—Permítame un brindis, que prometí en cierta ocasión y vaya sin bromas: por Viriato Gazapo, alias *Flasgordon*, que estará en el cielo, y por usted, señoría, a quien espero encontrar pronto en el infierno.

—Por Gazapo y por usted, Xarradell, que volvamos a vernos en el infierno o donde disponga usted.

Y chocamos las copas afectando indiferencia. Durante la comida —nos habíamos bebido también media botella de vino de Rueda— hablamos de asuntos banales, sin rozar espinos, como presidios, asesinatos, comisarías y torturas, pero ya en los postres nos fuimos introduciendo, quizá sin advertirlo, en materias más cercanas a nuestro oficio, por llamarlo así, y Xarradell recordó al notario González Chamorro y al explorador Gaspar Arenales, muerto —ya iba para tres meses— en la sierra de Guadarrama. Fue entonces cuando me sorprendió Xarradell al hablarme del género policíaco en la literatura —él había traducido *Doble crimen en la calle Morgue* y *La muñeca sangrienta*, de Gaston Leroux— y mencionar lo de siempre: el asesino vuelve al lugar del crimen. Como yo nunca había sido policía teórico, sino más bien funcionario con muchísima paciencia, me quedé un poco volado y sólo supe contestar: eso lo sabrá usted, amigo Xarradell. Entonces me miró torcido y rompió las reglas de la cortesía, al responder: no me toque usted los cojones, señor comisario, sin que yo supiera la razón del mal modo y mi cara se lo debía de estar diciendo. ¿No se acuerda ya de la comisaría de Málaga? Vagamente o más o menos, pero sin ninguna claridad; que si estamos hoy juntos es porque voy perdiendo la memoria. Claro que volví al lugar del crimen, señor comisario, fue lo primero que hice al salir de la cárcel: me subí a un tren y me fui a Pamplona, estuve buscando la pensión Tudelana, pero ya no existía, y me hospedé en el hostal Nueva York y fui a la estación, al mismo sitio donde facturé el baúl-armario de la abuela, y primero también, cuando ustedes me echaron el guante en Pamplona 1965, teatro-circo Gayarre, el mejor espectáculo del mundo, la prodigiosa memoria del profesor Xarradell y todo por la estúpida curiosidad de un asesino novato, esquirol, reo y esclavo, a sus órdenes. Había cambiado la palabra colaborador por la de esquirol, y yo tuve que pedirle que me perdonara el olvido, que ya sabía cuál era mi condición. Xarradell —algunos temas le debían doler mucho— volvió a sonreír y rectificó en parte:

—No hablaba de mí, señor comisario, me estaba refiriendo al suceso que tanto le entretiene: yo que usted iría a la sierra, por si al criminal se le ocurre volver al lugar del crimen, y de paso buscaría, que tal vez encontrara algo, algo así como una máquina de fotografías, por ejemplo.

Tuve que contenerme para no poner en su sitio a Xarradell: el criminal iba a estar recorriendo los montes Carpetanos, como si fuera el fantasma del Comendador, y allí mismito dejarse una máquina de fotos, con un rollo intacto y el retrato del asesino dentro. Me daban ganas de reírme y menos mal que aún quedaba café.

—Usted me interrogó durante setenta y dos horas, yo lo dije todo, cuando ya no podía más, por quitármelo de encima, por no verle, que prefería morirme mil veces, pero nunca he podido preguntarle una cosa.

Yo sí que me arrepentía mil veces de haber convidado a aquel asesino sin modales ni consideración, disfrazado de escritor francés, resentido y grosero, comilón y seguramente borracho a los postres, pero ya era tarde.

—¿Ha matado usted alguna vez, comisario?

Levanté los ojos, dispuesto a contestar a Xarradell como merecía, y encontré sus ojos vacíos de pestañas, empañados en lágrimas, señales de vejez o de catarro, y me dio tanta pena de Xarradell como del comisario Arruza, y eso sí que es malo para la salud.

—Nunca.

—Cómo me hubiera gustado poder decir hasta aquí llegaron las aguas, aquella noche que me trajo usted yemas de Santa Teresa y una botella de whisky, y o sea, morirme de una vez, pero no hubo suerte y no tuve el valor del *Flasgordon*.

Y entonces se me ocurrió una tontería y le dije que yo también había matado, pero sin pasión, ni odio, ni celos, ni amor, ni sangre que te ciega, ni nada. Más de cinco muertos, Xarradell, sin tocarlos, soplándoles la peana y entre ovaciones de los lectores de páginas de sucesos, gratificaciones y ascensos; peor que el verdugo.

—Usted se refiere a la historia del mundo, señor comisario y yo no hablaba de eso.

Nos había caído encima una losa y habíamos echado a perder la gallina en pepitoria y los callos a la madrileña. Durante unos minutos, ni Xarradell ni yo abrimos la boca; luego el asesino —a quien injustamente llamé mal educado— dijo que la próxima vez invitaba él, pero que teníamos que traer chicas, y que no estaría de más hacer una excursión a la sierra y llevar a Popea.

El jueves pasado, cuando volvía de llevar a la niña Marga a la escuela, antes de ir al mercado de San Miguel, se me soltó el cordón de un zapato en la calle del Olivar, y cuando me lo estaba atando un coche se paró detrás de mí y me pegó un bocinazo tan altanero que me puso el corazón en la boca, y ya me estaba volviendo, con cierta natural violencia, cuando oí una carcajada y un grito alegre: ¡coño, Leo, que te juegas la vida por atarte un zapato, macho! Era mi amigo el taxista Emilio Valbuena y yo tuve que decirle: ¡coño Emilio, cuánto tiempo, joder!, porque a él le gusta que le hablen en plan sencillo. Luego aparcó el taxi y nos metimos en una taberna a celebrar el encuentro, porque no nos habíamos visto, por lo menos, en cinco años. Este Emilio Valbuena, nacido en Humanes (Guadalajara), puede decirse que es mi mejor amigo, el que todas las navidades me manda un *christmas* con muy buenos deseos. Lo conocí en heroicas circunstancias. Hace ya muchos años, cuando yo me pateaba Madrid y ni tenía mesa, ni silla, ni cobijo en la comisaría de turno, andaba tiritando por la calle de Bailén, a eso de las tres de la madrugada, camino de una chocolatería donde solían obsequiarme con chocolate muy caliente y ciertos churros, cuando un taxi —que venía pegando alocados bandazos— se subió al bordillo de la acera y alguien salió de la parte de atrás y el taxista, dando gritos ¡al ladrón, al ladrón! Me dio tiempo de sacar la pistola —la que nunca usé— y echar el alto reglamentario.

Era un chico muy joven, que me miró, se dio la vuelta, cuando el taxista le cerraba el paso, y entonces saltó la barandilla del Viaducto y se quedó agarrado por fuera, fijo en el abismo. El taxista estaba tieso de miedo y el chico, sin decir una palabra, tiró cinco o seis billetes, luego una navaja y mirándome dijo: ahora voy yo, hijo puta. Los ojos de aquel chico no mentían y yo estaba sin habla, incapaz de moverme, cuando oí la voz del taxista: coño, joder, mamón, no te hagas el valiente, que por sesenta duros no vale la pena mojar el pavimento de la calle Segovia. Pensé que me había llegado la vez y me puse a hablar seguido, sin saber lo que decía, y el chico me miraba, mientras el taxista —que yo veía al fondo— ganaba el otro lado de la barandilla y andando muy despacio le agarró del cuello y yo cerré los ojos pensando que ya estaba el puré en la calle de Segovia, pero no fue así. El taxista me preguntó: ¿va usted a detenerlo? y yo le respondí: si usted no lo denuncia, no. El atracador echó a correr y ya no le vimos más y, como es natural, no salimos en los periódicos, y a mí no me dieron ninguna medalla, pero conocí a Valbuena y nos seguimos viendo y, lo que es más difícil, escribiendo cuando me trasladaron a provincias y en navidades o de pésame, hasta ahora que lo encuentro en la calle del Olivar, pegándome un bocinazo en el culo, joder.

Valbuena me dijo que no se jubilaba, porque esto del taxi le hacía bien, podía hablar y conocía mundo interior y, sobre todo, estaba fuera de casa, y además, con el coche nuevo —un mercedes, nada menos— viajaba mucho, incluso al extranjero, que sin ir más lejos el jueves tenía que recoger en Segovia a un conferenciante para llevarlo a Santander. Entonces se me ocurrió una idea y le dije:

—Coño, Emilio... ¿Tu serías capaz de ir a Segovia por el puerto de Navacerrada y desviarte un poco hasta Cotos y allí me dejas con un amigo, que vamos de excursión?

Emilio Valbuena dijo que no había el menor problema, joder, que a él no le costaba ningún trabajo, que el campo era muy sano y que el plus de kilómetros lo iba a pagar la Caja de Ahorros, y yo le advertí que llevábamos una perrita, pero que era limpia y respetuosa.

Y así iba yo repasando la escasa nómina de amigos que tuve
a lo largo de mi vida, la rareza que marca el reencuentro con
Santiago Xarradell, la presencia de Emilio Valbuena y la «barbaridad de la cosa», expresión favorita de mi abuelo el cabo Andrés Ríos y que ahora, contemplando lo que fue la antigua
Cuesta de las Perdices y la barbaridad de coches, que van y vienen de la capital a la Sierra o lo que antes eran los alrededores y
el campo, que me dejan sin habla, porque aunque parezca mentira yo no he salido de Madrid desde el año setenta y cinco.

Los amigos, los que me duraron, algunos de la mili, porque
nunca los tuve en la policía, se fueron por su turno y no los cambié, por pereza y también un poco por fidelidad. No me gusta
hablar ni de política ni del fútbol de ahora, y además no entiendo una palabra de lo que se cuece, y si voy al bar La Oficina
es porque el *fúrer* me echa de casa y la niña Marga, pobrecita
mía, que los niños son dura prueba para los viejos, aunque sean
queridos nietos. Por otro lado —cardo, que eres un cardo, me
dice siempre Linda Lebreles— jamás voy a los homenajes y añoranzas de mis compañeros, y en su momento rechacé el que a
mí me preparaban y no por soberbia, desidia o indiferencia, sino
porque no me interesa el tema, me cansa vivir. Y mire usted por
dónde, se me enciende una bombilla en la Sacramental de San
Isidro y me pone en marcha, en busca de un asesino —si es que
existe— y de una víctima, como siempre, y dice Xarradell que me
muevo así porque me aburro, y yo le digo que es tiempo de
vida, de hacer lo que siempre hice, y lo juro por Dios santo, que sin
encono, ni ánimo de venganza, pero tampoco con amor, que a
mí eso de «odia al delito y compadece al delincuente» me parece una chorrada, porque yo he aguantado a muchos delin-
cuentes y sólo quise a uno, el que coció a su señora y al amante
de su señora en los pucheros de una fábrica de conservas. Primero pensé: hay locos que hablan muy bien —casi todos—, más
tarde que era un pobre infeliz sin otra salida que el crimen, y
luego, un hombre con sensibilidad que sabe explicar los motivos y las causas de un asesinato inevitable, y cuando ya me habló, después de haber confesado por mi culpa, y me dijo lo que
me dijo, vi lo que nunca me atreveré a contar y el otro día salió
en Casa Ciriaco, vaya por Dios. Puede que, una vez más, se me

vaya la cabeza, pero pienso que estas amistades se deben a las coincidencias infelices o terribles que nos pillan en mala postura, y así resulta que es nuestro amigo quien nos da la razón y el enemigo quien nos la quita y, desde luego, el más inteligente es el que opina como yo. Recuerdo que mi jefe y maestro, el comisario Lanuza, cuando se refería a la Guerra Mundial, decía que habría que ahorcar a Hitler con las tripas de Churchill, y puede que no le faltara razón. Así iba, en el taxi, dándole vueltas a la cabeza, que tal vez no hubiera sido mala idea ahorcar a Xarradell con mis propias tripas.

Emilio Valbuena, que se había empeñado en hacer el servicio completo, me vino a buscar a la calle Relatores e incluso alabó mi sencillo vestuario: chaqueta de lana y jersey a juego, pantalón de franela, bota fuerte, gorra inglesa de espiguilla y bastón de caña. La perra Popea —que ya no iba vendada— se me sentó en las rodillas, como si supiera que aquel sitio era el suyo, y así llegamos a la plaza de la Cruz Verde, donde ya nos esperaba Xarradell acompañado por su fiel Balbina Latorre. Santiago Xarradell parecía un antiguo internacional de la Guerra Civil: boina negra, jersey de cuello vuelto, cazadora de cuero, pantalones bombachos, medias de lana, bota de cordones, una magnífica garrota, prismáticos y un pequeño morral, que no tendría menos de cuarenta años. Saludó ceremoniosamente a Emilio Valbuena y pidió que le dejáramos ocupar el asiento delantero, porque atrás se mareaba sin remedio y no quería ensuciar el coche. Popea se vino conmigo, pero no duró cuatro bocacalles y acabó sentándose sobre las rodillas de Xarradell, que acogió a la perra con simpatía y ella le correspondió lamiéndole la nariz. Así salimos de Madrid, como queda dicho. El calorcillo del mercedes me hizo cerrar los ojos, porque no me llegaba la conversación que mantenían Valbuena y Xarradell. Popea acabó haciéndose una rosca en el regazo del asesino, adoptándolo con tanta naturalidad que me molestó ciertamente: así son ellas, todas iguales, te desvives y en cuanto te descuidas, te la pegan con tu mejor amigo. Sonriendo me quedé traspuesto, porque el sol me venía a favor y el murmullo de la conversación me adormilaba.

Casi instantáneamente —o eso me pareció— se detuvo el coche y oí la voz del taxista: coño, joder, señor duque, que hemos llegao al castillo. Entonces me desperté y no pude decir ni una sola palabra: estaba en una carretera de montaña, rodeada de pinos, dentro de un automóvil y un hombre recio sostenía la portezuela del coche, riendo: aquel hombre me sonaba de algo. En el coche iba otro pasajero, flaco, con barbita blanca y un perro, de raza indefinida, que también me sonaba.

—¿Leo, te pasa algo, joder? —me dijo el de la portezuela.

—¿Quién es usted?

—No me hagas putadas ¿eh? ¡No me vengas con leches, ni me juegues, que os vuelvo a Madrid!

—¿Y yo quién soy?

—Usted es el comisario don Leopoldo Arruza, este señor es amigo suyo y yo soy Santiago Xarradell, su colaborador, reo y esclavo —dijo el de la barba con sonriente paciencia.

La voz tranquila de aquel hombre me devolvió al mundo; en ella reconocí al asesino Xarradell y fuera —lívido— estaba el pobre taxista Emilio Valbuena, apoyándose en la puerta del mercedes, sin entender una palabra, hasta que yo me eché a reír, más que nada por disimular el penoso trance. No engañé a Xarradell, pero sí a Valbuena, que no dejaba de decir maldita la puta gracia que tiene esto, coño, joder, que si mi alma lo sabe tu padre te trae a la sierra. Yo le pedí perdón y le dije que no tenía correa, mientras Santiago Xarradell examinaba el terreno, como si tuviera que medirlo a palmos, y la perra Popea corría de un lado a otro, oliendo cada matojo, con una excitación que yo no sé de dónde le venía. Emilio Valbuena —sosegado, pero un poco tieso— se despidió de nosotros diciendo que le gustaría mucho quedarse y sobre todo volver a buscarnos, pero el trabajo era el trabajo y quedamos en comer juntos algún día de la próxima semana. Xarradell y yo echamos a andar hacia el telesilla, mientras Popea se alejaba cada vez más. Xarradell —buen disimulador de siempre— me dijo que estuviera tranquilo, que el verdadero propósito de la excursión no lo había mencionado siquiera, que la versión oficial era que andábamos buscando fósiles, amanites, trilobites y cosas de ésas, porque todas estas montañas fueron un mar en el período devónico. Como es lógico, Valbuena no se ha creído una sola palabra y me ha encargado que la próxima vez que nos viéramos le llevara una ostra del Guadarrama y, sin más explicaciones, Xarradell comenzó a silbar *La Marsellesa* y a mirarme de reojo, todavía preocupado por mi repentino vacío. Hacía un día maravilloso, uno de esos días de otoño serrano, de sol brillante y aire limpísimo, sin brisa alguna, que ya tenía muy lejos de la memoria, y así fuimos por una áspera ladera —o eso me parecía a mí— hasta llegar al arranque del telesilla. Mal que bien nos subimos Xarradell y yo: él con Popea en brazos, yo agarrándome a la barra de seguridad. La perra venteaba y yo sentía algo así como celos, porque Xarradell era un advenedizo y yo le había salvado la vida. El telesilla nos dejó cerca de la laguna de Peñalara y seguimos andando, pero antes de llegar a la laguna —que estaba festoneada de latas de cerveza y botellas de plástico, pero que olía a tomillo y a retama—, Popea apretó a correr y, por mucho que gritamos y la llamamos por su nombre, no consintió en obedecer. Xarradell y yo nos miramos y sin duda alguna, aunque no dijimos nada, pensamos adiós perra Popea, y yo no pude evitar otro pensamiento egoísta: todo el dinero que me has costado y un poquito de cariño se me van por esa cuesta arriba, porque yo no soy capaz de seguir a la perra y ella huele a su amo, el de África. El asesino Xarradell buscó con los prismáticos, llamó a gritos, pero todo fue inútil, y los dos intentamos seguir camino de Peñalara, pero no aguanté ni cincuenta metros. Entonces trató de animarme y yo le dije que me volvía, y la verdad es que Xarradell se portó como un caballero: no se burló de mí e incluso llegó a preocuparse, preguntándome si llevaba brújula y advirtiéndome que tuviera cuidado no fuese a terminar en La Granja de San Ildefonso:

—¿Pero a dónde va usted, Xarradell? —le dije como si el viento me impidiera oír.

—¡A librar de una acusación injusta al notario González Chamorro y a recuperar a la perra Popea!

Entonces me arrepentí de la excursión, sentí asco de mi vejez e incluso deseé que Xarradell no llegara al final, que se rindiera antes, y busqué algún pretexto que escondiera mi falta de vergüenza, pero no encontré ninguno, salvo mi propia ruina, que llevaba razón el excursionista y ya me veía yo dando vueltas por el monte como una maldición vacía de recuerdos.

Santiago Xarradell desapareció, camino del pico de Peñalara, con su morral al hombro, los prismáticos a mano y la garrota. Yo no había leído muchos libros de montaña, pero recuerdo uno que me impresionó especialmente, *La epopeya del Everest*, donde se relataba cómo en 1924, a cuerpo limpio y sin oxígeno, dos alpinistas británicos —Irvine y Mallory— desaparecieron entre la niebla y la ventisca y nunca jamás se supo si habían alcanzado la cumbre de la montaña. Yo era el traidor, el que se quedó en la retranca, y Popea y Xarradell los dos heroicos alpinistas que iban a descubrir el misterio del pico de Peñalara. Cuando me monté en el telesilla, humillado por la debilidad de mis fuerzas y mi poco espíritu, vi que por el norte venían nubes cárdenas y que abajo, ya en el valle del Lozoya, los pinos iban desapareciendo entre la niebla.

Sobre la una llegué al puerto de Navacerrada, donde me había citado con Xarradell, a eso de las cuatro de la tarde, creo yo. Me fui directamente a Venta Arias, pedí un bocadillo, una cerveza y un periódico. Pero no podía concentrarme en las noticias, porque lo que estaba ocurriendo al otro lado de la ventana no me daba ni respiro ni tranquilidad. La niebla estaba muy baja y apenas se veía el edificio de enfrente, lo que siempre fue la Sociedad Deportiva Excursionista, y antes, o después, las Dos Castillas, porque una raya imaginaria dividía la provincia de Madrid de la de Segovia, o sea, Castilla la Vieja de la Nueva. La carretera brillaba, pero no de lluvia ni de nieve, y los pocos que se atrevían a cruzarla se escurrían gritando e incluso riendo, riendo siempre como un niño que lo pasaba bien. Los coches rodaban sigilosos, con los faros encendidos, y hacían sonar la bocina, al llegar al puerto, ya medio felices, porque esperaban perder la niebla al bajar las Siete Revueltas, camino de La Granja. En aquel momento comenzó a sonar una campana, que algo quería decir, una campana apagada por la bruma, que llamaba sin prisa y mucho menos con agobio. Me dije que, tal vez a partir de la laguna de Peñalara no habría niebla, aunque Xarradell iba a encontrarla de todas formas, cerca del telesilla e incluso en Cotos. Por distraerme y en recuerdo de los señores de Gutiérrez del Arroyo salí de Venta Arias y fui bajando hacia la estación del ferrocarril eléctrico, donde sonaba la campana de la iglesia de la

Virgen de las Nieves. Incliné el cuerpo hacía adelante, por miedo de escurrirme, y así, tanteando el bordillo de la carretera, dejé la principal, por donde venían los coches de llantas susurrantes, el ruido que ahora se iba trasladando a las copas de los pinos, que movían sus agujas aún verdes y se desprendían de algunas piñas mal sujetas. Aquel viento iba despejando la niebla, pero a mí me parecía peor, porque disimuladamente traía ventisca y aguanieve. Entonces, mil veces, me arrepentí de haber llevado al asesino Xarradell a aquella excursión y renegué de mi aburrimiento y de andar jugando a detectives a mi edad, que Xarradell no iba a encontrar nada en el pico de la montaña, yo iba a pillar un catarro definitivo y la perra Popea se perdía sin remedio en los barrancos, donde una vez pudo sobrevivir. Pero lo peor de todo era la situación de Xarradell, que yo conocía, al menos por referencias, la sierra de Guadarrama y sabía que, de los siete grados podía pasar a cinco bajo cero, en pleno otoño, y que era implacable con los niños, los viejos y los débiles, mucho peor que los Alpes, porque las sierras de España, como decía mi abuela *Pringá*, son besuconas al principio y puntilleras al final. Cerca de la iglesia iba diciéndome: no Xarradell, tú no mereces la puntilla y sobre todo no tienes derecho a pedirme que sea yo quien te la administre, y además iba a olvidarlo sin remedio.

Empujé la puerta, que estaba entornada, y entré: quise hacerme a la oscuridad, cerré los ojos y entonces se me vino el olor: no era incienso de iglesia de pueblo en día de la Virgen o de catedral gótica en fiesta mayor, era un aroma oriental y lejano, ignorado por mí, que no estoy muy puesto en sensaciones olorosas. Cuando acostumbré los ojos a la oscuridad vi que no había público, ni devotos, ni curiosos, ni nadie, y la capilla me recordó a un teatro vacío donde yo me refugié una tarde, huyendo del invierno, creo que en Zamora o en Valladolid. Había un Cristo crucificado sobre el altar mayor y flores amarillas, rojas y violetas, y un cuadro con la Virgen que protegía al Niño de una tormenta de nieve, como si fuera la ilustración de un libro de cuentos. Varios bancos de madera, un confesonario arrancado de otra iglesia y tres o cuatro reclinatorios completaban aquel triste espacio. El cura, que estaba diciendo misa, frente al altar, como antes se solía hacer, era un hombre de unos cincuenta años, de espesas cejas, ojos brillantes y barba cerrada, y el monaguillo, un viejo que se movía como un muñeco de cuerda. Los escuché unos instantes, una voz muy aguda, cascada y otra grave, un poco falsa: *Sumsum corda. Habemus ad Dominum. Gratias agamus Domino. Deo nostro. Dignum et justum est.* Decían la misa en latín, para ellos, como si no hubiera transcurrido el tiempo. Yo hacía muchos años que no iba a misa, pero como es lógico no ignoraba los cambios habidos en la iglesia y que ya no se daban los oficios en latín, sino en lengua vulgar. *Iesu sacratissimum. Miserere nobis* y luego pronunció un largo párrafo, donde me pareció oír el nombre de Gaspar y el ofrecimiento de la misa por la salvación de su alma. El sacerdote me echó un reojo, hizo una leve inclinación de cabeza y sujetando al anciano monaguillo por el pescuezo, lo sacó de la capilla por una puerta lateral. Yo salí también y me dirigí a una cantina que había cerca de la estación. A los pocos minutos el cura y el monaguillo viejo entraron en el local y pidieron café muy caliente. El cura vestía jersey rojo, pantalones vaqueros y un anorak que en tiempos pudo haber sido verde. El monaguillo era ciego, llevaba boina y una gabardina muy larga que casi le llegaba a los pies, y calzaba zapatillas de tenis. Me acerqué a ellos, intenté invitarles a otro café, pero rehusaron, aunque sí me aceptaron una copa de coñac, por el frío que venía arreciando, según dijeron. Luego le pregunté al cura —con muchísimo respeto— por qué decía la misa en latín, y él me contestó que así se lo habían encargado y seguiría así, pese al mal tiempo, hasta el 31 de diciembre, y que lo más difícil había sido encontrar al monaguillo y el monaguillo asintió con voz cascada:

—Es que ya nadie sabe de la misa la media, Pepito —y se echó a reír, como si hubiera contado un chiste divertidísimo.

Yo también reí y le dije al cura que quizá fuera amigo del muerto, un don Gaspar Arenales, fallecido en accidente, y que suponía que las misas —si eran para él— las habrían encargado los señores Gutiérrez del Arroyo. El cura sonrió con cierta cazurrería serrana:

—En eso se equivoca usted; buenas tardes y gracias por la copa —y agarrando al monaguillo ciego, por el pescuezo, se dirigió a la salida—: papá, no te olvides del casco, que nos vamos.

El monaguillo se puso un casco negro y el cura otro azul eléctrico, y así salieron del bar. Poco después oí cómo arrancaba el motor de una moto y yo me quedé meditando sobre aquel encuentro: si no habían encargado las misas los señores Gutiérrez del Arroyo, sería cosa del notario González Chamorro o quizá de Teresa Zivor, pero no creo. El color de las flores —que aún estaban frescas— era el mismo que el de la corona del cementerio, pero no entendía lo del aroma oriental. Pagué y salí otra vez: ya era de noche, el viento soplaba muy fuerte, a rachas. Me calé la gorra hasta las orejas y medio encorvado me dirigí de nuevo hacia las Dos Castillas, sin saber qué hacer y ya muy inquieto por Xarradell. De pronto dos faros amarillos rompieron la niebla, un coche se detuvo frente a mí sin dejar de alumbrarme y luego se abrió una portezuela y oí a Xarradell que decía:

—Sí, es él, es él: muchas gracias otra vez.

—¿De verdad no quieren ustedes que les bajemos a Cercedilla?

—¡No, no, señor, no! ¡De verdad! ¡A sus órdenes, mi cabo!

Y vino hacía mí murmurando que una cosa es aceptar la ayuda de la guardia civil y otra morrearse con ellos en un coche verde y maloliente, aunque bien está lo que acaba bien. Yo, sin pensarlo, lo juro por la memoria de mi Margarita, abracé a Xarradell y, claro, como era la primera vez, noté que estaba en los huesos, que achuchaba a un esqueleto, elegante y distinguido, pero esqueleto al fin, y él correspondió a la efusión, pensando, quizá, que podía haberme encontrado en las cercanías de Segovia.

—¿Ha pasado mucho miedo, comisario?

—Un poco de miedo he pasado —le confesé.

—¿Quién me iba a decir a mí que acabaría novio de un comisario de policía?

Me agarró del brazo, encendió una linterna y juntos seguimos subiendo la cuesta —yo sin hablar y un poco abochornado— hasta llegar a Venta Arias, donde entramos. Las cuatro o cinco personas que había en el bar se nos quedaron mirando, porque debíamos componer una curiosa pareja, aunque Xarradell me ganaba de mano: tenía los pantalones bombachos desgarrados y también los calzoncillos largos —porque llevaba calzoncillos largos—, las piernecillas sucias de sangre y la cara llena de barro, como si viniera de la guerra, pero de una guerra antigua. Una chica gordita y muy dispuesta salió de detrás del mostrador y se dirigió a Xarradell, que en aquel momento interpretaba un papel, no sé si de héroe o de mártir. La gordita se lo llevó al interior de la casa y el asesino me guiñó un ojo. Al fin y al cabo estaba vivo y yo no podía intervenir, de modo que me senté, pedí un *vermut* y me dispuse a esperar. Al cabo de quince o veinte minutos volvió Xarradell con la gordita, que le había llenado los pantalones bombachos de tiras de esparadrapo, como a los toreros cuando les rompen el vestido en la plaza. La chica —que se llama Bernarda— parecía muy satisfecha y Xarradell aún más. Bernarda mandaba y así dijo que íbamos a cenar una sopa calentita y un guiso de patatas y carne de los que suben la temperatura, y yo, que aún estaba en el mundo, le dije a la chica Bernarda que no teníamos dinero, ni tarjetas de crédito, y ella, que no importaba, que volveríamos a pagar otro día.

A la sopa y al guiso de patatas añadieron una botella de vino tinto y arroz con leche de postre y ya en la sobremesa me contó Xarradell su excursión por la sierra del Guadarrama, dándole al relato un cierto tono efectista, como si él mismo fuera un personaje traducido de una novela de Anatole France.

—Debo decir, en primer lugar, que si Xarradell está vivo es gracias a la previsión de Balbina Latorre, que le puso en la mochila una linterna, una petaca con whisky de buena marca, dos bocadillos de jamón, cuatro naranjas y una cajita de primeros auxilios. Cuando usted inició su retirada —si es que lo recuerda— Xarradell comenzó a subir hacia el monte, subida que no resulta demasiado fatigosa, ni siquiera para un hombre tan poco hecho al deporte como su colaborador, reo y esclavo. Popea reapareció entonces, aunque no se acercaba ni atendía a las llamadas y silbidos de Xarradell, sino que corría de un lado a otro como si estuviera buscando un rastro, y le ruego que no nos interrumpa, señor comisario, porque luego hablaremos de Popea extensamente. Entonces comenzó a soplar un viento frío y racheado, este su servidor se caló la boina y echó un traguito de whisky. El paisaje era hermoso, el cielo estaba muy azul y en el valle iba entrando la niebla.

No le faltaba más que la música de fondo y, rompiendo el encanto y a pesar de las recomendaciones del asesino Xarradell, le pregunté por la perra y la causa de sus heridas, pero él volvió a insistir en que no le interrumpiera y me callé, sobre todo, porque Xarradell disfrutaba con su relato y aún más con su papel estelar.

—Alcanzamos la cumbre de Peñalara en solitario, o sea, que no había rastro humano, y debo decirle que no significa ninguna hazaña y todo hubiera terminado bien si no es por el mal tiempo. Anduvimos buscando precipicios y barrancos, hasta llegar a un cortado de unos veinte metros. Sin embargo por allí era difícil despeñarse y más para un hombre acostumbrado a la montaña, como debía de ser el difunto Gaspar Arenales. Xarradell bajó al fondo del barranco y se cayó dos veces, debido a su torpeza, claro está, y pudo advertir en sus carnes que aquellas piedras sí estaban afiladas. Ya en el fondo comenzamos a buscar la máquina de fotografías —me dirigió entonces un guiño malicioso— o cualquier objeto que delatara al criminal, pero una bestia feroz, lobo, puerco salvaje o alimaña parecida nos atacó.

En aquel momento estuve a punto de levantarme y dar por terminada la reunión, porque no tenía ganas de que el asesino Xarradell me tomara el pelo, que del lobo o puerco iba a hacer oso en breves instantes, pero Xarradell me agarró el brazo y añadió, volviendo a la realidad, al menos formalmente:

—No era ni lobo, ni oso: era Popea, que me rasgaba la ropa y me buscaba la garganta, señor comisario, la garganta y, perdóneme, también los huevos, o sea las partes blandas de Xarradell. Seguramente la perra me tomaba por otra persona o estaba viviendo algo que había ocurrido, va para tres meses, y de pronto cesó en su ataque y ya no la vi. Entonces sí que lo pasé mal y creí que nunca saldría del barranco, pero al fin llegué arriba, no sin darle un toque a la petaca del whisky. Por aquel cortado es probable que cayera Gaspar Arenales y casi seguro que allí mismo, la perra atacara al notario, aunque eso nada prueba, ni mucho menos. Entonces reapareció Popea y ya estaba dispuesto a defenderme, con la garrota, cuando comenzó a saltar en torno mío y a ladrar alegremente, como si hubiera vuelto a la vida o qué sé yo, que esta perra parece hija del Dr. Jekill y Mr. Hyde, si es que alguna vez tuvieron relaciones sexuales, señor comisario. Pero lo malo era encontrar el telesilla, porque no se veía un carajo, don Leopoldo, si vuelve a permitirme la licencia. El viento había cesado y la niebla era tan espesa como la de Londres, la que llaman puré de guisantes en las novelas.

Miré con mucha atención a Xarradell e incliné la cabeza para ocultar mi sonrisa. No es que el relato del asesino careciera de interés, es que me recordaba a mi abuela *Pringá*, cuando me contaba cuentos de miedo en Aranda de Duero, y a mí mismo cuando le cuento historias policíacas a la niña Marga, falsas hazañas de su abuelo, cosas que nunca ocurrieron.

—Fue entonces cuando Popea se transformó en mi ángel de la guarda: iba dos o tres metros por delante, volvía la cabeza y ladraba, de cuando en cuando, como si me indicara el camino entre la niebla, y eso es, precisamente, lo que estaba haciendo, y así llegamos al refugio de Cotos, señor comisario, que si antes dije que Balbina Latorre me salvó la vida, ahora debo añadir que mucho contribuyó la perra Popea, a quien ya no volví a ver, desgraciadamente.

Santiago Xarradell suspiró, se bebió un vaso entero de vino tinto y me preguntó si Popea estaba vacunada contra la rabia. Luego dejó un collar sobre la mesa, de esos que se utilizan contra pulgas y garrapatas, que era todo lo que había encontrado en Peñalara, y terminó confesándome que no libró al notario de sospechas, que perdió a la perra y que le recogió la guardia civil, y así, por las buenas, era la primera vez, aunque no estaba dispuesto a agradecerlo, ni mucho menos a repetirlo. Si el relato de Xarradell era cierto —y yo no tenía motivo para dudar— el comportamiento de Popea decía dos cosas: que el notario estuvo en el fondo del barranco, donde le atacó la perra, y que, allí mismo, González Chamorro intentó matarla.

—Me parece que sé dónde está Popea —le dije al sorprendido Xarradell.

Bernarda —la chica gordita— no nos quería dejar salir y yo tuve que prometer que volveríamos, seguramente acompañados de un perro. Había cesado el viento y la ventisca y de nuevo nos dirigimos a la capilla de la Virgen de las Nieves, donde encontramos a Popea, enroscada para darse calor a sí misma. Cuando nos vio llegar, se levantó perezosamente, se estiró tensando la barriga y las cuatro patas y luego vino a hacernos zalemas, primero a Xarradell y luego a mí.

—¿Cómo sabía que estaba aquí?

—Porque seguramente, en esta iglesia, velaron el cadáver de su amo, o quizá porque le dicen misas hasta el 31 de diciembre.

Para ahorrar, dormimos juntos aquella noche la perra Popea, Xarradell y yo, quién me lo iba a decir en la comisaría de Málaga. El asesino —amparándose en la oscuridad— me contó que había estado enamoradísimo de María Callas y que a veces la recordaba cantando *Carmen, El Cid* o *Medea,* con traje largo, un gran escote, collar de esmeraldas y brillantes, aquellos labios, los ojos negros profundísimos y su gran nariz —él odiaba las narices respingonas— de mujer hecha y derecha, de tía de una vez. Luego me preguntó si yo no tenía un amor secreto y por no defraudarle le dije que sí, que siempre estuve enamorado de Shirley Temple porque me gustaban las mujeres pequeñitas con tirabuzones.

—No me joda usted, señor comisario —me dijo Xarradell rompiendo la regla urbana una vez más.

Insistí en lo de Shirley Temple y de qué forma me defraudó cuando se hizo mayor, pero aun así me seguían gustando los hoyuelos de sus mejillas, y Xarradell, sin pecar de descortesía, opinó que María Callas y Shirley Temple no podían compararse, y yo suspiré con tristeza, tal vez admitiendo aquella desventaja. Entonces el asesino me dijo que ya en la comisaría de Málaga habíamos hablado de María Callas y con voz contenida —lo que se dice un susurro— comenzó a cantar *La habanera,* de *Carmen,* y así nos dormimos los tres.

XVII

LA SORPRENDENTE TRANSFORMACIÓN DE GASPAR ARENALES

(Testimonio del notario González Chamorro)

Cuando murió mi pobre madre, Luz Ángela Castañón Spencer se convirtió en el único pariente vivo que me quedaba en el mundo, falso pariente y ni siquiera madrina, pero más que querida y nunca olvidada. Dios me la conserve y sirvan estas frases de homenaje a su bondad durante los años difíciles. Como se sabe, perdimos el piso de Héroes del 10 de Agosto, o mejor dicho lo recuperó la familia del doctor Alejandro Rovira, y la madrina quiso que fuera a Padilla, donde en realidad tenía mi casa, y también decidió sacarme del instituto Cervantes, por las malas compañías, dijo, y así me apuntó a un colegio de pago del barrio de Salamanca, la academia Arzanegui, en la calle Diego de León. Yo creí que me iba a librar de Gaspar Arenales y resulta que no. Arenales estaba triste y cada vez sacaba peores notas, yo sé por qué. Mi madrina y la hermosa Victoria Parra se encontraron una tarde en la iglesia de la Concepción, en el funeral de mamá en el aniversario de su muerte, y Victoria Parra le dijo a la madrina que Gaspar era como mi hermano y que no podía soportar ir a un colegio distinto. Lo curioso es que la madrina tragó el anzuelo, porque ella conocía de sobra a Gaspar Arenales y sabía cuánto me había hecho sufrir —más que sufrir—, cómo me martirizó en San Sebastián y antes de la guerra e incluso en Madrid. El caso es que volvimos a encontrarnos en la academia Arzanegui, que era un poco cutre.

Es triste cómo mis padres —y no se lo quiero reprochar a ninguno de los dos— me dejaron en este mundo, sin tutor, ni consejo de familia, sin dinero, porque el poco que quedaba se lo llevaron mis primos, malvendiendo los cortijos de Sorbas y Níjar, donde yo tenía mis recuerdos particulares (el abuelo Eusebio, la abuela Marita, la joven *Tirillas*, los lagartos y las tetas de María del Alcorque). El caso es que le debo a la madrina mi educación, el bachillerato, claro está, la carrera de derecho y la notaría: todo se lo debo a ella, y mucho me complace decirlo ahora y firmarlo como es costumbre entre los de mi gremio.

En la academia Arzanegui se pasaba frío y no se aprendía una papa. Sólo teníamos dos profesores, los hermanos Arzanegui, don Miguel y la señorita Pura: ella daba ciencias naturales, matemáticas y física y química, y él, letras, incluido latín, griego, filosofía, alemán y francés. Yo me aprendí de memoria las asignaturas —con la ayuda de la madrina— y le iba resolviendo los problemas a Gaspar Arenales, hasta que llegamos al famoso examen de estado, que si no le soplo y le paso chuletas —con riesgo evidente— aún sigue en la academia Arzanegui.

Lo que de verdad le gustaba a Arenales era el bar Chiquito —Diego de León esquina Velázquez— donde nos reuníamos al terminar las llamadas clases o a media mañana, a la hora del recreo, porque no había sitio en la academia Arzanegui. En la barra del bar Chiquito consumimos muchas horas y Gaspar Arenales fue cambiando poco a poco y así ocurrió hasta su sorprendente transformación. Él había cumplido dieciséis años —iba uno atrasado— y ya era campeón de atletismo en la Ciudad Universitaria, de natación en el Canoe y más que nada aficionadísimo a la sierra, al esquí y al alpinismo. Un día me dijo tengo que hablar contigo, *Pitito* —porque lo de *Pitito* no se le pasaba— y me contó una historia que la madrina hubiera calificado de verde, haciéndome jurar —por el pacto de sangre— que no la repetiría nunca. Resulta que la hermosa Victoria Parra y la señora de Alonso se conocían mucho. La señora de Alonso era la madre de los Alonso, Paulita, Celinda y Ricardo, y estaban veraneando en Cercedilla. Gaspar ya era novio de Paulita, le tocaba las tetas sin el menor recato y le daba besos, más que prohibidos en el cine y sobre todo en aquella España. Total, que estaban pasando unos días en Cercedilla las dos familias y dio la casualidad de que todos se fueron de excursión a El Paular, menos la señora de Alonso, que no tenía ganas de excursiones, y Gaspar, que andaba un poco malucho de anginas. Hay que reparar en que Arenales se afeitaba a los quince años y medía uno ochenta cuando yo medía uno sesenta. A eso de las doce —así me lo contó Gaspar Arenales— me llevó la señora de Alonso a la cama un zumo de limón caliente y me dijo que abriera la boca para verme las anginas con ayuda de una cuchara de plata. Yo comprendí el horror de Gaspar Arenales, porque si hay algo asqueroso es que te sujeten la lengua con una cuchara y mucho más si, encima, te meten una linterna en la boca, que eso es lo que hizo la señora de Alonso. Gaspar Arenales por poco vomita —estoy contando su versión— y la señora de Alonso empezó a acariciarle y a decir que comprendía el asco que le daba la cuchara, que a ella le pasaba lo mismo, y entonces, para remediar el caso y ver las anginas de Arenales, se le ocurrió utilizar los dedos, y empezó a pasárselos suavemente por los labios diciéndole no te asustes, corderito, no te asustes, corderito mío y así le metió los dedos en la boca y le iba tocando la lengua, y se acercaba a él para ver las anginas, y a Gaspar no le molestaba el sistema, pero empezó a respirar mal, como si la enfermedad se le hubiera pasado más abajo y la señora de Alonso, que estaba en bata, al acercarse, le enseñaba las tetas sin querer y decía Arenales que nunca había visto nada igual, y los muslos, porque era una descuidada y se le veían las bragas. Por fin lo que hizo fue sustituir la cuchara por su propia lengua y así fue tanteando las anginas, dándole calor y sin molestar con la cuchara de plata, y luego empezó a meterle mano por la braguета del pijama y a decir qué barbaridad, corderito..., ya quisieran muchos hombres que yo conozco, corderito mío... Y Arenales, que se estaba poniendo malo y no sabía qué hacer, hasta que la señora de Alonso se le metió en la cama, diciéndole llámame *Chiti* y haciendo unos ruidos que nunca había oído Gaspar, ni siquiera en boca de Paulita, y ya estaban las anginas a punto cuando la señora de

Alonso, a quien le debían de gustar mucho los animales, empezó a decirle, cerda, llámame cerda, corderito, yo soy tu cerda, corderito, tu guarra Chiti: llámame cerda, vida mía. Recuerdo que yo tenía un helado de vainilla en la mano y lo estrujé hasta dejarlo inservible, y que Gaspar Arenales temblaba como nunca le había visto y que apenas pude preguntar: ¿te la tiraste?, y él me dijo, con toda sencillez, no, fue ella: ella lo hizo todo y luego me dio cien pesetas como si no hubiera pasado nada.

—Entonces, resulta que eres un puto, Arenales.

—No, yo soy un hombre.

Después me pidió que olvidara todo aquello y me sonrió con dulzura. El caso es que a partir de aquel día Gaspar Arenales cambió extraordinariamente y de martirizarme pasó a protegerme, y yo pensé que el sexo obra milagros y, para celebrarlo, me estuve haciendo pajas durante una semana y pidiéndole a Gaspar que me contará otra vez lo de la cerda de la señora de Alonso, pero Arenales no consintió en abrir la boca, ni mucho menos en contarme la historia de las anginas, y además siguió de novio de Paulita como si fuera don Juan Tenorio.

Por fin llegó el mes de octubre, inauguración del curso en la universidad, donde Gaspar Arenales y yo estábamos matriculados en la facultad de Derecho, todavía en la calle de San Bernardo. Antes nos habíamos comprado dos sombreros flexibles —uno marrón y otro gris— porque queríamos parecer más hombres, cosa que Arenales no necesitaba en absoluto, y yo, más que hombre parecía seta. También y por la misma causa, decidimos fumar. La clase de primero de Derecho se daba en el Aula Magna, porque en otra no cabíamos los alumnos, y el primer día no sé qué catedrático nos echó un discurso. Los de las filas de delante podían oír y los de los de atrás ni oír ni ver, y nos subimos a los bancos, aunque seguía sin oírse y el paisaje era más bien deprimente. Entre tantas cabezas de mocitos encorbatados, que entonces prendas como el jersey o la camiseta eran signo de indigencia y mala crianza, yo ni veía, ni muchísimo menos oía. De atrás me vino un empujón, supongo que no fue intencionado, y yo tuve que apoyarme en el hombro de mi vecino y el vecino se volvió de malos modos: era un chico grande, mayor que nosotros, guapo, que me miró de arriba abajo, me quitó el sombrero, me lo pasó por la cara y así me empujó hasta tirarme al suelo. Gaspar Arenales lo agarró de la solapa y aquello hubiera terminado mal si no se interpone otro que iba de falangista y fue delegado de curso, ya en segundo. Gaspar apenas pudo decir luego hablamos y después hablaron y se citaron por mi culpa en el patio de la facultad. El chico que me había empujado se llamaba Chacho y era portero del Plus Ultra, mezcla de baúl y cerrojo, repetidor varios años, que nunca terminó la carrera y tampoco fue nada en el fútbol, una verdadera joya, que sin embargo tenía un gran prestigio entre las chicas, nuestras compañeras, a las que el futbolista no hacía ningún caso, ni tampoco Gaspar Arenales, que bastante tenía él con Paulita. Lo curioso es que aquellas chicas, que estaban en minoría, estudiaban mucho más que nosotros, sobre todo una a la que llamábamos la *norma jurídica*. El incidente me creó mala fama, porque algunos de mis compañeros dieron en decir que yo era mariquita y que Gaspar Arenales me protegía, y lo curioso es que él quedaba libre de toda sospecha, y lo más sangrante —podría dar algunos nombres sonados en la política y en el derecho— es que varios de mis ridículos acusadores fueron, y quizá lo fueran entonces, notables homosexuales.

No quiero hablar de los maestros, porque no tuve ninguno que mereciera tal nombre ni que me enseñara nada, y bien me podía haber ahorrado ir a clase, porque me bastaba con aprender los textos de memoria para sentar fama de lumbrera en aquella universidad gris y mediocre donde triunfaban los empollones, pero sobre todo los pelotas o *lameculos*. Yo fui empollón, pero nunca adulador, y Arenales, ni una cosa ni otra, y así acabó. Cuando Gaspar asistía a clase —muy pocas veces— se sentaba a mi lado y de cuando en cuando me sonreía como disculpándose y ni él mismo sabía de qué. Yo aún no me había respuesto del cambio, pero advertí que miraba de otro modo, casi con generosidad, como si al salirle la barba se le hubieran ido las malas intenciones. Sin embargo, poco a poco empecé a tener sueños angustiosos, primero sin Gaspar Arenales, pesadillas que no contaba a nadie, ni siquiera a Luz Ángela, y después ya con Arenales de actor principal: Gaspar niño, torturándome,

San Sebastián otra vez, ríos de mierda de los italianos, hostias malditas, el doctor Rovira encamado con mamá, la hermana de Gaspar, las paperas, y volvía a ver —en una especie de charca pastosa y paisajes sin fin— al suicida del metro y al otro suicida, Ramón, el tío de la madrina, con los sesos fuera, y con ellos todos los fantasmas y los miedos que me acosaron en mi niñez, que fue el tiempo más desgraciado de mi vida, hasta el punto de que llegué a odiar mi infancia, y eso sí que se lo dije a la madrina, quien por cierto no dio ninguna importancia al caso. No quería irme a dormir, me horrorizaba la proximidad del sueño y acabé con la biblioteca de la madrina y luego con todo lo que pillaba, pero sin afición, sólo por miedo a las pesadillas. Luz Ángela ya no iba a la Sección Femenina, porque ni le pagaban el esfuerzo, ni se lo agradecía la patria, y tenía que sacarme adelante; aunque conservaba la costumbre de El Gato Negro y sus tertulias teatrales e incluso me parece que tuvo un discreto romance con Guillermo Marín. Aquel mismo año prescindimos de Juanica Zancarrón, por falta de remanente, como decía la madrina, que, sin embargo, todas las semanas, me daba diez duros para mis gastos. Por las tardes me quedaba a estudiar en casa, algunas veces venía Gaspar Arenales y luego un chico de Badajoz que se llamaba Germán Posadilla. Posadilla era un poco enclenque y muy cegato: en tiempos había querido ser torero e incluso llegó a debutar en la plaza de Vista Alegre (Madrid), y según parece tenía arte y valor. No le gustaba hablar del tema, pero un día se quedó a cenar en casa, se bebió un par de copas y se le soltó la lengua. Nunca se vieron toreros con gafas culo de vaso ni de las otras, y ya cuando hacía el paseo perdía el rumbo, pero lo malo era ponerse delante del toro, que se convertía en dos, y Posadilla —en los carteles *Chiquito de Badajoz*— no sabía cuál era el auténtico y cuál el falso, y así en la plaza de Madridejos le partió la femoral uno de verdad y estuvo a punto de perder la pierna izquierda. Muchas veces he pensado que quizá hoy hubiera sido figura del toreo, y lo digo por el invento de las lentillas, aunque también lo dudo, porque Germán Posadilla era de una timidez enfermiza, defecto que no le impedía sacar matrícula en todas las asignaturas, que se dice muy pronto, y no hay contradicción en el caso, porque cuando hicimos la carrera no había exámenes orales, todos eran escritos y Posadilla el campeón. La madrina nos acompañaba por las tardes y nos tomaba las lecciones, y yo creo que, en aquellos tiempos, sabía más que la mayoría de los estudiantes de Derecho e incluyo a la *norma jurídica*. Estaba embobada con Posadilla y siempre me lo ponía de ejemplo, aunque yo —en mi modestia— era estudiante eficaz y bien probado.

Veinte años después de terminar la carrera y ya con despacho en la calle Génova, fui a cenar a una tasca acreditada y me abrió la puerta del coche un pobre hombre con gafas culo de vaso. Se cruzaron nuestras miradas y se me hizo un nudo en la garganta: aquel astroso era Germán Posadilla, alías *Chiquito de Badajoz cum laude*, rey de la matrícula de honor y doctor en Derecho. Posadilla, entonces, echó a correr y ya no hubo duda, porque arrastraba la pata izquierda. Ordené al chófer que lo alcanzara al pronto y lo retuviera hasta terminar la cena, y así lo hizo. Me llevé a Germán Posadilla —que por cierto temblaba de vergüenza— a un hotel discreto, y allí, sin parar de echar mocos, me contó su triste historia. Él también hizo oposiciones a notarías y, desde la primera convocatoria, pasó el examen escrito con insultante brillantez, pero al llegar a la segunda prueba, al enfrentarse con el tribunal en vivo, era incapaz de hablar, se le trababa la lengua, no soltaba palabra alguna y, a los dos o tres minutos, pedía permiso para retirarse. A la quinta o sexta convocatoria le dijo el presidente del tribunal: tranquilícese, señor Posadilla, si nosotros sabemos que está más qué preparado, hablé, hombre de Dios, y sacará plaza. Posadilla se echó a llorar y escapó de la sala. Así fue descendiendo por la terrible rampa de las oposiciones segundonas, de las que van a menos, hasta que se presentó a ordenanza del ayuntamiento y no pudo sacar la plaza, porque había una prueba oral. Ahora está conmigo en la notaría, lleva lentillas y viste decentemente y si cuento esta triste historia es por meterlo en comparaciones con Gaspar Arenales, que jamás estudió y a quien siempre le fue bien, incluso en mis malos sueños, donde *Chiquito de Badajoz* nunca osó meter las narices.

Al terminar el segundo curso —Gaspar llevaba arrastrando Economía, Romano, Natural y Civil (parte general)— fuimos al campamento de La Granja. Yo hubiera preferido la mili corriente, pero Gaspar Arenales quería ser oficial de complemento, porque le gustaba el mando, siempre que lo ejerciera él y si era posible ganar la Medalla Militar (con distintivo blanco). A la madrina también le tiraba la idea y se aliaba con el transformado Arenales, de tal modo que llegué a pensar en la segunda edición de la señora de Alonso, pero no hubo caso, por fortuna. Un día nos llevaron a un cuartel y allí nos hicieron entrega de los uniformes, y el mío era grande, pero la madrina lo mandó coser a punto. Todas las semanas —en pleno curso— nos daban clase de táctica y de ordenanzas. Yo creo que la llamada táctica era de los tiempos del general Prim y las ordenanzas de Carlos III y, por fin, ya en junio, nos metieron en un tren con destino a Segovia. En aquel tren militar, lleno de inconscientes, resignados, falangistas, niños de buena familia, tortilla de patata, vinazo y tabaco, el ambiente era como de película o de novela de guerra, de las que yo me había empapado en la biblioteca de la madrina —Barbusse, Dumur y otros—: todo el mundo cantaba, bebía y se hacía el hombrecito hablando de mujeres y diciendo obscenidades. Al llegar a Segovia nos mandaron formar y en vez de llevarnos al campamento en autobús, que hubiera sido lo suyo, nos condujeron cañada adelante, nueve kilómetros, nueve, que no es mucho, pero que a mí me llenaron de ampollas los pies, porque si el uniforme me estaba grande, pequeñas me iban las botas. Gaspar Arenales marchaba a mi lado, tratando de animarme y diciéndome que, en la sierra, hacíamos distancias mucho más largas, pero no era lo mismo. Yo estoy seguro de que me hubiera cargado a hombros de habérselo permitido las ordenanzas de Carlos III. Así, al anochecer de un día de junio, llegamos al campamento de La Granja, y con las mismas nos metieron en tiendas de a trece unidades, juntándonos por los pies y separándonos por la cabeza, como si fuéramos racimos de boquerones fritos. Aquella noche tuve una pesadilla con un león gigantesco que se comía a un gato, despedazándolo a zarpazos, arrancándole las tripas y los ojos, y el gato aullaba de terror mientras iba perdiendo sus cachos, y yo me desperté gritando, aunque por fortuna sólo me oyó Gaspar, que me tranquilizó como si fuera una madre. Por miedo a la pesadilla traté de no dormir y me pasé casi toda la noche con los ojos como platos, oliendo a pies y a sudor, y a veces alguien se tiraba un pedo o hablaba en voz alta, como si estuviera pidiendo socorro. No sé qué hora sería cuando Arenales me preguntó si estaba despierto y yo le dije que sí:

—¿En qué piensas?

—En ti —me contestó Arenales—: en lo mal que lo vas a pasar.

Del fondo de la tienda vino una voz adormilada:

—¡Cállate, maricón!

Yo estaba hecho un lío: Gaspar Arenales se preocupaba por mí y a buenas horas mangas verdes; después de pasarse la vida atormentándome y con la herencia de las pesadillas encima, decidía protegerme como a un gatito, al gatito que se almuerza el león gigantesco con cabeza de gárgola. Cerré los ojos y en aquel instante —o así me lo pareció— sonó el toque de diana y, por si había alguna duda, nos sacaron a gritos de la tienda. Así fueron aquellos tres meses: gritos continuos, amenazas, órdenes absurdas, lecciones para retrasados mentales, rancho repugnante y eso que nosotros —aquellas milicias universitarias— éramos privilegiados.

Vestidos con el mono caqui —tieso de almidón— con el gorro cuartelero, que a todos nos sentaba como un tiro, de bota-alpargata y menos mal, fuimos al llamado comedor, arrastrando los pies. Nuestra compañía estaba situada sobre una leve colina, éramos los últimos en bajar y así pude ver el triste paisaje del campamento: dos mil hombres —por llamarlos de alguna manera— iban hacia los barracones levantando una nube de polvo sucia, como niebla amarillenta y turbia. La imagen me recordó una película que transcurría en un penal, y pensé que era ridículo, que allí íbamos a pasar sólo tres meses y otros tres el año próximo, en tercero, que éramos gente muy bien, de mucha suerte. Entonces miré a Gaspar Arenales y le noté pálido, tan gris como el paisaje, con los ojos puestos en aquella tropa, inseguro, tropezando en sus propios pies.

Los barracones donde desayunábamos —sin cubiertos, escudillas, ni tazas— tenían los techos de uralita, se recalentaban durante el día y se enfriaban por la noche, y allí nos sentábamos en largos bancos de ladrillo y cemento. No olvidaré nunca el primer desayuno: café-malta con leche y chocolate en pastilla. Una verdadera rareza, que se anunciaba pomposamente en el parte del día anterior, junto con la ensaladilla imperial, porque la rusa estaba prohibida por las autoridades militares. El café-malta era cebada tostada, la leche, en polvo, pasada y aguada, y el chocolate en pastilla algo así como tierra con ligero sabor a alquitrán. Por suerte, la madrina decidió veranear en La Granja e invertir sus dos pagas extraordinarias en mi beneficio, y Dios se lo pague, como otras tantas cosas que le debo. Alquiló un pisito en una casa antigua, cerca de los jardines, y contrató a una viuda llamada Paciencia de Dios, que todas las tardes —a la hora de paseo— subía al campamento dos tarteritas y, de cuando en cuando, leche condensada, cacao en polvo, galletas y queso. Pero lo mejor eran los domingos, cuando yo iba al pisito de Luz Ángela Castañón y me bañaba con jabón La Toja y sobre todo cagaba como Dios manda, porque de las letrinas agusanadas y de mis jefes prefiero no hablar. Arenales disfrutó de aquella situación muy poco tiempo, porque salía de un arresto y se iba a otro, pero, sobre todo, porque no estaba en el mundo y porque —como supe después— no podía soportar las aglomeraciones. El día diez de julio, a la hora de paseo, me vino a buscar el alférez Requejo para llevarme al comandante del batallón, advirtiéndome de que le llamara de usía, por si había olvidado el detalle. Como es de suponer, yo iba aterrorizado, diciendo que no había hecho nada, que era inocente, porque en menos de cuatro semanas habían conseguido meternos el miedo hasta el tuétano. El comandante don Alfredo de Vidal y Vidal era alto, moreno, con el pelo planchado y el bigotito que se le supone. Cuando entramos en su despacho despidió al alférez con displicencia, me dijo que me sentara y me ofreció un cigarrillo y un *vermut*. Del exterior llegaban las notas abrumadoras del *Capricho italiano*, de Tschaikowsky, que con el *Capricho español*, de Rimsky-Korsakoff, *En el jardín de un monasterio* y *En un mercado persa*, de Ketelbey, sonaban por los altavoces a la hora del paseo, junto con *Los voluntarios* y *Ardor guerrero*, en días muy señalados, por ejemplo cuando murió Manolete. Yo no sabía dónde meterme y no me atrevía a probar el *vermut* ni a fumar, ni a mirar al comandante, y el comandante De Vidal y Vidal venga a sonreír con la boca mientras sus ojos me amenazaban. Por fin me preguntó por Gaspar Arenales, quiso saber si yo le había visto en las últimas horas y le dije que no, que estaba en la enfermería a consecuencia de la vacuna del tifus y antes arrestado. Entonces me llamó de usted y me advirtió que si le mentía lo iba a pasar muy mal, que me podían caer hasta seis años de mili y no como ésta —dijo—, como la de verdad, la que hacen los hombres. Cuando me dejaron salir fui a la puerta del Campamento a esperar a Paciencia de Dios, pero quien vino fue la madrina, que me dio un beso y me dijo al oído:

—Arenales se ha escapado, en casa tienes una carta que te daré el domingo, y a ti no se te ocurra hacer tonterías, porque te mato, ¿me oyes bien?, ¡te mato!

Luego se separó de mí, empezó a contarme banalidades, mientras con los ojos me señalaba al cabo de guardia, porque la madrina era muy aventurera, aunque en este caso podía tener razón. Gaspar Arenales no volvió a aparecer, un sargento profesional vino a la tienda y se llevó su petate y su maleta, y en el batallón —en todo el campamento— se rumoreó que Arenales era un espía comunista que había huido a la Unión Soviética con un cerro de secretos militares, digo yo que sería el funcionamiento del fusil *mauser* —ya desechado en Khartoum (Sudán, 1885)— y la ametralladora Hotchkiss, que tan buen resultado dio en la guerra del 14. A mí todo aquello me parecía absurdo, no entendía una sola palabra y, aunque intentaba meterme en la cabeza de Gaspar Arenales, no daba con la salida, ni muchísimo menos con sus intenciones, hasta que me quedé tranquilo, pensando que estaba completamente loco o que tenía un desbarajuste provisional que le iba a costar carísimo, porque si le pillaban —según dijo el alférez Requejo— le caían doce años en prisiones militares.

El domingo, después de misa, fui al piso que tenía alquilado la madrina, que allí mismo y después de adecentarme —entre misterios y cerrando las ventanas— me dio una carta de Gaspar

Arenales que naturalmente había leído ya, porque era incapaz de respetar el secreto de correspondencia ni ningún otro secreto. He conservado la carta de Gaspar Arenales y la copio ahora a la letra, por cierto un poco tosca:

«Hoy 9 de julio, lunes. Mi querido Martín, te escribo estas líneas, mientras te estoy mirando, acabo de decirte que escribía a Paulita y tú me has dicho que muchos recuerdos. Es muy raro escribir a alguien que tienes enfrente. Ahora están tocando «*Capricho español*», que no me acuerdo si es de Chaykosky o Rimsky Korsakof, ni sé cómo se escribe. Tú estás leyendo *Los trabajos de Hércules Poirot*, de Agatha Christie, que tiene una chica con una pistola en la portada y me miras un poco extrañado. Cuando leas esta carta, que pienso darle a Paciencia de Dios, ya no estaré aquí, y con la misma quiero pedirte perdón por no decirte mis intenciones, pero hay que ser muy cuidadoso en estas andaduras. Me escapo, ni hago la milicia ni sigo la carrera, ya no puedo más, no aguanto a los militares, ni a los profesores, ni a mi familia, ni a Paulita, ni a mí me aguanto. Puede que me peguen un tiro y que me maten, pero quizá consiga llegar a Francia y ya sé que no puedo volver hasta Dios sabe cuándo. En cuanto esté al otro lado de la frontera (si es que llego) te escribiré largo y tendido, y estoy seguro de que pronto nos volveremos a ver. Me llevo el mejor recuerdo y me acuerdo muchísimo de aquellos tiempos felices de San Sebastián y de nuestras correrías por la sierra y de la última vez que estuvimos en Cotos, y estoy seguro de que juntos volveremos a la sierra, a buscar el tesoro en el pico de Peñalara. Un abrazo muy fuerte de tu amigo del alma, Gaspar. P. D. Dale muchos besos a la madrina y tú sigue estudiando, como siempre y sobre todo no me olvides, *Pitito*.»

Pitito hasta última hora. Y se hacía el héroe, como si fuera *Sandokán* o el gran aventurero *Doc Savage*. Me acordaba perfectamente de aquel momento, y más tarde, cuando lo llevaron a la enfermería con cuarenta grados de fiebre, que se provocó el mismo. Recuerdo que Arenales escribía y de pronto levantó los ojos y se le llenaron de lágrimas, mirándome, y después, como si estuviera perdido, siguió escribiendo. Yo pensé que eran añoranzas de Paulita o que andaba un poco enfermo, porque nos habían puesto la vacuna del tifus, pero vaya cara: «me acuerdo muchísimo de aquellos tiempos felices de San Sebastián». Y yo también, de cuando me hiciste comer tierra y me emborrachabas, que a poco me matas, del día de la primera comunión, de cuando me torturabas sin piedad, de todo lo que me has hecho sufrir y que no pagarás nunca. No te voy a echar de menos, Gaspar Arenales, y ojalá no vuelva a verte, aunque ahora —a pesar mío— sienta algo así como cierta ridícula tristeza y un poco de ahogo adolescente, porque soy un blando y un contradiós y me vienen otra vez las maldiciones de los cortijos de Sorbas y de Níjar. Eso es lo que pensé en aquel momento, aunque luego reflexioné mucho.

Dos días después cesaron las pesadillas, empecé a dormir de un tirón en aquella tienda maloliente y por primera vez relacioné mis sueños con la presencia física de Arenales. A nadie se lo dije, ni siquiera a la madrina, pero estoy seguro de que Gaspar Arenales cruzó la frontera el dieciséis de julio. Más tarde —en Navidad— recibí una postal, que también guardo.

«Hoy veinticuatro de diciembre. Mi querido Martín, que tengas muy felices fiestas y un buen año y que nos veamos este que empieza. Duermo en el metro o donde puedo y a veces como en un albergue de juventud o en un convento, pero París es precioso y voy a ganar mi guerra (perdón por la palabra). Esta postal la he robado para ti. Muchos besos a la madrina y tú no olvides al desertor que más te quiere y que no se arrepiente de nada, Gaspar.»

Aquella postal me emocionó un poco y aquella misma noche volví a tener pesadillas: el león que se comía al gato.

XVIII

Luz Ángela Castañón Spencer

(Testimonio del comisario Arruza)

Hacía mucho tiempo que no pisaba el *hall* del hotel Palace, que ahora algunos llaman *lobby* por influencia de los americanos o de los ingleses, que no estoy muy seguro. Quien decía *hall* era mi buena Margarita y por eso yo he conservado la costumbre. Años atrás, cuando era aprendiz de librero y estaba a las órdenes de don Valentín San Roldán —para quien *hall* era vestíbulo—, traje algunos curiosos y valiosísimos ejemplares, con destino a bibliófilos muy particulares, por lo general extranjeros y ricos, como es de ley. Don Valentín decía que no los dejara nunca en la recepción, que antes morir. Los libros iban guardados con verdadero amor y siempre tenían dentro una tarjeta del señor San Roldán con un respetuoso saludo, y era de ver la emoción que aquellos clientes mostraban al verlos y cómo pasaban sus páginas, sin dejar de sonreír, que parecían tener tesoros, y casi siempre me daban una o dos pesetas y algunas veces hasta un duro. Lo difícil era traspasar la puerta del hotel, que guardaba un portero grandísimo que antes había sido sargento de la legión. Pero yo tenía instrucciones muy precisas y decía que si no lo entregaba en propia mano no podía dárselo a nadie. Como en aquellos años aún no se estilaba lo del paquete-bomba, el portero, de mala voluntad, acababa por ceder, y yo aguardaba en el vestíbulo, bajo la vigilancia de un botones que tendría mi misma edad pero me sacaba la cabeza. Por el vestíbulo del hotel Palace circulaban muchos señores con aspecto de inalcanzables estraperlistas, espías alemanes o ingleses, militares —sobre todo de aviación— y algunas señoritas, que entraban o salían del bar, e incluso artistas de cine, que una tarde vi a Luis Peña y en otra ocasión a Amparito Rivelles con doña María Fernanda Ladrón de Guevara. Desde aquellos años no he vuelto o si lo hice fue por motivo de trabajo, ya de inspector y vigilando discretamente a un belga que había sido expulsado de España. Ahora estaba en una mesa de rincón oscuro —eran las siete de la tarde— un poco estirado, con mi traje gris marengo, ya de invierno, al receso de la señora Luz Ángela Castañón Spencer, que me había citado allí y me había dicho —cosas de las personas mayores— que tuviera bien visible un ejemplar de *Le Monde*. Habrían pasado diez minutos de cortesía cuando se dirigió hacia mí una dama, alta y de buen porte, que se movía muy despacio, procurando permanecer estirada. Iba vestida con elegante traje de chaqueta color crema, se cubría el cuello con un pañuelo de gasa a juego y calzaba zapatos de medio tacón. Me tendió la mano, me preguntó si yo era el comisario don Leopoldo Arruza y se presentó como Luz Ángela Castañón Spencer, sin título alguno. No llevaba maquillaje —quizá una ligera capa de polvos—, iba peinada con moño y tenía el pelo rubio, teñido claro, pero muy abundante y sano. Cuando se acercó un camarero le pidió café con leche y un sandwich mixto, y yo, por no desentonar, un cortado. La señorita Luz Ángela consumió un turno asegurando que almorzaba en su habitación a la una en punto y que sólo cenaba fruta y yogur, luego hizo algún leve comentario sobre el otoño irregular que estábamos sufriendo, y cuando el camarero —a quien llamó Rafa— le trajo el café y el sandwich, me sonrió, como disculpándose, y se dedicó a la merienda con auténtica voracidad, partiendo el sandwich en trozos grandes y sin pronunciar una sola palabra. A mí me recordó a un viejo torero de Algeciras, de apodo *Fronterita*, que cuando se sentaba a comer decía ¡hasta luego, señores! y sólo recuperaba la voz al encender un puro. Entre sonrisa y sonrisa,

Luz Ángela Castañón dio fin al pequeño refrigerio y ordenó al camarero Rafa que le trajera una tortita con chocolate caliente y nata, y mientras se cumplía el encargo hizo un elogio de los hoteles en general y del Palace en particular, asegurando que era comodísimo que le tomaran los recados, y yo pensé que aquella anciana debía de ser muy rica. La tortita de chocolate caliente y nata sumió de nuevo en el silencio a la sucesora de *Fronterita*, que después de encender un cigarrillo me dijo con toda sencillez:

—¿De modo que usted piensa que don Martín González Chamorro ha matado a Gaspar Arenales?

Yo no pude ni abrir la boca. Era la primera vez que alguien se dirigía a mí de una forma tan descarnada, si es que puedo decirlo así.

El asesino Xarradell, que ahora estaba bordando una servilleta con motivos japoneses, manifestó al punto que le gustaría conocer a doña Luz Ángela Castañón Spencer, y yo dije que seguramente cenaríamos los tres un día de éstos.

—En todo caso, usted no podrá probarlo nunca, comisario —añadió la señora del Palace.

Y de un bolsito sacó un recorte de periódico, se puso las gafas y me leyó, con voz tranquila y cuidada entonación, una noticia atrasada:

«Accidente en Guadarrama. Madrid. Efe. Ayer jueves, en el monte de Peñalara, un excursionista descubrió, en el fondo de un barranco, el cadáver de un hombre, que debió despeñarse el lunes o el martes pasado y que, a causa de las torrenciales lluvias del miércoles, quedó medio oculto por el barro y la maleza. Se trata de G. A., súbdito español residente en Kenia, que se dedicaba a organizar safaris fotográficos en África.»

Por suerte aquella lectura —que yo conocía de corrido— me dio tiempo a pensar y pude asumir una actitud digna, que no me dejara en absoluto ridículo. En primer lugar le dije a la señora Castañón que yo no era comisario, sino ex comisario jubilado, y que no acusaba a nadie de nada, ni al señor Martín González Chamorro, por supuesto, y que en mí no había el menor propósito de probar ninguna cosa. Inmediatamente me di cuenta de que había ido demasiado lejos y que me estaba disculpando, y entonces advertí —en tono un poco más áspero— que yo estaba en el hotel Palace porque ella misma me había llamado la noche anterior.

—Yo lo que no le puedo perdonar es lo del perro —dijo doña Luz Ángela.

—Ni yo tampoco.

Otra vez me había equivocado, aquella frase era tan estúpida como comprometida, y así debió de comprenderlo la señora Luz Ángela Castañón, porque suavizó su mirada y sonrió murmurando que podíamos entendernos, pero que no dejara de considerar una cosa: si alguien le hace daño a mi Martín, yo le mato sin ningún remordimiento, porque me voy a morir pronto, no me importa y se lo debo, y además a ciertas edades no nos pueden meter en la cárcel. Entonces me puse en pie y, dignamente, di por terminada la entrevista: Luz Ángela Castañón se echó a reír y se quitó treinta años de encima con la risa, y disculpándose me dijo que yo era igual a todos los hombres y más policía que ex, que desde luego me faltaba correa, y volvió a pedirme que me sentara y yo me senté por una sola razón: aquella señora, que seguramente estaba loca, podía echar cierta luz al caso Arenales.

—No crea que le he citado aquí para amenazarle, señor comisario, ni por razones oscuras, y no piense que lo sabe Martín, entre otras cosas porque hace más de diez años que no lo veo. Todos los meses me ingresa trescientas mil pesetas en el Banco de España y todos los meses me paga la factura del hotel, pero yo no le veo nunca, sólo cuando espío su salida del despacho, algunas veces a las tres de la tarde y menos mal que por allí hay una tabernita donde me conocen.

Yo me dije entonces que en la tabernita no sólo saben de la señora, sino que alguien la pone al día, y el correo tiene que ser un empleado del señor González Chamorro, no el joven panocha, sino el otro, el difuminado cuyo nombre no recuerdo, y se lo pregunté directamente a la señora, por avanzar en su confianza. Luz Ángela Castañón Spencer asintió satisfecha y dijo que, en efecto, así era y no pensaba negármelo: el señor Germán

Posadilla —al que conocía desde los tiempos jóvenes de González Chamorro— era su topo particular en la notaría y quien le había comunicado mi inesperada visita. Luego me sonrió, como si estuviera pidiéndome disculpas, y se puso en jarras, igual que las artistas de cine de los años treinta:

—Tampoco quiero que piense que estoy defendiendo el pobre yogur que ceno todas las noches ni que me juego mi permanencia en este lujoso asilo; lo hago por él, que es lo que más he querido en toda mi vida, y a usted sí le puedo decir toda mi vida, porque tiene edad para entenderlo. Conocí a Martín en San Sebastián en 1937, échele años, y a ver si no es toda mi vida. También conocí a Gaspar Arenales, que era un niño encanallado y luego se convirtió en chico fantástico.

Yo estaba prendido en el monólogo de Luz Ángela Castañón Spencer, que pareció recordar algo, llamó al camarero, le preguntó si habían salido ya los canapés calientes, le pidió un zumo de tomate preparado y me dijo que ella, hasta las nueve, no bebía alcohol, y yo, por contrariar, mandé que me trajeran una copita de vino blanco bien frío si no le molestaba a la señora. En aquel momento ya pensaba en las mujeres y no sólo en las que espectaculares o magníficas, como dice Xarradell, sino en las me manejaron a su gusto, desde la abuela *Pringá*, a Linda Lebreles, pasando por mi pobre Margarita, el *fúrer* y la niña Marga, y ahora esta vieja que me estaba removiendo fósiles olvidados.

—Siempre ocurre lo mismo, señor comisario —se cruzó Xarradell, abandonando el fino bordado japonés—. Qué le voy yo a decir de mi Flora, incluso de Balbina Latorre y, si no me pillara fuera de cuentas, de la chica del gorila de montaña, porque lo de María Callas pertenece a un negociado lírico.

—¿Dónde vive usted? —me preguntó la señora Castañón con inesperado interés.

—En la calle Relatores.

—Entonces nunca fuimos vecinos, porque yo vivía en la calle Padilla.

En aquel momento se acercó el camarero Rafa con una bandeja de canapés calientes, el tomate preparado y mi vino blanco bien frío. La señora se comió una gamba con gabardina y una croquetita recién hecha y, dejando para luego el trocito de empanada gallega y el pincho de tortilla de patata, reanudó su relato advirtiéndome que me consideraba más amigo que policía y que todo lo que me iba a decir era confidencial, pero que no me inquietara, porque no se trataba de leyes ni de delitos. Luego rió divertida y observé que tenía todos los dientes, como mi abuela *Pringá*. Voy a hablarle de leyes porque no tengo otro remedio, pero no de crímenes. Y bebió un sorbo de zumo de tomate, mirándome a los ojos. Yo advertí entonces que la señora Luz Ángela Castañón Spencer estaba flirteando conmigo descaradamente, porque hay quien muere con las botas puestas. En 1940, cuando volvimos a Madrid, yo me hice cargo de los estudios del niño. La pobre Lola ya era amante del doctor Rovira, que les había puesto un piso en la calle Héroes del 10 de Agosto, y un mal día, un fin de semana, se mataron en las islas Canarias o en Azores, que ya no recuerdo. La familia del doctor Rovira recuperó el piso de Héroes del 10 de Agosto, ya sabe usted de qué héroes hablo, 1932, y yo le dije a Martín te vienes a vivir a casa, aquí terminas el bachillerato y haces la carrera de Derecho y unas buenas oposiciones de las que vamos a vivir tú y yo toda la vida, porque ahora me toca sacarte adelante, pero cuando seas rico cuidarás de mí, porque no pienso casarme y esto es una inversión, mi niño. Martín, que era muy buen estudiante, aunque mientras vivió su madre, y siempre bajo la mala influencia de Gaspar Arenales, iba camino de convertirse en un pequeño delincuente, cambió un poco, como digo, pero no del todo, y así fue porque tenía a favor el tema de la muerte y el trato con las mujeres.

Xarradell —que estaba perplejo— me preguntó si debía recordar todo aquello con exactitud, y yo le dije que ni yo mismo lo recordaba, que aquella anciana daba razones atropelladamente y saltaba de un tema a otro conservando siempre el argumento, y que yo tenía que enterarme de dos cosas, la primera y muy principal del posible motivo del crimen, si es que hubo crimen, y la segunda por qué me había llamado Luz Ángela Castañón.

Después de dar buena cuenta del trocito de empanada gallega y del pincho de tortilla, la señora volvió al tema de la muerte, que los jóvenes debían aceptar con naturalidad, según ella. Martín tropezó dos o tres veces con la muerte en directo, una en el metro de Retiro, cuando se suicidó el padre de uno de sus compañeros, y otra en mi casa. En Padilla vino a refugiarse mi tío Ramón —hermano de mi madre— cuando salió de la cárcel en 1942. Ya no tenía familia, sólo le quedaba esta pobre sobrina y no podía trabajar, porque le habían quitado la carrera, y yo trataba de animarle y le decía vendrán tiempos mejores, tío Ramón. Pero no tuvo fuerza, no sé de dónde sacó la escopeta y se reventó los sesos. Me dejó una carta muy cariñosa, pidiéndome disculpas por el abuso de confianza, y el reloj de mi abuelo —su padre— que tenía doble tapa de oro para que lo vendiera y pintara la casa. Martín se portó muy bien entonces y yo supe que ya era un hombrecito. La señora Luz Ángela sonrió con malicia y aprovechó el pie para decirme que sabía de antes que Martín era un hombrecito, porque la miraba desnudarse por el ojo de la cerradura y ella le puso un algodón a la cerradura, no por modestia, sino simplemente para evitarle sobresaltos al chico. En aquel momento el reloj de Luz Ángela Castañón dio un aviso electrónico y ella exclamó alegremente: ¡Las nueve!, mientras el camarero Rafa se acercaba a preguntar si lo de siempre: lo de siempre, y para el señor otra copita de vino blanco. Lo de siempre es media combinación, cosas de mi tiempo: vermú rojo y ginebra.

—Todos los sinvergüenzas tienen suerte, si me permite la franqueza, señor comisario. —me dijo el asesino Xarradell.

—Estaba en acto de servicio y obligado a beber.

La señora Luz Ángela volvió a reír y sin dejar de mirarme, preguntó si me aburría o si tenía prisa por volver al cuartel. Yo pasé por alto la malintencionada palabra cuartel y dije que estaba encantado, y ella rió aún más, como si fuera Marlene Dietrich, en *Deseo*:

—Cuando un policía agarra una presa ya no la suelta, ¿verdad?

—Creo que, en este caso, yo soy la presa, señora.

Aquella frase le gustó mucho a Luz Ángela Castañón, que siguió su relato en el punto interrumpido. Yo tenía entonces un cuerpo de bandera, comisario, y perdóneme la vanidad, pero no para Martinito, que estaba muy tierno. La noche en que recibimos la noticia de la muerte de la pobre Lola, lloramos juntos y yo le dije que se viniera a dormir conmigo. Después, ya de mayor, me contó que aquello era un sino o trágica costumbre, porque la noche de la muerte de su padre durmió con su madre y siguió durmiendo durante todo un mes. Entonces le mandé que se pusiera un pijama limpio y que se bañara bien, porque no me gustan los malos olores, que una cosa es el dolor y otra la higiene, y yo me puse un pijama rosa a estrenar, de seda natural, que me había traído la pobre Lola de un viaje a Melilla, y cuando vino Martinito a mi alcoba, ya estaba en la cama. Daba dolor ver al niño, aturullado, con los ojos enrojecidos, sin saber qué hacer, temblando. Le abrí la cama y le abracé, y la verdad es que olía divinamente, a colonia Álvarez Gómez. Mi niño, llora todo lo que quieras, que te hará bien, y piensa que yo estoy aquí para cuidarte, que no te dejaré nunca solo, que tu mamá nos está viendo desde el cielo. Y yo también lloraba y le besaba toda la cara, a veces en los labios, sin darme cuenta, le acariciaba y las lágrimas de los dos se juntaban. Martín fue soltando los botones de mi pijama y sin dejar de llorar me rodeó el cuerpo y me tocó los pechos, como si yo fuera su madre, y buscó los pezones con la boca, en un acto instintivo e inocente, sin dejar de llorar. Yo sabía que nunca había bebido de los pechos de la pobre Lola y que tuvo otros, de María del Alcorque y de una chica de la CNT, y buscaba en mí a las mujeres de su niñez, y sus manos fueron acariciando mi vientre y no supe quitarlas.

—Ya me hubiera gustado a mí tener una madrina así en el penal de Ocaña.

—Es usted un animal, Xarradell.

El caso es que Luz Ángela Castañón Spencer tenía los ojos llenos de lágrimas y como yo no sabía a dónde mirar, miré al reloj.

—¿Le esperan en casa, señor comisario?

—Sólo me espera una perra.

La señora se mordió los labios y suspiró, tal vez pensando en Popea, en el notario González Chamorro o quizá en la juventud perdida. Luego —con inesperada timidez— me preguntó si podía invitarme a cenar, y yo no supe qué responder, pero ella insistió añadiendo que cenaríamos en el Palace, que la cena corría a cargo de Martín González Chamorro, a cuenta de gastos de representación o mejor aún, de servicios profesionales, pero que sólo me ponía una condición: que le llamara Luz Ángela.

—Quien le hubiera pillado los blandos hace cuarenta años, comisario —consideró tristemente el asesino Xarradell.

Daba gloria ver el comedor del Palace tan bien iluminado, tan de siempre, con sus manteles de hilo blanco y sus camareros de negro silencioso, que todos saludaban a la señora conocida y querida. Yo recordé la pensión Trinidad y sus veloces sirvientas y es muy cierto que envidié aquel retiro de lujo, tan distinto de los que puede proporcionar el Estado, y me refiero a jubilación y clases pasivas. Incluso se personó el cocinero jefe, que Luz Ángela llama Paco, y a él mismo —después de presentármelo con orgullo— encargó la cena: *consomme royal* y lubina en *papillot*, del postre ya hablaremos, y el vino blanco de la casa, que no tiene que envidiar al mejor *riesling*.

—Usted se ha perdido treinta años de señoras, Xarradell.

La mirada del asesino me puso en mi sitio y comprendí la torpeza que quise arreglar y fue peor, cuando añadí: todo por culpa de un crimen y de un acaloramiento momentáneo, porque mi obligación... Xarradell me interrumpió, casi bondadosamente, diciéndome: con azúcar está peor, comisario, y yo reanudé el relato de aquella inolvidable velada.

El somelier me sirvió el fondo de una copa de vino blanco, lo probé y, sin el menor criterio, pero fiando en el prestigio del local, dije que estaba exquisito, y así debía de ser. Durante la cena Luz Ángela Castañón habló —traicionando al torero *Fronterita*—

y me dijo cosas realmente extraordinarias, volviendo a su relación con el señor González Chamorro. Empezó con una frase en latín: *do ut des*. Doy para que des, mi querido don Leopoldo, que luego fue también *facio ut facies*, hago para que hagas, como usted sabe. Mi oferta, y perdóneme si me repito, era muy sencilla: durante los años que le faltaban de bachillerato, el tiempo de la carrera de Derecho y las oposiciones a notarías, yo le pagaba alojamiento y alimentación e incluso podría darle algo de *pocket money*, y cuando sacara las oposiciones a notarías él se hacía cargo de mi persona y de mis gastos, de forma vitalicia, y dejé bien claro que, como seguramente iría destinado a un pueblo, sólo tenía que pagarme el piso de la calle de Padilla y una pequeña asignación, pero si alguna vez conseguía plaza en Madrid o Barcelona, yo me trasladaba al hotel Palace de por vida, recibiendo además una pensión actualizada todos los años. Como es natural firmamos el contrato dos veces, una cuando era niño aún y, por tanto, jurídicamente incapaz, y otra al alcanzar la mayoría de edad, que entonces se cumplía a los veintiún años. El día que Martín terminó el bachillerato —con magníficas notas en el examen de estado— me propuso que firmáramos un pacto solemne y lo hicimos en el gabinete de la calle de Padilla, juntando nuestra sangre, y después yo celebré los acontecimientos regalándole *Las mil noches y una noche*, que él había leído repetidamente. No crea usted, don Leopoldo, que no me dio pesares la criatura, pero me hice a la idea de que era viuda de guerra y tenía que sacar adelante a mi niño chiquitín, como tantas otras, y así fui al ministerio de Hacienda —aquellas sórdidas oficinas de la posguerra— donde hice horas extraordinarias por un tubo, cubrí los turnos de muchos compañeros y renuncié al permiso de verano; por las noches traducía textos del inglés y del francés y por las tardes le daba clase a Martín y le tomaba las lecciones. Sólo los sábados me tomaba un respiro en la tertulia de El Gato Negro, ya sabe usted, junto al teatro de la Comedia, y veía las funciones, a las que me invitaban mis amigos los cómicos, y así fui al María Guerrero, a la Zarzuela, al Español o al Lara, siempre con vales. Y adiós al sexo estable, don Leopoldo, que me lo prohibí como precaución, porque si yo me liaba con algún caballero podía descuidar mi futuro y el de Martinito, que no soy ninguna egoísta. Me tendió entonces la copa y brindó mirándome a los ojos, y algo de vergüenza sentí, porque los míos no podían resistir a los suyos, entre verdes y dorado oscuro, que lucían brillantes y divertidos, quizá por la media combinación y el vinillo blanco. Usted se preguntará por qué esta mujer eligió oposiciones a notarías y bien claro queda: por el dinero segurito. Debo confesarle que no me gustan los jueces, que los abogados del Estado suelen ser fatuos y presuntuosos, que los registradores me parecen poca cosa y en los corredores de bolsa hay peligro; serán manías, pero así me lo decía yo: notario ha de ser mi niño, hay que estudiar para firmar y quemarse las pestañas, durante tres, cuatro o cinco años, y luego al protocolo. Fíjate —le decía a Martín— que a mí me pillará madurita y a ti en la flor de la juventud, y que te casarás con una hermosa mujer, muy rica ella, porque los notarios pueden elegir. Y así hicimos juntos la carrera de Derecho, día a día, sin perder el paso.

Durante unos segundos calló aquel curioso ejemplar, me miró como si fuera a decirme algo y luego añadió un gesto, pidiendo paciencia, y es que estaba buscando en el fondo de sus recuerdos, porque ya enfrentada a la lubina en *papillot*, dijo con ciertas dudas y luego como si leyera en un libro: «la legítima defensa presupone un ataque actual, es decir, todavía no concluido o pasado y al mismo tiempo, injusto. Es indiferente que el ataque sea injusto subjetiva o sólo objetivamente, pudiendo por tanto utilizarse la legítima defensa contra un enfermo mental, contra el que obra injustamente e incluso contra un niño, pero en la convicción de la licitud del acto.»

Se me quedó la lubina pinchada en el tenedor y ahora sí que miré a los ojos de Luz Ángela Castañón Spencer: aquel párrafo, aprendido hace más de cuarenta años me lo brindaba a mí, pasando de la amenaza del vestíbulo, *hall* o *lobby,* al tramposo discurso de abogado defensor de película americana. Luz Ángela fue de un gracioso suspiro al vino blanco y al hoyo de sus recuerdos jurídicos, mandándose una sentencia en latín *pactum est duorum consensus atque conventio, pollicitatio vero offeris solius promissum* y un desafío: pregúnteme cualquier artículo del código civil, mejor del uno al cien, que tampoco soy un fenómeno de la naturaleza, pero que sea del código antiguo, que el de ahora no me lo sé. Yo, por cortesía y por no alargar, le pedí el 99, ella se concentró unos segundos y con tono ligero y distendido, dijo: «Si por sentencia firme se declararen falsos los impedimentos alegados, el que fundado en ellos hubiese formalizado por sí la oposición al matrimonio, queda obligado a la indemnización de daños y perjuicios». Y me tendrá que creer usted bajo palabra de honor, don Leopoldo.

—Pues esa señora y yo podíamos formar un número de escándalo —consideró el asesino Xarradell, volviendo al bordado japonés.

El día en que terminamos la carrera —matrículas y sobresalientes y algún notable en educación política, física o religión, las llamadas «tres marías»— llevé a cenar a Martín a *Lhardy* y nos bebimos una botella de vino francés, por alardeo y ostentación, y luego fuimos, yo con dolo y malas artes, él, confiado e inocente, a Florida Park, en el Retiro, donde cantaba Juanita Reina con notable éxito de público. Seguramente a Martín le hubiera gustado otro espectáculo, pero aquel tenía una broma en el roscón. En la segunda parte, Juanita Reina salía vestida con una mantilla de blonda y un traje blanco de volantes que era un disparate, paseaba abanicándose por el escenario, como si tuviera mucha prisa, mientras la orquesta atacaba los primeros compases de la canción. Entonces yo agarré la mano de Martín y le eché una sonrisa cómplice que él no acabó de entender, mientras Juanita Reina iniciaba el estribillo:

> *Madrina, por un te quiero,*
> *madrina, por un me muero,*
> *la gente no se imagina,*
> *que el hombre que yo más quiero*
> *me llama sólo ¡madrina!*

Martín intentó liberar su mano y yo me acerqué a él y le dije al oído: no te alarmes, que no es más que un *couplet*, niño, pero guárdate de mí cuando ganes las oposiciones. Aquella noche bebimos mucho, nos reímos un disparate y lo pasamos de miedo.

Martín no tenía novia ni chica fija, sólo una pandilla cuyo jefe era el mentado Gaspar Arenales, que ya no estaba en España. Martín nunca fue de putas y, como es lógico, se había enamorado de las chicas que tenía cerca y aún recuerdo sus nombres de cuando llamaban a casa: Paulita y Celinda, unas hermanitas que debían de ser muy frescas y se dejaban meter mano, pero nada más, y otra que cojeaba del mismo pie, Emilia Dalmau; pero Martín era virgen y no se extrañe usted, que aquella situación, en las buenas familias, era de lo más corriente. Habrá que ver ahora a Paulita y Celinda y a Emilia Dalmau, si es que viven. La señora Luz Ángela Castañón se tomó un respiro y un bajativo: sorbete de limón al cava, y yo también participé en el detalle.

—¿Pero usted no le hizo ninguna pregunta, señor comisario?
—De momento no necesitaba que se le hicieran preguntas, querido Xarradell.
—Debe de tener usted la exclusiva.

Todas estas cosas, estas confidencias que dedico a un desconocido, no me salen del cuerpo por afán de protagonismo y mucho menos por nostalgia; son absolutamente necesarias, porque quiero tenerle al tanto de nuestro negocio, si es que puedo llamarlo así, y evitar que cometa un error. A punto estuve de preguntar qué clase de error era aquél, pero no quise cortarle el hilo a la señora, que tenía la mirada ya un poco borrosa. Adiós, Martín querido, hasta mañana, duerma usted bien, señor licenciado. Me desnudé sola en mi alcoba, recordando que diez años atrás había puesto algodón en el ojo de la cerradura para que no me viera desnuda el niño, me acosté y apagué la luz pensando en la pobre Lola y también en Julio González, que no habían visto crecer al niño y que ahora estarían tan orgullosos, y no me dormía: nada de tesis ni de doctorado y mucho menos de ejercer la carrera, desde mañana mismo a preparar oposiciones a notarías y, como mucho, una semana en Mallorca, que en secreto había ahorrado para el caso. Creo que me dormí y sé cómo me desperté, aunque me parecía estar soñando: Martín se había metido en mi cama, me abrazaba por detrás, me besaba el cuello y me mordía las orejas, el muy cerdo, y cuando notó que ya estaba despierta se puso a canturrear *Madrina*. Entonces sí que me asusté, me llevé el susto más grande de mi vida, di la vuelta y doblé las rodillas, poniéndoselas en el pecho a Martín. Aquello era un auténtico incesto a tres bandas y a mí nunca me gustaron los incestos. En primer lugar, Martinito podía ser mi hijo, sólo que no lo había parido; en segundo lugar, yo fui novia formal y amante de su tío José Luis y muchas veces nos acostamos juntos y, en tercer lugar, le debía respeto y consideración a Lola. Se me puso un velo rojo, encendí la luz y eché a Martinito a gritos aun a costa de despertar a toda la calle Padilla. La señora Luz Ángela Castañón calló entonces y bebió un sorbito de licor de pera helado para preguntarme que si me parecía demasiado escabroso el tema lo dejaba allí mismo, y pedí que continuara, por favor. A la mañana siguiente, Martín y yo desayunamos en silencio y cuando ya estaba a punto de salir de casa, me dijo —como sin darle importancia— que había cambiado de opinión, que iba a inscribirse en el colegio de abogados, que no pensaba hacer oposiciones a notarías y que, a lo mejor, se metía a periodista. Aquel día no fui al ministerio de Hacienda, me dediqué a pasear por Madrid y acabé en el parque del Retiro, recordando la velada de la noche anterior. Martinito, despechado, se metía a periodista, y el muy guarro rompía el contrato que habíamos firmado y lo que es peor, el pacto de sangre. Yo perdía, de una tacada, todo el dinero invertido en la educación del niño y mi futuro se comprometía peligrosamente, que ya me veía con la jubilación de Hacienda y al final en un asilo y todo por una moral acartonada en la que nunca creí. ¿Le voy a guardar ausencias a José Luis González al cabo de quince años?, ¿y qué tiene que ver Lola-muerta con su hijo? Y, sobre todo, yo no soy madrina de Martín, soy una buena amiga, una hermana mayor. La idea hermana me revolvió las tripas y casi grité: ¡no soy hermana y sólo le llevo diez años, bueno quince o algunos más, pero aún hacemos buena pareja y ya se puede ir dando con un canto en los dientes! En aquel momento descubrí que estaba enamorada de Martín González Chamorro y sin poderlo remediar dije ¡te quiero, Martín González Chamorro! Y sin pensarlo dos veces, alquilé una barca en el estanque del Retiro y me pasé una hora remando y hablando sola, y no quiera usted saber, don

Leopoldo, las cosas que le dije a un cura que se acercó a reque-
brarme. A eso de las nueve de la noche volví a casa y me encontré al niño apesadumbrado y silencioso: Martín González Chamorro, vas a hacer oposiciones a notarías, como teníamos
previsto de antiguo, y ahora friégate bien, como la noche en que
murió tu pobre madre, y así que me hubo obedecido, desvirgué
a Martín González Chamorro, que me puso las sábanas como si
me hubiera tirado, y perdóneme el desahogo, don Leopoldo, a
la mismísima María Goretti.

—Hay mujeres que merecen calzar espuelas —consideró,
con admiración, el asesino Xarradell.

Después de las vacaciones en Mallorca, empezamos las oposiciones: yo le administraba el sexo y el sexo era el premio.
Martín estudiaba, yo le tomaba los temas y cuando no fallaba
uno y lo metía en los diez minutos de reglamento, le premiaba
con un polvo, y vuelva usted a perdonarme el desahogo. Así
cinco años, Leopoldo —ya me había quitado el don—, cinco
años que me costaron una fortuna, pero que ha sido la mejor
inversión de mi vida, y además lo pasaba bien y además estaba
enamorada del niño, que nunca aprovechó mis enseñanzas,
porque ha sido un desastre y un descuidado con las mujeres.
Después se me quedó mirando y me sonrió, como si ofreciera
disculpas, y yo pensé que hay gente afortunada que ni se ente-
ran de lo que se les cruza por delante —como aquel notario—,
y luego pensé que Luz Ángela Castañón se me iba viva, porque
nada había dicho —o muy poco— de Gaspar Arenales.

Recorrimos en silencio un largo pasillo, espesamante alfom-
brado, yo con el temor de que nos viera algún huésped y ella intentando caminar con dignidad. En la puerta había un número,
seguramente elegido por la señora, 1937, una mirilla de cristal y
un timbre. Luz Ángela Castañon se detuvo y me pidió que
abriera yo mismo, porque a ciertas horas no acababa de enten-
derse con la llave. La señora fue por delante y se miró a un espejo, sin temor alguno: era aquél un pequeño vestíbulo que tenía un perchero antiguo y un bastonero de madera noble y

latón, con paraguas y bastones, tal vez familiares. La señora Luz
Ángela abrió la segunda puerta, que daba a la salita: era la casa
de la señora Castañón Spencer, nunca borrosa *suite* de hotel, y
así me lo confirmó al decirme que había conservado algunos
muebles de Padilla y lo mejor de sus recuerdos gracias a la amabilidad de los sucesivos directores del hotel y al cumplidor notario González Chamorro. Aquello era excepcional y se lo repetía todas las noches: qué suerte tienes, Luz Ángela, bueno, más
que suerte es previsión. Me rogó que aguardara un momento,
me dijo que estaba en mi casa y desapareció en la alcoba, cuya
puerta cerró silenciosa y discretamente. Claro que tenía suerte
la bruja Castañón Spencer, fortuna y talento, al elegir al socio
que podía permitirse aquel gasto y que había hecho honor a su
palabra, eso sí, como un caballero, aunque los caballeros también pueden asesinar. Miré en torno mío con el resabio que aún
le queda al pensionista y lo mismo da que hayas sido torero,
sastre o policía. Frente a la ventana —de noche cubierta por una
cortina— había dos butacas de oreja, una mesita pequeña y una
banqueta, donde seguramente ponía los pies la señora Castañón. Enfrente estaban sus libros, bien colocados y elegidos, casi
todos viejos, pero muchos de ahora, y a la derecha un pequeño
escritorio con un ordenador portátil y un frasco de cristal de Bo-
hemia, tallado, años treinta, con flores frescas que seguramente
le cambiaban todos los días, y en sitio de honor una foto del futuro notario, que daba el brazo a su joven madrina, y por fin un
retrato al óleo —firmado por Hipólito de Caviedes, 1935— de
Luz Ángela Castañón, hermosa y juvenil, vestida de azul celeste
y con un fondo de paisaje inventado. Mirando aquel espacio,
que no era ni *suite* ni apartamento, sino que parecía un escenario de teatro de bolsillo, pensé que la señora Luz lo había atre-
zado para mí y que, desde el comienzo de la velada, en tiempos
del muy lejano sandwich mixto, pensaba llevarme a su terreno.
Ya estaba dispuesto a repasar los títulos de los libros antiguos,
cuando reapareció la señora, que venía precedida de un inteligente perfume. Se había quitado la chaqueta, mudado el pañuelo del cuello y perfilado los labios, pero lo más notable era el
brillo nuevo de sus ojos y la sonrisa de castellana recibiendo en
su castillo. Aquellos cambios me produjeron cierto sobresalto,

porque Luz Ángela Castañón Spencer parecía dispuesta a volver a empezar.

—¿Se acuerda usted, señor comisario, de las setenta y dos horas de Málaga? —me preguntó el asesino Xarradell, con abusiva confianza—: en esta comisaría no se tortura a nadie, pero aquí no duerme ni Dios, eso dijo usted.

—No me interrumpa, que se me olvida el argumento, Xarradell.

Luz Ángela Castañón dio una pasada a los libros y me señaló algunos, que conocía de memoria: *Derecho Romano*, de Arias Ramos; *Derecho Civil Español, Común y Foral*, de José Castán Tobeñas (cuatro tomos); *Elementos de Derecho Administrativo*, de Antonio Royo Villanova, y luego rió diciendo que muchas veces estuvo a punto de matricularse, y que sabía más que los catedráticos, los códigos de memoria y los libros también, que en este país la memoria manda y si te falla estás perdido; y me lo estaba diciendo a mí que soy esclavo de la memoria y que de noche no me deja dormir el peligro de olvidar.

Luz Ángela, como si hubiera cobrado nueva vida, abrió una neverita portátil —que ésa sí era de hotel—, trajo una botella de vodka y sirvió en dos copas diminutas, aunque yo hubiera preferido no beber más. Luego habló un rato del Madrid de sus tiempos de juventud y de las excelencias del actual, que es mucho más divertido y libre, y cuando ya estaba a punto de dormirme, mencionó de pasada a Gaspar Arenales, que no estuvo en la boda de Valdepeñas porque había desertado años antes. Iba a quemar mis últimos cartuchos, porque me estaba quedando tieso sin remedio, pero el espejuelo de Arenales me hizo levantar las orejas. Yo le conocí —dijo la encantadora Luz Ángela— en San Sebastián en 1938 y en verdad era un niño guapo, mucho más guapo que mi Martín y muy dotado para los deportes, pero malo, dañino y envidioso sin razón aparente. Desde 1935 a 1943 se dedicó a torturar a Martinito como si aquélla fuera su única misión en el mundo, y lo dejó marcado para siempre, y yo lo sé porque he dormido mucho con Martín, que a veces se despertaba gritando o llorando y por eso no duerme con su señora Veracruz desde hace más de seis años. Hubo un tiempo en que Martín no se atrevía a meterse en la cama, porque se le hacían insoportables las noches de pesadilla. Por suerte, Gaspar Arenales desertó de la mili y tuvo que huir de España y, a partir de aquel momento desaparecieron las pesadillas, pero cuando volvía o escribía una simple postal, los malos sueños retornaban, y lo más curioso, o lo terrible, si usted quiere, es que todo fue obra de un niño perverso, porque Gaspar Arenales, al cumplir los catorce o los quince, dejó de torturar a Martín y se convirtió en su mejor amigo y lo protegía y así alimentó su buen recuerdo olvidando todo el daño que le había hecho: lo malo es que, cada vez que recibía una carta de Gaspar Arenales, el pobre Martín tenía pesadillas, y según me dijo —ya estábamos separados desde hace tiempo— llegó a ir a un psicólogo y a una bruja, porque debo advertirle que Martín González Chamorro es una curiosa mezcla de racionalidad y superstición, cosa que yo no he entendido nunca.

Aquí hizo una pausa y, disculpándose, me confesó que ella hubiera sido capaz de matar a Gaspar Arenales —por liberar a su niño de las pesadillas—, pero que todo aquello formaba parte del disparate, entre otras cosas porque Gaspar Arenales era dos y no se podía matar al niño malvado sin matar también al amigo querido, y yo entré en la confusión y me perdí en la sonrisa de Luz Ángela, que además de seducir con admirable garbo, me cobraba como si fuera trucha enganchada y no sabía que era trucha rendida. Me dijo entonces que el notario —ya con despacho en Socuéllamos— casó con Veracruz Mondéjar Escribano, reina de la belleza de Valdepeñas 1955, ricahembra en todos los sentidos, porque además de su hermosura, quizá excesiva a su juicio, era nieta e hija de terratenientes y afamados cosecheros. Por fin me tocó ser madrina oficial, y ya sabe usted, mi querido Leopoldo, que después de la novia, lo más señalado en una boda es la madrina. Se me está usted quedando dormido y eso una mujer de mi condición no lo consiente. Vi que se levantaba y que, desde la puerta de su alcoba, me sonreía haciéndome un gesto un poco borroso, y entonces pensé que también era buena la vejez, que me evitaba tomar decisiones. Poco después sentí que, debajo de la barbilla, Luz Ángela Castañón me ponía un platito con rayita blanca, como si fuera a comulgar, me daba un canutillo de cartulina y murmuraba: qué blandos son ustedes, todos los hombres, policías y ladrones, curas y maricones o cosecheros, todos blandos, que da lo mismo. Entonces comprendí por qué tenía los ojos tan brillantes la señora Luz Ángela y me puse a tono, más que nada por recordar y por sostener el tipo en el hotel Palace.

El asesinó Xarradell me miró complacido y dijo que se alegraba muchísimo de asistir en directo a la destrucción de un mando de la policía, sobre todo teniendo en cuenta que se trataba del mismo comisario que le puso la soga al cuello.

—Recuerde usted a Sherlock Holmes, Xarradell, y no sea estrecho.

—También recuerdo a Al Capone, comisario Arruza.

—Al fin y al cabo, se trata de personajes históricos y literarios.

Lo cierto es que, a partir de aquel instante, reviví en el Palace, me parecieron graciosas las palabras de Luz Ángela Castañón e incluso reímos juntos con la historia de la boda de la señorita Mondéjar Escribano y el notario González Chamorro; pero sobre todo —y no lo digo por justificarme— con aquella rayita se tensaron mis sentidos y fui capaz de recordar. Lo más señalado de una boda, después de la novia, es la madrina, y yo me propuse pisarle el cuello a la Veracruz y dejar bien claro que el joven notario fue cosa de servidora, aunque a partir de aquel momento renunciaba al mando y a todo lo demás, excepto al resultado del contrato, el *do ut des* que por mi parte había cumplido. La boda se celebró en la parroquia de la Asunción de Nuestra Señora y fue todo un acontecimiento, ya le hablo de 1960 ó 61. Yo iba vestida con un *fourreau* túnica —de Elio Berhanyer— color lila, zapatos a juego de tacón altísimo, pamela blanca y guantes blancos de cabritilla, conjunto poco usual en Valdepeñas, que fue muy admirado y criticado discretamente. Lo más probable es que esperaran una madrina gordita y de mantilla y mira por donde se encontraron con la réplica de Katharine Hepburn y perdóneme la inmodestia. Por suerte, la novia Veracruz Mondéjar se retrasó veinticinco minutos y así me pudieron mirar a gusto las buenas gentes de Valdepeñas y muy especialmente el gobernador civil de Ciudad Real. Celebramos el banquete de boda en el Motel El Hidalgo, todo con productos de la región —caza, embutidos, hortalizas y queso—, vinos de las bodegas Mondéjar y mesa protocolaria: en la cabecera y de derecha a izquierda, padre de la novia y padrino, novia, novio, madrina del novio, madre de la novia y don Andrés, el anciano párroco de Nuestra Señora de la Asunción. Cuando se estaban sirviendo los entremeses dejé caer mi servilleta y sonreí a Martín, que se dispuso a recogerla, y en aquel momento yo hice lo mismo y bajo la mesa, cubiertos por los blancos manteles de hilo, di un beso de tornillo al novio y le dije: júrame que si tu primer hijo es macho le pones Ángel y si es hembra, Luz Ángela. Martín reapareció sin novedad y yo creo que nadie advirtió el interludio, aunque tal vez algo sintiera la joven Veracruz, que ni era tonta entonces ni lo es ahora. A los postres —no quiero cansarle, Leopoldo—, mientras el alcalde hacía un largo y sentido discurso, donde se mencionaba a don Quijote y Sancho, a los molinos y a Dulcinea, al Amor eterno y a san Pablo, yo, a punto de emoción, sonriendo apenas y con los ojos empanados en lágrimas, puse delicadamente mi mano derecha en los cojones del novio y de nuevo perdóneme la crudeza, Leopoldo. Ha dicho usted empanados en lágrimas. Quise decir empañados. Y los dos reímos divertidísimos. En los cojones del novio —continuó ella—, pero sin daño o interés sexual, sólo como recordatorio del contrato que comenzaba a correr. Y he aquí, querido Xarradell, que yo hice mi primera pregunta:

—¿Por qué me ha llamado usted?

Luz Ángela meditó un instante, aunque sabía de sobra la respuesta, y quitando importancia al trance incómodo, me dijo que esa es otra Xarradell, si cierra usted los ojos parece que está hablando una mujer de treinta años:

—Porque tengo miedo —eso me dijo.

Y yo no sabía si era miedo a mi pobre persona, a perder la asignación del notario o a que González Chamorro hubiera asesinado a Gaspar Arenales. Y me di por satisfecho con la respuesta y aún más, porque ya tenía el móvil, como dicen en las novelas policíacas. No le mentí a Luz Ángela Castañón al decirle que había pasado una velada inolvidable y entonces ella, con cierto rubor, me pidió:

—Descálceme usted, Leopoldo, porque yo me agacho, pero me agacho mal y no me gusta sacarme un zapato con otro, porque queda un poco ordinario.

A mi edad hinqué la rodilla, le quité los zapatos a la dama y pude observar que aún tenía buena pierna, y luego ya, caminando por la plaza de Neptuno, pensé: qué triste es la vida.

XIX

Una visita inesperada

(Testimonio del Comisario Arruza)

«Caminaba despacio como un inocente viejo desocupado, como el abuelo tranquilo que viene a pasar una temporadita con sus hijos —los que viven en Madrid— y, de paso, a dar el coñazo a la familia y están forrados, porque aquellas casas cuestan un dineral y yo lo sé porque he pagado la mía y he firmado las escrituras de otras muchas. La lluvia había dejado aceras y calzadas brillantes y húmedas, algunos coches —todos de muy buena marca— pasaban levantando millones de gotas de agua, casi disolviéndolas en el aire. Desde el ventanal las hojas amarillas de los chopos y de los álamos —nunca sabré si es el mismo árbol— me ocultaban a medias al anciano, que había cerrado su paraguas y miraba de reojo hacia mi casa intentando pasar desapercibido, pero yo lo conozco bien: es un comisario, ya jubilado, que seguramente por culpa de la vejez y del aburrimiento había decidido ponerme en su mohoso punto de mira. En el fondo aquella reliquia me inspiraba cierta ternura, pero también las ternuras tienen su límite. Luego salí al pasillo y abrí un armario de sólida madera donde guardaba mi colección de rifles y escopetas, y saqué el último, el que me habían enviado —con seguro incluido y todos sus papeles en regla— de la acreditada fábrica W&T, de Denver (Colorado). Le metí en las tripas un solo cartucho, rajador de chaquetas metálicas, y volví a la ventana. Relamiéndome, como Sitting Bull cuando tiene a tiro a Buffalo Bill (o viceversa), le puse la cruz de malta en la frente al ex comisario. Mi dedo índice, el de la mano derecha, el más sensible, el amenazador, acarició el gatillo, apenas un roce, porque estas armas de W&T son de una delicadeza enfermiza. El viejo se rascó una ceja y con toda naturalidad me dio la espalda. Ahora la cruz de malta estaba en su nuca, pero yo no soy capaz de matar a nadie por la espalda, ni siquiera a un ciervo o un jabalí: quiero ver cómo sus ojos estallan en el momento del disparo, y lo digo a mayor gloria de la pieza y de la deportividad del trance.

Aunque la luz era gris y sombría, vi perfectamente cómo destellaba en los cristales del notario, que estaba medio oculto y desapareció hacia el interior del cuarto. Yo conocía su afición a la caza y a las novelas policíacas y sus tranquilas costumbres, y era consciente de habérselas alterado, quizá sin razón alguna. Este paseo, que en el fondo era una provocación, podía haberlo hecho con el perro, pero me parecía muy fuerte servirle dos amos muertos en circunstancias trágicas. Así que me di la vuelta, girando sobre el tacón derecho —como en un chotis—, y ofrecí la nuca al notario. Me vino entonces un escalofrío de la rabadilla al cogote y luego un calor muy localizado. Mis largos años de experiencia me decían que tenía allí clavado el punto de mira y que un movimiento de más o de menos me llevaba al otro mundo. Y no me importó mucho, porque un disparo, uno solo, y mi muerte, la de un pobre jubilado, confirmaría los complicadísimos hechos que no puedo probar. A cuarenta metros de distancia no podía fallar ni siquiera un tirador mediocre. Pero no ocurrió nada. Dejé pasar diez larguísimos segundos y me di la vuelta.

Ahora sí, te la has buscado, comisario: apreté el gatillo, sonó un disparo y el viejo cayó al suelo herido de muerte. No podía apartarme de la ventana. Poco a poco, la sangre, espesa y negra, iba manchando la acera mezclándose con la lluvia. Alguien corrió hacia el cadáver.»

El asesino Xarradell se quitó las gafas, dejó de leer y me miró triunfante, sonriendo divertido, como un diablo burlón, y yo estremecido me replegaba en el fondo de la butaca carraspeando más que incómodo. Me llevé la mano al entrecejo, justo al sitio por donde había entrado la dichosa bala, y afectando indiferencia, le pregunté:

—¿Cómo disparó el notario, con la ventana abierta o cerrada?

—Ése es un detalle sin importancia —respondió Xarradell un poco desconcertado.

—De todas formas —añadí más tranquilo—, el notario González Chamorro jamás se hubiera atrevido a disparar, y no sólo por miedo, sino también por decencia: González Chamorro no es un asesino.

—Para usted, sí —levantó la mano y yo aguardé— : pero no se altere, porque tengo una segunda versión.

Volvió a calarse las gafas, me echó una mirada cómplice y casi riendo, leyó otra vez:

«No hubiera sido capaz de disparar sobre un hombre indefenso y seguramente sabedor de lo que estaba ocurriendo de la ventana para adentro. El comisario era un mal nacido y había venido a desafiarme hasta la mismísima avenida de los Madroños. Pero no podía matarlo así y me asomé a la ventana: ¡Comisario! ¿Quería usted verme? No era una frase feliz. Por respetar las reglas mejor hubiera sido decir ex comisario y ya puestos a afinar, muchísimo mejor meterle un poco de sarcasmo: qué casualidad verle por aquí. ¿Le apetece tomar una copa?»

Aproveché la ocasión para confirmar que era Santiago Xarradell el autor de aquellas inmundas páginas y le dije, no sin veneno, que tenía el vicio —o mejor la querencia— de casi todos los traductores, que intentan escribir por sí mismos y que una cosa era ser creador y otra mediador, que sus páginas eran retóricas y falsas y parecían obra de un chapucero disfrazado de escritor de novelas policíacas, seguramente con seudónimo inglés. A lo suyo, señor Xarradell, a servir a Paul Bourget o Anatole France. Mis palabras, tan fuera de tono y así lo comprendí luego, estaban dictadas por su alusión a mi muerte, al tiro en el entrecejo, que me parecía una revancha literaria en homenaje a su propia condena. Pero Xarradell no se ofendió, yo me quedé un poco en el aire, le pedí las cuartillas y las repasé, subrayando algunas palabras o conceptos. Xarradell, que sonreía con encantadora inocencia y cierta fatuidad, volvió a servir licor en los vasitos de costumbre. Al cabo de unos minutos le dije que me parecía excesivo que el notario me llamara «viejo, abuelo, anciano, pobre jubilado, mohoso y reliquia». Xarradell respondió —con aire satisfecho— que no tenía la culpa, que eran cosas del notario y más que nada, riqueza de léxico. Después añadí que precisamente el notario nunca hubiera empleado la palabra *coñazo* y tampoco *malnacido*, que eso eran vicios del autor, que chopo y álamo significan la misma cosa, quiero decir el mismo árbol, que naturalmente me importaba morir y que no me gusta que mi sangre sea *negra y espesa*. Xarradell estaba encantado y me hizo saber que se refería a los personajes y que cualquier parecido con personas reales era mera coincidencia, que no pensaba continuar escribiendo y que se había permitido gastarme una broma. Una broma macabra y una curiosa coincidencia, estuve a punto de responder.

—Bastante tiene Xarradell —añadió el excéntrico asesino— con la *Chanson de Roland* y si usted nos lo permite, cualquier día de éstos, leeremos algunas páginas escogidas, ya que la *Chanson de Roland*, mi querido comisario, es mucho más amena e incluso más intrigante que una novela policíaca.

Y diciendo estas palabras, enredándose en la tercera persona, cada vez con mayor gusto, se acariciaba la cinta de la Legión de Honor. A veces la presunción, la pedantería y las confianzas que se tomaba Xarradell —al fin y al cabo un condenado a muerte— me hacían cometer crueles injusticias o daño de verbo y así le dije —subrayando mis palabras con desprecio— que también la Legión de Honor se compraba con dinero y que la habían rechazado Hector Berlioz, George Sand, Emile Littré, Gustave Courbet, Honoré Daumier, Marcel Aymé y su adorado maestro Guy de Maupassant, y por algo sería. Creo que Santiago Xarradell se dobló como un peso medio tocado en el hígado y con dolorida sonrisa me respondió que cuando me venían ganas de vomitar bilis, gozaba de una memoria prodigiosa. La memoria es cosa mágica y aunque olvidara quiénes fueron Gustave Courbet o Emile Littré, me llegaron sus nombres a la lengua, al sólo objeto de ofender a Xarradell, que me había provocado con su ridícula novela inventada. Mi asesino levantó el vasito y echó un trago, mínimo y sabroso, enseñándome los dientes en gesto muy parecido a una sonrisa infeliz. Yo recordé entonces que Santiago Xarradell era diabético y se lo hice saber, y él me contestó que, a cierta edad, es mejor olvidar las enfermedades, incluso las crónicas, porque de todas maneras la muerte le iba a llegar y la prefería en dulce, y de nuevo pronunció aquellas palabras con las que un día me recibió en su casa: *Madame, je vous attendais* y se refería a la muerte y no a una mujer. Comprendí que había estado un poco borde y no tuve el menor inconveniente en pedirle disculpas, y entonces él se levantó murmurando que su memoria no era tan privilegiada como la mía, ni muchísimo menos, que había olvidado ya mis ruines comentarios sobre la Legión de Honor, y desapareció con trucos de viejo cómico y saludable olor a colonia fresca:—*Así salió tan diestra la marica/ como aquel que al estudio se dedica/ por coplas y por malas traducciones.*

Una curiosa coincidencia fueron aquellas páginas originales de Santiago Xarradell, que hicieron vivir en la ficción al personaje del notario: qué casualidad verle por aquí, señor González Chamorro. ¿Le apetece una copa?

Estaba yo en mi cuarto, disfrutando de mi clausura, leyendo en voz alta a Rubén Darío y hablando solo después, cuando sonó el timbre y Popea levantó las orejas mirándome un poco alarmada. Abrí la puerta y al otro lado descubrí una cara conocida, un poco pálida, compungida, como si pidiera disculpas por habitar este áspero mundo, y el caso es que me resultaba familiar. Me saludó con alguna ceremonia y se presentó diciendo que era don Germán Posadilla, nombre un tanto ridículo, que tampoco me decía gran cosa. El mensajero completó su información agregando que era uno de los oficiales del notario González Chamorro y que me traía una carta del referido señor. Yo me disculpé, por recibirlo en bata, le pedí que aguardara un momento y así me alejé, hasta ocultarme de su vista, metiéndome en el cuarto de la plancha. No me gustaba que aquel señor me sorprendiera en bata y zapatillas, porque a mí me molestan las confianzas y eso de recibir en bata me parece una grosería que no debe admitirse ni siquiera entre amistades íntimas. Claro que Germán Posadilla no había tenido la educación de avisar antes; pero lo malo era la bata, ya descolorida de por sí y un poco deshilachada por los puños, que incluso estuve a punto de cambiarme de ropa. En un tarjetón con el membrete del notario, escrito a mano con tinta azul, letra redonda y autoritaria me decía —más o menos— que le gustaría verme y charlar de algunas cosas, que se disculpaba por su atrevimiento y me pedía que la entrevista fuera en mi casa. La verdad es que el mensaje me dejó atónito y que pensé, entonces, que quizá se debiera a la mediación de la señora del hotel Palace, cuyo nombre tengo olvidado en la punta de la lengua. Nunca me había ocurrido nada igual, jamás un sospechoso solicitó mis servicios; aquello tenía un lindo tufo a melodrama, y si el notario no fuera como es y yo como soy, pudiera encerrar su peligro, pero en mi casa, a cara descubierta y jubilado encima, no tenía sentido. Por supuesto aceptaba la sugerencia del señor notario y devolviéndole el mensaje le invité a una copa el sábado a las ocho de la tarde, porque aquel fin de semana la niña Marga y el *fúrer* se iban de excursión a Toledo.

El asesino Xarradell volvió con una cartera, me pilló hablando solo y yo le conté la visita del señor Posadilla:

—Cuidado, señor comisario —me advirtió entre dientes—, a su edad no se debe jugar con fuego; claro que no le vendría mal una puñalada en la yugular: una puñalada que hiciera justicia a sus múltiples víctimas, y permítame que me incluya entre ellas.

Y luego, como si me hubiera felicitado las pascuas, sacó de la cartera cinco cuadernos escolares y me dijo que allí estaba toda la historia del supuesto crimen del notario, que iba anotando día a día mis palabras, porque una cosa es la memoria y otra el virtuosismo de la memoria y poniendo los ojos en un reloj, que marcaba las nueve y veinticinco, o sea, las veintiuna veinticinco, exclamó con melancólica nostalgia:

—¡Si hubiera usted visto el número del profesor Xarradell, que ya me habían llamado del *Cracy horse* de París! Pero todo se fue a la mierda por culpa del pianista *Carajo*, que era un artista, justo es reconocerlo, y por la malquerencia de mi pobre Florita, una bellísima mujer a quien no he podido olvidar.

Con suavidad empujó hacia mí los cinco cuadernos y yo, por no desairarle, hojeé el primero y a punto estuve de mandarme mudar: con letra preciosista y puntillosa el asesino Xarradell había escrito los cuadernos en francés: *moi, que j'ai toujours vécu de ma memoire, je reçois une drôle de proposition: reténir les abominables souvenirs de L.A.* Empujé con desprecio los cuadernos: yo era L.A. y mis recuerdos, abominables. Poco más entendía y el muy cínico se tapaba boca y nariz y casi lloraba de risa:

—Hay que saber idiomas, don Leopoldo: menos garrote vil y más cultura, señor comisario.

En el barrio ya se habían hecho a verme pasear con Popea, muy recuperada, por cierto, e incluso en La Oficina, donde no se admiten perros, me dejaban entrar con ella y de cuando en cuando le daban un boquerón en vinagre, un platito con cerveza o alguna oliva, porque Popea era muy especial en el tema de la alimentación, seguramente por culpa de su amo anterior. Le gustaba la cerveza y el vinagre, escupía los huesos de aceituna y rechazaba esas bolas que suelen comer los perros. En la pensión Trinidad le guardaban recortes de carne, que yo le preparaba con arroz sin molestar al *fúrer* y cuidando de que no quedaran cacharros sucios en la cocina. Por cierto, mi hija Pilar estaba de un humor excelente, porque había conocido a un guía de turismo simpatiquísimo él, culto, leído y muy guapo, que le ayudaba mucho a olvidar a su anterior novio. Mis planes con Popea habían cambiado sólo en un pequeño matiz: antes de la excursión a Navacerrada y después de haberla enfrentado a los calzoncillos del notario pensaba carearla con él, pero vista la reacción de la perra en el barranco de Peñalara y su inesperado ataque al asesino Xarradell, a quien sin duda confundió con González

Chamorro, resultaba inútil y arriesgado: Popea conocía perfectamente al notario y bien claros estaban sus sentimientos, que ya no podía decirme más la pobre.

Aquella mañana —soleada y fresca— íbamos por la acera de la calle Claudio Coello, Popea con esos andares tan graciosos, que Dios le ha dado, y yo murmurando, sin advertirlo, como casi siempre, nostálgico de mi río y de mi pueblo, a donde algún día pienso volver: *Río Duero, río Duero/ nadie a acompañarte baja:/ nadie se detiene a oír/ tu eterna estrofa de agua.* Claro que no me acuerdo de quién era este poema ni falta que me hace. Un niño que volvía del colegio, agarradito a la mano de su mamá, se volvió gritando: ¡mamá, ese señor está hablando solo!; y yo le grité a mi vez: ¡ya te llegará la hora! Así nos detuvimos ante el escaparate de Zivor 40, que estaba apagado y ciego, y bien lo lamenté, cuando —ante mis ojos— se iluminó como si fuera una cueva fantástica, exhibiendo sus gloriosas antiguallas, entre las que destacaba un precioso bergantín metido en una botella y una arqueta china, japonesa o de algún lugar exótico. Teresa Zivor abrió la puerta y me llamó alegremente, y yo solté a la perra, para que pudiera rendirle homenaje: las dos se abrazaron, Popea lamió la nariz de la chica, luego entró en la tienda, quizá buscando a quien yo me sé, y por fin Teresa vino a mí y me besó como si nos conociéramos de toda la vida. No me puedo engañar, que un largo paseo hice hasta Zivor 40, aunque fingí que me pillaba de paso y no iba a dar novedades, ni a contar aventuras, iba a verla, a oler su piel:

—Señor comisario —me interrumpió el asesino, que estaba haciendo ahora un chaleco de punto—: enamorarse en las postrimerías es una temeridad y se lo digo por experiencia.

Fingí no oír tan desagradable frase y volví al tema del olor. De un pebetero salía humo azulado, la tienda estaba impregnada del mismo aroma de la capilla de la Virgen de las Nieves y yo le dije a Teresa Zivor que aquel incienso me resultaba familiar, y ella me respondió que era una ofrenda de Gaspar Arenales, muy indicada para alejar malos espíritus y traer la buena suerte y la paz a todo aquel que la oliera. Luego me ofreció una infusión de malva con unas gotitas de anís, charlamos un rato, vi cómo atendía a un cliente, recogí a Popea, que se había acostado en su cama, y recibí un obsequio: un poco de hierba aromática en una cajita de esmalte que tenía un elefante pintado en blanco, azules y rojos.

Hacía tiempo que no visitaba la Sacramental de San Isidro y, por tanto, tenía abandonada la tumba de mi Margarita, que ya sé que no me echa de menos por su propia naturaleza inmóvil, pero tampoco son formas de comportarse, y cuando una tarde se lo comenté al asesino Xarradell me dijo que los muertos agradecen las visitas, digan lo que digan los racionalistas, las agradecen y sienten la cercanía de los seres queridos. Después me preguntó si me había llevado bien con Margarita, bien de verdad, y yo le contesté que de toda la vida, que me tenía un poco dominado y me reñía con frecuencia, pero que nos quisimos particularmente y que ella había sido mi familia, porque ni por el *fúrer*, ni por los hijos del *fúrer* —mis nietos e incluyo la niña Marga— sentí nada igual. Luego le dije que quizá esta disposición naciera de mi soledad y de mi propia decadencia, y él dijo que no, que él había sentido lo mismo por Florita, quizá con mayor arrebato, y por eso le quitó la vida, así lo dijo, pero que no tenía tumba, ni sitio conocido a donde ir, que cuando uno esparce las cenizas en el Mediterráneo o en un bosque o en cualquier parte, allí se queda el recuerdo del muerto, pero que él prefería no pensar en qué alcantarilla estaba el recuerdo de la bella Florita, y me vino la memoria como una ráfaga de aire fresco: en la comisaría de Málaga también me contó cosas parecidas, que mucho me impresionaron.

Por la calle del Sombrerete andaba yo dándole vueltas y me temo que, en voz alta, se me escapaban palabras y aun frases enteras. Cómo de un asesinato cocido y prescrito y de otro todavía reciente adquirimos un enfermizo y afectuoso grado de confianza. Xarradell y yo íbamos apoyandonos juntos, repartíamos nuestra soledad y nos respetábamos, y a mí me parecía lo más natural del mundo verle bordar almohadones, y supongo que él consideraba lógico que me fuera olvidando de casi todo. Por eso, cuando yo le hablé de mis ausencias a la tumba de Margarita, se ofreció a acompañarme y a mí no sólo me pareció una excelente idea sino muy benéfica.

Por temor a perderme me hice con un plano de la Sacramental y decidí llevar a Popea a la visita, y así entramos por la avenida que conduce a la tumba de mármol negro y lápida inclinada, la que dice *sic transit gloria mundi*. Xarradell iba con boina y chaquetón forrado de borrego, yo con abrigo largo y Popea un poco asustada o quizá inquieta, como si sintiera especiales olores o sensaciones en aquel territorio, que bien pudo ser su último paisaje. Xarradell me había pedido permiso para ofrecerle a Margarita una rosa roja, de largo tallo, y yo le di el permiso con gusto. Cuando rebasamos la tumba del poeta Ricardo Rivas, aquel de «las palabras vuelan, pero los escritos permanecen», una voz ronca, que parecía salir de una botella de vinazo, nos gritó que estaban prohibidos los perros, y yo me volví: era Fulgencio Majada, *el Coco*, que se quedó con la boca abierta:

—Éste no es un perro, *Coco* —eso le dije—: es un muerto que sale de la tumba o un testigo, como prefieras.

El Coco se disculpó torpemente y yo se lo presenté a Xarradell, dándole el título de guarda distinguido, mientras Popea se sentaba delante del mausoleo de la familia Gutiérrez del Arroyo, en el mismo lugar donde había estado a punto de morir: entonces me fijé en que la losa y las letras de los nombres de los difuntos relucían como si alguien acabara de limpiarlos. Fulgencio Majada pidió permiso para retirarse, llevándose el dedo a la gorra, y se alejó del sepulcro murmurando una última disculpa.

—De modo que aquí tenemos al famoso Gaspar Arenales.

Ante la frase que acababa de pronunciar Santiago Xarradell, Popea pareció estremecerse:

—Nada de nombres, que traen recuerdos o ganas de quedarse.

Xarradell comprendió su error, asintió con humildad y nos fuimos despacio, paseando, hasta la tumba de mi Margarita, en el patio de Santa María de la Cabeza, donde me detuve a saludar:

—Perdona, Margarita, hace tiempo que no vengo a verte, pero ya sabes que no te olvido —miré de reojo al asesino y añadí—: éste es Santiago Xarradell, que ha tenido la gentileza de traerte una rosa.

Xarradell inclinó la cabeza y luego comenzó a murmurar *Notre Père qui est aux ciels, que votre nom soit sanctifié, que votre reign arrive, que votre volonté soit faite aussi à la terre comme au ciel...* Cuando terminó la oración me dijo que le gustaba rezar el Padrenuestro en francés, y que lo hacía todas las noches, antes de dormirse, y fue entonces cuando colocó dos rosas iguales sobre el sepulcro y me miró de reojo, como si se disculpara o pidiera permiso, y yo comprendí que una rosa era para mi Margarita y la otra para la bella Florita.

Ya eran las siete de la tarde de aquel sábado y aún no había elegido mi vestuario, que de ningún modo tendría que ser muy formal, pero tampoco desaliñado. Sonreí pensando en la bata y en las zapatillas, me puse una camisa blanca, una corbata no muy anticuada, los pantalones del traje bueno y, en vez de la chaqueta a juego, una rebeca azul marino, que me había regalado Linda Lebreles el día de mi último cumpleaños. Entonces caí en la cuenta: no tenía nada que ofrecer al notario, porque el *fúrer* pasaba una temporada de abstinencia, que había decidido compartir conmigo, y era sábado. Bajé a la pensión Trinidad y alegando que recibía visita, le pedí a Linda Lebreles que me prestara una botella de ginebra y otra de whisky. Linda Lebreles me acarició el chaleco, se burló un poco del vestuario, me preguntó si esperaba a una mujer, y sin escuchar la respuesta ordenó a Fuencisla Velasco que trajera al punto una botella de whisky y otra de ginebra. Cuando volví a casa me recibió Popea, como si no me hubiera visto en seis meses; caí en el puro fallo que estaba a punto de cometer: el notario y la perra eran incompatibles; si Popea veía al señor González Chamorro, el drama estaba servido y no era el momento, ni muchísimo menos, de carearlos; cada cual en su sitio, y a ella le tocaba el cuarto de la plancha y en el cuarto de la plancha la dejé.

Volví a mi territorio, acondicionado y limpio, con las cortinas del gabinete echadas, para ocultar la cama, que no era cosa de exhibirla, prendí el espliego que me había regalado Teresa Zivor y miré el reloj: eran las ocho en punto, o sea, las veinte. A lo lejos percibía los ladridos de Popea, encerrada en el cuarto de la plancha; en voz alta le pedí perdón y aunque no podía oírme le aseguré que no me quedaba otra salida: se calló, como si atendiera a mis disculpas, y ya no abrió el pico hasta que fui a buscarla más tarde. Entonces sonó el timbre. Al otro lado de la puerta estaba el solemne notario don Martín González Chamorro, a quien invité a entrar ceremoniosamente. El señor González Chamorro vaciló un segundo y echó el pie derecho por delante, como algunos toreros cuando hacen el paseíllo. Callé la observación y pensé que el caballero tal vez fuera supersticioso. Vestía un terno de franela gris y corbata de marca, y si digo terno es porque aquel traje llevaba chaleco. Hinchado de su propia importancia, tranquilo por lo del pie derecho, pero jadeando por culpa de las dichosas escaleras, debía de sentirse en ridículo, porque se puso a la defensiva e intentó sonreír cuando apenas podía cerrar la boca. Los notarios saben mucho, pero son poco prácticos: yo en su caso me hubiera detenido a descansar en el rellano de Venancio Carrasco Fuentes, Centro Podológico integral y cirugía del pie. Con naturalidad, como si fuera un viejo amigo, le hice pasar a mi terreno, alegando que era la habitación más caliente de la casa y que allí nadie nos molestaría. El señor González Chamorro traspasó el umbral —también con el pie derecho— y se detuvo desconcertado, apenas un segundo, como si algo le asustara. Me miró, sin saber qué decir, yo me hice el tonto y como si estuviéramos en una celebración —cumpleaños, primera comunión o funeral—, le pregunté qué quería tomar, pensando que si pedía cerveza, copa de fino o refresco de limón, me hundía la fiesta: un whisky, por favor, con tres cubitos de hielo y un dedo de agua, si es posible, y dijo la frase de un tirón, tratando de disimular el ahogo que le había producido la escalera. Al pasar frente al cuarto de la plancha, ladró Popea, y yo chisté, calla, chiquita, calla, que lo tenemos en casa con traje de fiesta y ojeras de tísico. De todos modos entré en la cocina disgustado, porque había descubierto en mi gabinete un par de botas, más que desgastadas, impresentables, bien a la vista, y yo no puedo aguantar cierto tipo de desorden, y además las botas me ponían en ridículo ante el dichoso notario. En una bandeja puse dos vasos con hielo, una jarra de agua, la botella de whisky y dos servilletitas, como me había enseñado el *fúrer,* y al cabo de unos minutos regresé a mi cuarto y no tuve más remedio que llamar a la puerta con el pie, porque no me podía servir con las manos y, lo que son las cosas, me abrió González Chamorro, quién lo iba a imaginar ocho días atrás. Había recuperado el resuello y algo de viveza en la mirada y no pude por menos de evocar la papelina que me sirvió Luz Ángela Castañón en el hotel Palace. Ay, González Chamorro, que conozco alguno de tus secretos, pero no sé por qué has venido a la calle de Relatores. El notario tenía entre sus manos un grueso tomo de *Blanco y Negro,* año 1932. Le serví el whisky y mientras tanto se disculpó por haber hollado mi biblioteca —así lo dijo— abusando de mi hospitalidad, y yo le respondí que aquella modesta reunión de libros no merecía el nombre de biblioteca, pero que, de todas formas, estaba a su disposición. El señor González Chamorro me hizo una reverencia, como si fuera japonés, alzó el vaso y brindó por Paulino Uzcudun, a quien acababa de ver retratado en *Blanco y Negro,* y yo le respondí que brindaba por Paulino Uzcudun y por Nuestra Señora la Virgen de las Nieves, y al notario le brillaron los ojos y correspondió al homenaje carraspeando un poco. Un cambio notable de actitud por mor de la presunta papelina o de lo que llaman los futbolistas *concentrarse en el partido.* Luego me tendió unos billetes y yo retrocedí, pillado a contra pie, más bien hecho un lío y desconcertado por la zafiedad de González Chamorro, que me dijo:

—Doscientos diecisiete dólares, comisario, que estaban en el *Blanco y Negro,* precisamente entre la página «Agua de colonia higiénica La Carmela, invento maravilloso, que le vuelve los cabellos blancos a su color» y «almorranas, cura radical con pomada Nuestra Señora de Lourdes.»

Puede decirse que el notario me había empitonado por la faja: aquellos doscientos diecisiete dólares —que di por perdidos hace años— estaban en el libro, porque me escondía objetos, cosas, señas y rarezas, que así desaparecieron y fueron apareciendo agendas, gafas, bolígrafos, llaves y fotografías, porque yo era como una urraca sin memoria, una urraca envenenada, y no es alusión. Luego le invité a sentarse y él lo hizo en mi propia butaca —la de ruedas— y yo en la silla, que tengo junto a la mesa, cerca de *Ginesillo*, ordenador con el word-perfect 5-1. Entonces observé una rareza de disposición o me parecía a mí: las botas habían cambiado de postura. El señor González Chamorro bebió un buen trago de whisky, me miró a los ojos y sonriendo dijo que no era hombre dado a hablar y menos aún con desconocidos. Yo quise intervenir, pero él me pidió que de momento no le interrumpiera. Después me puso una condición: nada de preguntas, y estuve tentado de despedir a la visita, cuando él —disculpándose de nuevo por las aparentes contradicciones— aseguró que había acudido a mi casa como amigo y por consejo de una amiga, y ella fue quien le dijo que se acercara a la calle de Relatores y que, por supuesto, no había venido a la calle de Relatores a confesar, ni siquiera a justificarse, y después me miró derramando tanta malicia que pensé que sabía mucho más de mí de lo que yo podía suponer y no tuve otro remedio que levantar un dedo, como en el colegio. González Chamorro me dio la venia con una sonrisa un poco feliz y aguardó:

—¿Puedo tomar notas, señor notario? —le pregunté.

—No, señor, todo lo que voy a decirle debe usted confiarlo a su memoria.

Justo, a mi memoria, menudo sinvergüenza estaba hecho el señor notario, y fue entonces él quien me preguntó de dónde había sacado aquel olor característico, y yo le dije que era un obsequio de la señorita Teresa Zivor, dueña de una tienda de antigüedades en la calle de Claudio Coello. Aquellas frases, aquel incómodo principio, me recordó al tute *arrastrao* que yo echaba con mi abuela *Pringá*, mano a mano, en los largos inviernos de la Guerra Civil: jugábamos sin piedad, a matarnos, y mi abuela —por herencia de los *coloraos* y mala leche de familia gitana— nunca me daba cuartel, como si los dos tuviéramos la misma edad, y tal vez no se equivocaba.

—Teresa Zivor —repitió el notario, como si paladeara las letras—, no tengo la suerte de conocerla, pero sé que fue amiga del señor Gaspar Arenales.

Era la primera vez que el notario pronunciaba el nombre de Gaspar Arenales y no sólo con cariñosa tristeza, sino que se puso en pie, yo creí que en homenaje al muerto, pero en realidad iba derecho a la botella de whisky: me pidió permiso y advertí que le faltaba hielo y no tuve más remedio que volver a la cocina. González Chamorro se había bebido un vaso de whisky en menos de tres minutos y eso demostraba ansiedad y el inútil esfuerzo que estaba haciendo, porque seguía sin explicarme la razón de su visita. Cuando volví con el hielo me recibió con las manos escondidas detrás de la espalda, como si estuviera jugando:

—¿A que no sabe lo que tengo aquí? —me preguntó.

Preferí no contestar, porque aquel notario me estaba tocando los cojones y uso esta expresión en homenaje al cabo Andrés Ríos. González Chamorro advirtió mi impaciencia, desplegó un abanico y por poco se me cae al suelo el cubo del hielo: era el de mi abuela *Pringá*, un abanico perdido hace mucho tiempo, el de la Mezquita de Córdoba pintado por un artista anónimo que según decían fue el mismísimo Romero de Torres. El notario lo había encontrado en la butaca de ruedas, entre los bajos del asiento y el respaldo, hurgando por la ranura —por lo visto tenía esa costumbre desde niño— junto a una peseta rubia. Mi abanico, mi tesoro. González Chamorro recuperó el tono con un nuevo vaso de whisky y me dijo que no tomara muy en cuenta sus palabras, que admitía alguna pregunta, pero de ninguna manera consejos ni sermones, e hizo, entonces, un cálido elogio de Luz Ángela Castañón Spencer, a quien estuvo sin ver casi diez años y a mí me debía tan feliz reencuentro, y añadió que merecía la pena esperar tres horas, y que cómo llevaba el asunto del testamento ológrafo, pregunta a la que no respondí por dignidad.

—Señor comisario —comenzó a hablar despacio, escuchándose—, no tiene usted derecho a perseguirme y ni siquiera a rondarme y le ruego que no me interrumpa. He venido en visita de buena voluntad, por consejo de una persona, que no es Luz Ángela Castañón, como usted supone. Acepto su hospitalidad, pero le aconsejo que no me busque las cosquillas; soy un funcionario público, padre de familia, ciudadano libre en lo que cabe, y merezco respeto, y si tiene usted alguna duda o abriga sospechas, le pido que me denuncie en cualquier comisaría de barrio, alguna de las que usted frecuentó en sus años mozos. Sé que se le va la cabeza, si me permite la impertinencia, y que como todos los viejos anda medio aburrido y usted debe saber que con Martín González Chamorro no se juega. Ignoro por qué causa sospecha que maté y me cuesta trabajo utilizar este verbo, que maté —repito— a mi amigo el señor Gaspar Arenales, que murió en la sierra del Guadarrama. Aquel día yo estaba en Salamanca, precisamente alojado en el Gran Hotel. Cerró los ojos y apoyó la cabeza en el respaldo de la butaca con ruedas y así se mantuvo unos segundos; luego se llevó los dos dedos índices al entrecejo y murmuró:

—Llevo mucho tiempo sin dormir.

Sin duda, era cierto y así lo confirmaban sus profundas ojeras y los párpados hinchados que se le iban cerrando contra su voluntad. Yo seguí en silencio, que bien me sabía el truco de la paciencia. El discurso del notario, su larga exculpación y sus impertinentes amenazas me sonaban a disimulo, y algo me decía que el señor González Chamorro estaba en mi casa por una razón que escondía y quizá tuviera que ver con su última frase: llevo mucho tiempo sin dormir.

—Eso es lo que usted llama intuición, señor comisario —dijo Xarradell, casi burlándose de mí.

—Es oficio, Xarradell.

—Y ahora le está picando el ombligo y le laten las sienes.

Lo malo de esta historia es que el asesino y yo tenemos demasiada confianza y aunque le eché una mirada furiosa, de las que paralizaban a mis inspectores en los buenos tiempos, sólo conseguí una sonrisa y una frase inoportuna:

—No se haga el feroz conmigo, don Leopoldo.

Dejé pasar el mal modo y seguí mi relato, pidiéndole a Xarradell menos guasa, si me permitía la licencia. El notario se repuso, guardó la mano izquierda en un bolsillo de su chaqueta, volvió a beber whisky, aspiró el humo del espliego con inesperada satisfacción y habló con mayor sosiego:

—Al señor Gaspar Arenales, que era muy aficionado al espectáculo, le gustaba ser protagonista y sorprender: cuando volvió de Kenia, hace apenas tres meses, me trajo oro, incienso y mirra, y me dijo que el incienso y la mirra eran la misma cosa y así es. Me dio una moneda de oro —la sacó del bolsillo derecho y la manoseó entre los dedos—: una corona de la reina Victoria y una cajita de plata con incienso, el mismo que está usted quemando, afortunadamente, el mismo que arde en la capilla de la Virgen de las Nieves de Navacerrada durante las misas en latín por el alma del niño Gaspar Arenales.

—Ya sé a qué ha venido usted, señor notario, pero yo no puedo devolverle el sueño.

González Chamorro se echó hacia atrás, mirándome con curiosidad, sorprendido, como si mis palabras le hicieran bien y le asustaran al mismo tiempo. Mirándome fijamente me preguntó por qué había dicho que no podía devolverle el sueño, y yo no supe qué contestar, porque aquellas palabras salieron de mis labios por delante del pensamiento. Durante un largo minuto ninguno de los dos hablamos, hasta que el señor González Chamorro me dijo que no tomara en cuenta la visita, que estaba un poco alterado por cuestiones familiares y, desde luego, por la muerte accidental de Gaspar Arenales, y disculpándose de nuevo se puso en pie y dio por terminada la entrevista, si es que se puede llamar entrevista a tan curiosa reunión.

Solté a Popea, que sin verme, alentando, corrió hacia la escalera y se puso a oler por debajo y a gruñir sordamente, y luego —como si siguiera un rastro— fue hasta mi cuarto, que venteó a conciencia, y por último me dirigió una larga mirada, una muy humana mirada de reproche. Popea, compréndelo —me disculpé—, tenía que recibirlo, era mi obligación, no he querido ofenderte y mucho menos ofender a tu amo; pero no lo entiendo, no sé a qué ha venido. Xarradell me interrumpió recordando lo del sueño, pero aquella era una frase absurda y sin ningún sentido. Sólo me faltaba disculparme con la perra, añadir las ofensas de Popea a los caprichos de la niña Marga y a las broncas del fúrer. El implacable animal se puso en pie y, sin mirarme —con el rabo entre las piernas en señal de luto—, abandonó la habitación quizá para siempre, mientras maquinalmente yo metía la mano por la ranura de la butaca, por si encontraba alguna sorpresa. Y vaya si encontré una sorpresa: la moneda de oro de la reina Victoria. Primero pensé que se le había caído del bolsillo al notario, pero era imposible porque estaba al fondo, entre pelusas y un lápiz rojo y azul. González Chamorro me había dejado el oro con toda intención, mientras ardía la mirra por casualidad. Sentado en mi butaca traté de ordenar el rompecabezas y descubrir las verdaderas razones que me trajeron al notario, y entonces noté que algo había cambiado en la habitación.

—Las botas, don Leopoldo —dijo el asesino—. De cuando en cuando Xarradell recuerda la prisión de Burgos y las curiosas manías del pobre Viriato Gazapo, que también era muy supersticioso y no podía resistir botas, zapatos o alpargatas a contrarias: la derecha siempre a la derecha y la izquierda a la izquierda; lo demás trae mal fario, como tirar sal, romper espejos o dejar un sombrero encima de la cama.

XX

MATAR AL FANTASMA

(Testimonio del notario González Chamorro)

Vestido ridículamente, con la bolsa de plástico sobre las rodillas y a mi lado el falso sombrero flexible blanco, que compré en el valle de Ordesa, lamentaba mil veces la falta de voluntad, que me conducía sin remedio a una excursión detestable y menos mal que supe resistir al voluntarioso Gaspar Arenales, que me quería meter en el bar Chiquito, para hurgar más en las llagas nostálgicas que en mala hora le habían vuelto de Kenia. Camino de la estación de Chamartín me iba diciendo que mi actitud era irracional, que Gaspar Arenales no tenía culpa alguna de que el niño me produjera pesadillas, que ni siquiera lo sabía el propio Gaspar Arenales, que yo era el único culpable —como me dijo el doctor Morrión— por histérico y obsesivo. Mientras el taxista me hablaba de lo mal que iba todo y de que él arreglaba el problema del tráfico en un plisplás, prohibiendo circular a los particulares, sobre todo a las mujeres, llegué a pensar que Gaspar Arenales era gafe y aquel pensamiento me tranquilizó: contra un gafe se puede luchar, contra siete pesadillas, que se acercan en silencio, no hay defensa posible y, a pesar de todo, sonreí recordando a la bruja Reliquia Correas y decidí visitarla de nuevo, porque una bruja siempre puede tener un recurso moderno e inesperado.

La voz del taxista sonaba monótona y aburrida y para obligarle a callar me puse el flexible blanco y me bajé el ala hasta taparme los ojos. Como en las películas, me vi corriendo por la Cuesta de San Vicente, camino de la estación del Norte, porque el tren salía a las tres en punto y ya estaba llegando tarde. Ida y vuelta —Madrid-Puerto-Madrid— costaba quince cincuenta. El llamado ferrocarril eléctrico —el *eléctrico*, para los íntimos— que aún no llegaba a Cotos, descarrilaba con frecuencia; eran accidentes de verbena, sin daños ni heridos, pero que obligaban a esquiadores y excursionistas a seguir caminando hasta el Puerto, porque puerto sólo había uno, el de Navacerrada. Otras veces teníamos que subir desde Cercedilla, por el camino del Calvario, el que bordea el cementerio del pueblo —nueve kilómetros hasta el Puerto—, porque nevaba mucho más que ahora y el eléctrico, pese a su vocación montañera, era muy débil de remos.

Medio hundido en el asiento del taxi iba dándole vueltas al tiempo aquel que pretendía recuperar Gaspar Arenales y que a mí me parecía inútil e incluso sórdido y maloliente. Ya no era esclavo, la niñez quedaba lejos, pero la amargura y el rencor se me venían a la boca en oleadas, como la abundancia de saliva que precede al vómito. Para mí, la sierra del Guadarrama, la milicia universitaria, los malos maestros, las putas de la calle de San Marcos y los tranvías de San Bernardo seguían impresos en la misma página descolorida y formaban parte del olvido; para Gaspar Arenales —recién llegado de Kenia, melancólico y recordador— eran nuevos, como un tesoro en la memoria del exiliado por cuenta propia, y yo, el ombligo de su niñez, el compañero del alma, lejano y perdido del que sólo se recuerda lo bueno. El taxi me dejó al borde de la estación, casi desconocida para mí. Yo viajo muy poco, de cuando en cuando a Ibiza y si salgo al extranjero —algunas veces a cazar o a pescar— voy en avión, como todo el mundo. Ésa es una de las ventajas de los notarios, que atraen el trabajo al despacho propio y por eso mi mundo está en la calle Génova, entre cuatro paredes elegidas cuidadosamente. Eran las diez menos cuarto de la mañana, hacía mucho calor, un calor incluso desproporcionado para el mes de agosto, y se anunciaban tormentas en la sierra. Quise llegar antes que Gaspar Arenales con ánimo de verle a gusto, de observar al niño —si es que quedaba algo de aquel niño cruel— que había sido mi suplicio durante diez años, que me dejó en herencia un manojo de pesadillas y vigilias y quería acercarme al hombre, al amigo ausente, al hermano que nunca tuve, que avivaba mis recuerdos y me hacía joven. Una pura contradicción. Al entrar en el vestíbulo grande se me vino a los ojos el de la estación del Norte de nuestra juventud, lleno de militares, sobre todo soldados sin graduación y algún sargento, esquiadores pasados de moda, ellas con grandes pantalones y calcetines blancos doblados sobre las botas, ellos con la chaqueta de todos los días por encima del jersey, personajes de posguerra, que tanto recordaban a las películas italianas, miseria, mendigos andrajosos y dos o tres monjas de tocas almidonadas, protegiéndose, los inevitables curas y los estraperlistas que vendían chuscos, pan blanco y cigarrillos sueltos, y la guardia civil, que siempre daba miedo, incluso a los ricos. Tal vez aquel triste paisaje es el que buscaba Arenales. Ahora la estación parecía del extranjero, tiendas con mucha luz, bares y restaurantes, revistas de colores y libros, chicos y chicas con enormes mochilas, megafonía incomprensible, paneles con las salidas y entradas de los trenes y alguna pareja besándose. Por un beso más de uno hubiera acabado en la comisaría. Me dirigí al fondo del vestíbulo, por si a Gaspar se le ocurría ir a los paneles. Me calé las gafas de lejos y me dediqué a vigilar entradas y taquillas. Por un momento me olvidé del sueño y del cansancio y pensé en mi propio personaje, un ilustre notario de Madrid jugando a indios y a espías con alguien de otra época, que además nada sabía del juego. De pronto descubrí a Gaspar Arenales, que como yo se había adelantado a la cita, porque seguramente quería verme en la impunidad clandestina de la estación. Muchos años, más de la cuenta, separaban aquella cita. Arenales miraba nerviosamente el reloj y paseaba tratando de abarcar puertas y taquillas. Yo sabía, de sobra, la edad de Gaspar Arenales, y me dejé sorprender: con servaba todo su pelo, ahora más oscuro, que le salía de la frente ancha y andaba con elasticidad, como antes, con indolente elegancia. Iba vestido sin pretensiones, descuidado en apariencia, como si un mayordomo de libro inglés le hubiera elegido ropa informal, nada de más, nada de menos: una cámara de fotos al hombro y una bolsa de lona muy gastada. Pensé entonces en aquellos cines que me protegían de la vigilancia de mi madre y de los profesores del Peñaflorida de San Sebastián y del instituto de Madrid antes de ir a la academia Arzanegui, y se me vinieron gozosamente las pantallas del Kursaal, Trueba, Miramar y Petit Casino en San Sebastián y luego las del Padilla, Salamanca, Colón y Príncipe Alfonso en Madrid; las pellas del colegio, los embustes y las notas falsificadas. Gaspar Arenales siempre me había parecido un artista —americano, naturalmente— en la línea de Melvin Douglas o en algunas películas tirando a Ray Milland o James Garner. Como hiciera yo minutos antes, se quedó mirando a una pareja que se besaba a tornillo y sonrió también, porque los dos estábamos presos en la misma cárcel y lo sabíamos. Arenales —me tragué la risa—, como un novio impaciente, había mirado varias veces el panel donde se anuncian las salidas de los trenes de cercanías. Por fin se acercó a una de las taquillas, dijo algo y señaló hacia el suelo. Moviendo la cola y observando con evidente interés —quizá con amor— había un perro espúreo: era canijo, de pata corta, pelo dorado, hocico en punta, morro negro y grandes orejas, que levantaba en gesto de supremo interés: un verdadero chucho, un bastardillo, que hacía el tercero en la excursión y había que aguantar. A mí no me gustan los perros, aunque tengo un caduco dálmata a punto de jubilarse y un pastor belga negro que se llama Domingo y que ahora vive en Ibiza. Arenales, que había sacado los billetes, se separó de la taquilla y, buscando otra vez, se dedicó a vigilar el enorme vestíbulo y al volverse descubrió algo que le llamó la atención: era un tipo gordito y vulgar, más bien ordinario, con una gorra de anuncio, que miraba en torno suyo. Arenales frenó en seco, se ajustó las gafas y estudió al de la gorra, que no sabía a dónde dirigirse. Vi cómo Gaspar Arenales daba dos pasos al frente y uno atrás dudando si ir o venir. Ése soy yo, el de la gorrita y así me supones, hijo de Satanás.

Estuve a punto de irme al despacho. ¿Pero cómo entraba en el despacho vestido de *boy scout?* Gaspar Arenales se rindió a la evidencia, abandonó la vigilancia del gordo y siguió paseando arriba y abajo, olfateando los bares y los kioscos, hasta que me descubrió y se acercó a mí, mientras yo le daba la espalda, como si no hubiera advertido su presencia. Con voz alterada por la emoción pronunció mi nombre, yo le miré y entonces me estrechó entre sus brazos como si fuera lo último que hacía en el mundo y yo —a pesar de los malos sueños, de la bruja, del psiquiatra y del miedo— le devolví el abrazo con un sentimiento parecido al suyo: todo aquello era un disparate, una auténtica extravagancia, que me echaba encima años perdidos sin remedio y recuerdos, casi todos abominables. Llegó después el turno de los falsos halagos: que bien te encuentro, parece que no han pasado los años por ti, estás mejor que nunca, qué ganas tengo de conocer a tu mujer y a tus hijos, y luego ¿te acuerdas? Frente a aquel torbellino de nostalgia, yo intentaba esconderme, me arrepentía de mi debilidad y casi no pude abrir la boca por no brindarle un piropo forzado. Intenté, en cambio, anular la excursión, pero me dijo que llevaba pensando en aquel momento tanto tiempo y que para él significaba el reencuentro con su juventud, con su amigo del alma, con el paisaje añorado y que de todas formas iría él solo.

—Por lo menos, en coche —le supliqué, sujeto otra vez por sus cadenas invisibles.

—Como siempre, tiene que ser como siempre.

—Pero si ya no existe nada de lo que buscas.

Y me dejé llevar, en realidad me había rendido antes, cuando salí de casa a hurtadillas, escondiendo el disfraz. Pero allí no acabaron las firmas. Gaspar Arenales desenfundó su máquina de fotografías —una contax de 1945—, me obligó a posar y no hubo forma de negarse. Luego le dijo a un chico que nos inmortalizara, pero el chico iba con prisa. Gaspar —con la contax a punto— miraba en torno suyo, como si pidiera limosna, una fotografía por caridad. Por fin un señor mayor accedió a retratarnos; Gaspar Arenales me echó una mano por los hombros y sonrió —aquel gesto lo recordaba bien— mientras yo mantenía una cierta expresión torva y reconcentrada. Por último me presentó al perro, que era perra y se llamaba Popea, y me dijo que había nacido en el macizo de Ruwenzori y que la había librado de las fauces de un león, y que ya me conocía de oídas. Éste es mi mejor amigo y tienes que quererlo mucho. Popea movió el rabo, me olió a conciencia y me miró con inconsciente simpatía.

El tren salió en punto y no pude menos de recordar los años cuarenta de entrañable locomotora —que sólo se conserva en los museos—, humo y carbonilla; aquellos trenes con asientos de madera, donde muchas veces íbamos de pie o muertos de frío, en la plataforma exterior y las chicas y a la vuelta siempre se paraba, antes de entrar a la estación, y los estraperlistas o sus correos tiraban por las ventanillas bultos con legumbres, arroz, café e incluso corderos, mientras la guardia civil hacía la vista gorda. Claro que estos recuerdos me los guardé por no compartirlos con Arenales y añadir peligro al peligro. Él miraba por la ventanilla, probablemente enredado en mi propia confusión, y se dolía del cambio de paisaje, de la ausencia de campo, de los cientos de anuncios que bordean las vías, la invasión de lo que llamamos chalets adosados y edificios a la última, las urbanizaciones, las tapias que intentan evitar el ruido de la autopista vecina, los restaurantes de lujo y la diferencia entre las estaciones de aquel tiempo y las de ahora. De cuando en cuando me hacía fotos, algunas con Popea, hasta que le pedí que no tirara ni una más, por sus muertos. Por fin se sentó frente a mí, sonriendo sin cesar, emocionado y murmurando, no me lo creo, no me lo creo, tú y yo a la sierra, como siempre. Al llegar a Torrelodones comenzó un largo monólogo con una pregunta dirigida a su propia persona: ¿por qué me fui de España y por qué me hice desertor, si no tiene sentido? ¿Por qué? Yo estuve a punto de contestarle: gracias a Dios, Cucufate, que si llegas a quedarte yo no estaría vivo; pero me callé la boca y pensé que, tal vez, mis pesadillas se formaron precisamente por su ausencia.

—Incluso robé, primero ropa a unos pobres chicos que hacían camping en la Boca del Asno y dinero en Segovia, y luego en Miranda de Ebro, y llegué andando o haciendo auto-stop a los camiones, hasta la frontera, y pasé a Francia, lo recuerdo muy bien, un 16 de julio, y lo sé, porque era el día del Carmen y mi abuela se llamaba Carmen. Supongo que recibirías una postal de París, cuando peor lo pasaba, y menos mal que conseguí trabajo descargando fruta en Les Halles y que conocí a un keniata, que me quería dar por culo y no lo consiguió, pero gracias a ese negro —maricón y benéfico— acabé en Kakamega. He sido furtivo, mercenario en Angola, contrabandista, chulo de putas en Mombasa, bailarín profesional, cazador en Masai Mara y luego organizador de safaris, ahora fotográficos en Nairobi, una acreditada agencia en Mama Ngina Street, donde tienes tu casa.

Yo notario, pobre de mí, estudiante en la Casa de Fieras del Retiro, burgués acomodado, pupilo en la calle de Padilla, rico por matrimonio y profesión, e insomne por tu culpa, y menos mal que Dios no te ha llamado por el camino de la escritura y que apenas trabajas el género epistolar.

—Me casé con Gudred Van Daar, una magnífica holandesa con la que tuve dos hijos, y luego he tenido cinco más en Kenia y tres se llaman como yo, uno de ellos —Gaspar III— va a venir a España, porque me pienso quedar y ya nunca nos separaremos.

Traté de decirle que aquí estaban muy mal las cosas, que esta España ya no era la suya, que un safari fotográfico no tenía equivalencia en estas tierras, ahora ásperas y difíciles, que se volviera a Mama Ngina Street o a donde fuera, pero Gaspar Arenales se rió de mis temores, que atribuía a cariño: iba a poner, con Gaspar III, una agencia de viajes especializada en organizar safaris fotográficos para ricos. Todo estaba previsto, incluso tenía un local en la calle General Mola.

—¡Lo estás viendo! —grité a punto de reventar—. ¡Ya no existe la calle General Mola, ya no existe nada de lo que dices!

Y Gaspar se echó a reír con una risa que me parecía ofensiva y obscena, pero que en realidad —ahora que lo pienso— era desconcertada, tan perdida como generosa, y menos mal que estábamos llegando a Cercedilla. Salimos del tren y Gaspar se iba haciendo cruces, si esto parece América, decía y entonces le pidió a un empleado de la Renfe que nos hiciera una foto: no más fotos, por los clavos de Cristo. Quise detenerlo, me puse frente a él, le agarré por los hombros y le supliqué que volviéramos a Madrid.

—Te agradezco tu ayuda, pero tengo que echar fuera los demonios de la infancia.

—¿Y los míos? —le pregunté en paz por primera vez.

—¿Demonios tú? —se echó a reír—. Tú eres rico y feliz, tienes hijos sanos y todos blancos, y comprenderás que yo no soy racista.

Echó a correr en dirección al eléctrico, volviéndose y llamándome con la mano, como hacíamos en aquellos años, porque si no corrías te quedabas en el andén y desde luego ibas de pie, apretujado sin remedio. Cuando entré en el vagón ya estaba sentado, mirando en torno suyo, como si viniera de la luna. Volvió a lamentarse y me recomendó que descansara algunos días, que quizá pudiéramos ir juntos a Lamu, que es una isla preciosa, y que le gustaría muchísimo llevarme a un parque nacional para que viera elefantes, rinocerontes, hipopótamos, cebras y búfalos en libertad.

—Ojalá descarrilemos —dijo Arenales con empalagosa esperanza—, pero me temo que este eléctrico ya no descarrila.

No le respondí y en silencio seguimos hasta llegar a la estación de Camorritos, donde le pregunté si no se acordaba, y antes de que abriera la boca, añadí:

—Porque yo me acuerdo de todo.

Gaspar Arenales —al ver mi expresión— parpadeó confundido: ¿ya no te acuerdas de lo que me has hecho sufrir, de cómo y durante años, me has mortificado, me has avergonzado, humillado y rebajado? Entraba en casa y me escondía en el cuarto de baño, tiritando de miedo, no podía dormir, temía tu presencia, que llamaras al timbre, verte en el colegio, que fuéramos al cine, y esperaba tus órdenes, buscando un gesto de aprobación, una palabra amistosa, porque nunca fuimos iguales, porque tú eras mi amo y yo tu esclavo. Has sido cruel, infame, cobarde, caprichoso, pero sobre todo has sido malo conmigo, desde el mismo día en que te conocí y estoy hablando de 1934. Gaspar Arenales me miraba atónito y de pronto se echó a reír, diciendo que había olvidado que nunca hablaba en serio, pero mi expresión le confundía y mis ojos —mucho lo temo— ya estaban marcados por el odio y el resentimiento. Su voz sonó entonces un poco quebrada, temerosa, quizá tratando de disculparse, pero sobre todo, como si pidiera perdón por encima de los recuerdos, sin entender una palabra de lo que yo estaba diciendo: ¿Hablas en serio? Y entonces no le respondí. Gaspar Arenales tomó aire y sonrió con tristeza, y me dijo que vivir fuera de España tanto tiempo es lo que tiene, que se pierde la relación con los amigos y con la forma de ser de los amigos, que el sentido del humor de los holandeses, los keniatas, los alemanes es muy distinto al nuestro, que había olvidado cómo era yo, que en realidad estaba un poco perdido en Madrid y no entendía ni siquiera a los taxistas, ni a los camareros de las cafeterías, ni a las mujeres, ni a nadie, y yo negaba: no es que estés desarraigado —me ahogaba la saliva—, es que has sido perverso y mezquino y yo no puedo olvidarlo. Como un torrente de agua sucia se me vinieron encima cientos de agravios, de congoja a solas, de noches en vela, pero no quería ser injusto, ni pasar de víctima a torturador, y no entré en la zona de las pesadillas por no caer en el ridículo. Los labios de Gaspar Arenales temblaban entre la sonrisa, la confusión y la súplica, y aquel gesto y el hecho de llevarse los dedos índices al caballete de la nariz me exasperó como si se me echara encima una ofensa jamás olvidada: cuando nos conocimos, el primer día, me hiciste comer tierra y gusanos y me ahorcaste al gato y ¿no te acuerdas del día de la primera comunión y del muerto en la calle, al que tuve que robarle una pluma estilográfica Parker porque tú lo mandabas, y cuando me hacías pasear por el borde de la terraza y cuando me emborrachabas y cuando me desnudaste en el monte Ulía y tuve que volver desnudo a casa, y cuando tenía que robar para ti? Aunque te parezca una frase de fin de acto, tu violencia me convirtió en otra persona. Dejé de hablar, estaba agotado, casi sin respiración.

—¿Has terminado ya? —me preguntó Gaspar Arenales—. Me acuerdo de algunas cosas, del gato y de la tierra que te hice comer, por ejemplo, de la broma de la primera comunión, del muerto de la avenida, de que nos emborrachábamos y robábamos en casa —me incluía a mí y seguramente con razón—, de todas las pequeñas perversiones que son capaces de hacer los niños, porque tú y yo éramos niños; de que mandaba más que tú porque era mayor, pero no recuerdo que hubiera maldad y ya sé que he dicho antes pequeñas perversiones. Éramos niños, de los siete a los catorce o quince años, y también recuerdo que yo te protegía en el instituto, que me pegué por ti, sobre todo y perdóname, cuando decían que eras *gay*, antes decíamos maricón, pero han cambiado muchas cosas, lo que no ha cambiado es el cariño que te tengo, y te lo dije esta mañana por teléfono y tú me dijiste yo también te quiero mucho, porque a lo mejor somos *gays*, sin enterarnos y con un montón de hijos, blancos y negros y uno medio chino a nuestras espaldas.

Arenales no había olvidado hablar español, me miraba ahora con sus ojos ya un poco miopes y yo advertí lo absurdo del caso; que de nuevo me ganaba la partida, y perdiendo el tono quebrado que antes me desfiguraba la voz, le dije que me refería a Gaspar-niño, por supuesto, y que no tenía nada en contra de Gaspar-hombre, sino todo lo contrario.

Habíamos llegado al Puerto de Navacerrada y allí bajamos del eléctrico, Popea fue por delante presa de cierta necesidad, que le hizo dar algunas vueltas en torno a un pino y luego descargar aguas con gesto plácido. Yo creí que íbamos a seguir hasta Cotos, pero Arenales me pidió una etapa intermedia y, en silencio, se dirigió a la capilla de la Virgen de las Nieves: entró en la pequeña iglesia, miró en torno suyo, avanzó hasta los primeros bancos, se arrodilló y ocultó la cara entre las manos. Yo no recordaba a Gaspar Arenales de hinojos, sino más bien aburrido con las misas que las chicas nos obligaban a oír los domingos de sierra, rutinariamente, por supuesto. Popea se sentó a mis pies, me miró un poco sorprendida y los dos aguardamos a que el peregrino terminara sus rezos o meditaciones. Al salir, y con una punta de mala leche, le pregunté si se había vuelto cristiano entre los caníbales, y él me dijo que pedía perdón por sus muchas culpas y la gracia del olvido a la Virgen de las Nieves, y lo dijo con falsa bondad y boca chica, que ya nos conocíamos. Después, para rematar la escena, me preguntó si quería volver a Madrid y yo negué, por no alargar el número, pero me opuse a ir andando a Cotos —siete kilómetros—, que bastante teníamos con subir al pico de Peñalara. De nuevo en el eléctrico, Gaspar Arenales —un inconsciente de toda la vida— recuperó el buen humor y la alegría, suponiendo que mis recalentadas amarguras eran más desahogo que resentimiento, y se asomó a la ventanilla empapándose de pinares, elogiando cumbres, que repetía de memoria, y luego le dio por hablar de don Otto, el heroico alpinista que se mató en el collado de la Ventana, y preguntándose por Paulita, por Celinda, por Emilia Dalmau, los hermanos Ceballos e incluso por la señora de Alonso. Por fin se sentó frente a mí y sacó de su zurrón una lata de tabaco de pipa llena de incienso y mirra y después una moneda de oro, que me entregó como si fuera un rey mago. No tuve más remedio que sonreír y decirle:

—Gracias, Gaspar, pero ni tú eres rey mago ni yo soy el Niño Jesús.

—Al menos yo me llamo Gaspar.

Después de haber hecho un largo recorrido en tren y autobús, de esperar en estaciones de ferrocarril —ya solitarias en la madrugada— guareciéndome de la lluvia, temblando de miedo y de frío, curioso frío el de agosto que me calaba hasta los huesos, llegué a Salamanca vía Valladolid, en el expreso Irún-Lisboa: eran las 4:50 de la mañana y yo iba medio oculto por el sombrero de dril y protegido por el chubasquero, que por suerte llevé a la sierra. En el vestíbulo de la estación había un solo funcionario, fumando en silencio, apoyado en la pared, y a punto estuve de preguntarle por una pensión modesta, pero luego me dije que lo adecuado era ir al Gran Hotel, porque los ricos siempre están libres de culpa, y así entré en el lujoso vestíbulo, quitándome el sombrero, como si fuera de copa y volviera de un baile. El conserje de noche me miró con recelo, me pidió la documentación y yo le di mi carnet de identidad y una tarjeta de crédito de las de oro, porque tenía que registrarme con mi nom-

bre y en Salamanca estaba, que muy bien recuerdo el pretexto
que le puse a Veracruz. En la habitación, al fin tranquilo y am-
parado por paredes de cuatro estrellas, me desnudé procurando
no mirar las manchas ni los desgarrones de la ropa y me su-
mergí en un baño de agua muy caliente con su champú oloroso.
Siempre me gustaron los frasquitos que ponen en los cuartos de
baño de los hoteles, pero aquella noche simplemente los adoré,
y en el agua cerré los ojos procurando olvidar o al menos no
recordar a mayores, y lo que más me dolía es haber matado a
la perra, pobre infeliz sin culpa, con la obligación moral de defender a su querido amo. Luego me envolví en un albornoz
blanco, limpio y esponjoso y, aunque parezca desvergonzado
sarcasmo, sonreí pensando en la cárcel: en la cárcel no tendría
champú, ni albornoz, ni hilo musical, que hice sonar —muy
bajo para no molestar a los huéspedes vecinos— en la zona clá-
sica. Por último, abrí la nevera y en un vaso grande me serví
tres botellitas de whisky y unos mínimos restos de hielo, que
por el hielo cojean las neveras de los hoteles y aquella no era
excepción. Ya, disfrazado de hombre de negocios o de notario
en funciones —que descansa merecidamente—, llamé a mi madrina al hotel Palace. Me contestó una voz densa y perdida,
que al darle mi nombre espabiló casi por encanto: escucha bien
y ella, antes de escuchar, me preguntó si ocurría algo muy
malo, y yo le contesté que nada grave, pero que necesitaba
ayuda y silencio. Luz Ángela Castañón Spencer —a quien no
veía desde tiempo atrás— calló entonces. Le dije que viniera a
Salamanca, que llegara antes de comer, que me comprara ropa:
camisa, calzoncillos, corbata, zapatos, traje, todo, que fuera al
Gran Hotel y que me llamara desde su cuarto. Ella me respondió con voz juvenil y burlonamente me preguntó si había engordado mucho.

Aquella terrible madrugada se me llenó con el recuerdo luminoso de la madrina, la mujer que más me ha querido en el
mundo e incluyo a mamá; la mujer a quien debo lo que soy, mi
posición, mi trabajo, mi dinero, y por quien hacía aquel último
esfuerzo, que sin ella me hubiera entregado a las autoridades,
como era mi obligación, pero tal cobardía —ahora lo pienso

así— habría desahuciado a Luz Ángela Castañón del hotel Palace, y eso, mientras yo viva, no lo consiento.

Con el sueño no vinieron pesadillas, algo insólito, porque la ocasión era más que propicia, tal vez fuera el efecto whisky, porque ni en mi bolsa de plástico verde ni en los bolsillos de la ropa había drogas, ni tranquilizantes, y el alcohol nunca ahuyentó mis pesadillas.

Entre las cortinas de la ventana se colaba la claridad de un día gris con fondo de neumáticos en el agua del asfalto y de lluvia contra los cristales, traición de verano y amenaza de borrasca en la tele. Seguía sonando el hilo musical y yo tenía hambre, así que llamé al *self service*, pregunté la hora —las dos de la tarde— y pedí que me trajeran huevos revueltos, café con leche, tostadas y zumo de naranja; pero no pude tragar bocado y me eché a llorar, como si fuera un niño chico: ayer, notario de Madrid, hoy fratricida, caín entre los caínes, sorbiendo mocos y limpiándome lágrimas, atormentado e infeliz, ya entre recuerdos de suicidas, remordido hasta el tuétano, asesino de un niño, mal comido por la violencia, el sexo y la traición. A las dos y diez sonó el teléfono:
—Estoy en el cuarto de al lado, no tienes más que salir y entrar.
Envuelto en el albornoz blanco, me asomé al pasillo y empujé la puerta vecina: Luz Ángela Castañón Spencer —vestida de azul celeste, el color que más le favorece— me tendió los brazos y entre ellos caí. Como tantas veces no me dejó hablar y mucho menos lamentarme de lo que ignoraba. Encima de la cama había un traje de hilo color crudo, una camisa blanca, discretos calzoncillos, calcetines negros, mocasines relucientes y además, como detalle ingenioso, un maletín de marca con mis iniciales y una cartera de documentos un poco gastada:
—¿Y la corbata?
La madrina, como un prestidigitador marrullero, sacó una corbata a la luz, una corbata con ositos que de lejos parecían lunares —fondo azul marino y ositos crema—, y yo me quedé de un aire, porque nunca me había puesto prenda tan estrafalaria.

La madrina me dijo que se llevaba mucho y que a nadie le llamaría la atención, yo acepté los ositos, pensando que echaban un cabo a la risa, y le pregunté a Luz Ángela cuánto había gastado y ella me respondió que me debía mucho más, y me puso las manos en las mejillas, inquieta por mis ojeras y el color terroso de mi piel, y al ver que me costaba trabajo hablar —que me faltaba el aire— me dijo, pensando que me perseguía un marido celoso o que había estafado a la nación, cosa mucho más probable:

—No me cuentes nada.

Hace casi cincuenta años o más, porque el tiempo pasa volando, fuimos al pico de Peñalara un grupo de amigos, chicos y chicas, adolescentes con el cascarón pegado al culo. Esto del tiempo tiene lo suyo y hay que ver cómo pasan los años, que ni te enteras, y no es que me repita, es que me obsesiona la decadencia y me llevan los diablos en el zurrón. Gaspar Arenales caminaba junto a mí y al parecer había olvidado la desagradable escena del eléctrico, porque me preguntaba por aquellos amigos perdidos en los años y por las chicas, que ya serían dignas damas, e incluso me hizo una foto sentado en un tronco con la perra a mis pies. No puedo negar que además del cansancio apenas me dejaba respirar mi mala conciencia, pensando qué tendría que ver Arenales-niño con Arenales-hombre y pidiendo a los loqueros, a las brujas y a la Virgen de las Nieves que me librara de las pesadillas, que yo era el único culpable de mis malos sueños. Marchábamos entre pinos, los viejos, los que habían crecido en mi ausencia, los guarines, como decía mi abuela Marita, y los troncos muertos. Íbamos bordeando el barranco donde está la Laguna Grande, a la izquierda los pinares de Valsaín y a la derecha los de El Paular, cuando descubrimos a una pareja de montañeros, una chica de pantalón muy corto, medias blancas y piernas fornidas y un chico alto, con grandes gafas y aún más grande mochila. Gaspar los detuvo y les pidió que nos hicieran una foto, volvió a pasarme una mano por los hombros y sonrió a la cámara. Al llegar a un repecho de subida fuerte y ya guiados por la cumbre de Peñalara, yo me retrasé, y Arenales —como si venteara sus propios recuerdos— apretó el paso, seguido o precedido de la perra, que iba de un lado a otro, jadeando, moviendo el rabo, quizá en busca del rastro de un guepardo, de la emocionante presencia de una familia de babuinos o de una jirafa solitaria, vano empeño, porque en estas sierras ya no queda ni un triste conejo. Yo recordaba a don Otto Schultz y sus historias sobre bandidos románticos que merodeaban por la sierra, en especial Luciano *el Bizco*, jefe de los peseteros y ladrón de la bellísima señorita Fuencisla Ruiz, más tarde convertida en fantasma, y sus alusiones a *don Jorgito, el Inglés,* el insigne George Borrow, autor de *La Biblia en España.*

Por fin alcanzamos la meseta de Dos Hermanas y allí me detuve con el pretexto de admirar el paisaje, pero la realidad era muy otra: trataba de recuperar el resuello, a la vista de enebros y piornos, antiguos glaciares, llanos, barrancas, precipicios y cortados. Desde aquel punto, ya digo que sin aliento, veía el hermoso valle del Lozoya y la sierra de la Morcuera, hasta El Paular y la Pinilla, Cabezas de Hierro, Valdemartín y la Maliciosa, y quizá en mi cine particular —entre las nubes que se iban formando— Siete Picos, Mujer Muerta, Montón de Trigo, Collado Ventoso y Marichiva, todas las cimas y los caminos que Arenales y yo habíamos pateado en mis tiempos de montañero. Nunca jamás volvería a pisar aquellas cumbres y así me lo prometí entonces.

Por suerte el día era bueno, el aire fino y el sol traidor. Arenales avanzó unos metros, miró en torno suyo, dio la vuelta y retrocedió como si estuviera reconociendo el terreno en una película de indios, luego buscó el apoyo de una roca y la recorrió, hasta la parte que daba al norte, musgosa en verano y cubierta de hielo en invierno; se movía como si yo no existiera y él fuera buceando en el tiempo. Por fin se arrodilló, sacó una navaja y en el suelo abrigado por una oquedad de la roca hizo una cruz, me miró triunfante y me llamó. Yo, interesado a pesar mío y curioso, me acerqué. Gaspar Arenales había abierto su bolsa de lona, del interior sacó un cuaderno y del cuaderno un trozo de papel que yo conocía bien y que me dio la vuelta al forro del ánimo, como si me sorbiera el seso y el tiempo: era lo que llamábamos un vale del Club Alpino, del comedor del chalet de Cotos, donde poníamos una de lentejas, una de pan y luego completábamos la cena con los filetes empanados, que habíamos traído de casa y en el desayuno, un café con leche, una tostada, y añadíamos la tortilla de patata, que habíamos traído de casa. Aquel vale de mal papel y confuso color de posguerra me trasladó al año cuarenta y cinco, y quizá, si no lo hubiera visto, nada de lo que ocurrió en el pico de Peñalara habría sucedido. Me puse las gafas de cerca y observé el curioso croquis: la senda que seguimos desde la laguna de Peñalara, luego la roca, una gran X, la palabra tesoro y la fecha, junio de 1945.

—¿Te acuerdas, *Pitito?* —me preguntó.

Aquella palabra fue como una picadura de avispa: Gaspar seguía empleando mi apodo y lo hacía en el peor momento. Vi entonces que sus ojos lucían con rencorosa malicia, como aquellos otros tan lejanos, los del niño Arenales. Sin mirarme sacó un pequeño azadón de la bolsa y comenzó a arrancar costra de la tierra, hasta que dio con una tartera herrumbrosa y la abrió, casi rompiéndose las uñas: en el interior había once reales de aquellos que tenían las flechas de falange y un agujero en medio y un papel borrado que en su día guardó los nombres de la llamada pandilla de Cotos, de los chicos que fuimos a aquella excursión. Me miró otra vez y sonrió, y yo, asustado, le pedí que lo tirara, que el tiempo no podía volver, que ya éramos viejos o muertos:

—Eres un cagao, *Pitito caca mierda* —me dijo guardando las monedas roñosas.

Después escapó corriendo hasta el borde del precipicio, desde fueron arrojados al vacío los hermanos *Zapirón* y *Miraflores*, el barranco donde perdió la vida *el Bizco;* saltó a las piedras —como si tuviera quince años— y gritó:

—¡Yo soy Fuencisla Ruiz, la maldita, la mujer que traicionó al más valiente de todos! ¡A mí los maquis y los bandidos de la sierra! ¡Yo soy Fuencisla Ruiz, la maldita! ¡Adiós, amado pueblo! ¡Adiós, *Pitito!* ¡Adiós, adiós!

Eran las palabras, casi exactas, las que pronunció aquel día perdido en mi memoria, pero que él recordaba literalmente, y entonces saltó hacia atrás, desapareciendo de mi vista, como en una pesadilla real. Yo estaba paralizado por el horror, sin moverme, hasta que reaccioné y fui al borde del cortado y, al asomarme, me agarró una mano y utilizándome como contrapeso se levantó:

—¡Eres un mamonazo, un chivato y un cagao!

Me acercó la cara, yo sentía el vacío a mis pies y me temblaban las rodillas en una sensación angustiosa de miedo, que no podía librar, que arrancaba de muy lejos, y le puse el dedo índice de la mano derecha en el pecho y empujé, como si alguien me obligara, sin voluntad y sin remedio: Gaspar trastabilló, tal vez quiso recuperar su posición, pero se fue y despacio —como en las imágenes a cámara lenta— cayó hacia atrás, mirándome, quizá sorprendido, y alzó las manos, seguramente para no arrastrarme en su caída, y así oí cómo iba rebotando en las rocas, cada vez más lejos, hasta que el silencio se adueñó de la sierra. Entonces miré hacia abajo y estuve a punto de caer al fondo de la barranca: Gaspar Arenales se hallaba tendido en el suelo, con los brazos abiertos y la cara pegada a las rocas. Me apoyé en la pared, pensé en tirarme yo también, pero mi cobardía no lo permitió. Resbalando, agarrándome a las piedras, bajé hasta el final, me agaché junto a él y lo volví. Gaspar me miraba, es posible que con asombro, pero sin duda en paz, tal vez quiso provocarme o yo qué sé: devolver la vida al gato o comer tierra él mismo. No podía hablar o no quería, abrió la boca y un borbotón de sangre estuvo a punto de ahogarle, yo lo sujeté y sentí en mi mano el calor y la humedad de su sangre vertida. Los ojos de Gaspar seguían fijos en mí y yo lo abracé, sin miedo, y noté como sus manos se apoyaban en mis hombros, me estrechaban y luego se iban suavemente. Volví a mirarle a los ojos: tenía las pupilas fijas y en sus labios no había rencor, y entonces los besé, muy despacio, sin asco y sin miedo, como si comulgara con sangre caliente; luego apoyé su cabeza en una mata de tomillo, le cerré los ojos y lo bendije, porque nadie me podía ver o eso creía yo. Por último me llevé la cámara de fotografías y la bolsa de lona. Entonces alguien me empujó por la espalda, perdí pie y caí al suelo, mientras los dientes de un animal se me clavaban en un brazo con el que intenté protegerme: era Popea, la perra, que multiplicaba sus fuerzas y en silencio —con un leve ronquido apenas— trataba de destruirme, y yo luché con ella, como con una fiera. Puede parecer chocante: en las novelas de aventuras el protagonista lucha con un tigre; en los cuentos infantiles el héroe vence al dragón; en las leyendas el elegido derrota a Satanás, y yo, un pobre notario, peleaba por mi vida con un perro mestizo que apenas pesaba siete kilos. De una patada alejé a Popea y con una piedra le partí la cabeza, luego la recogí y la puse a los pies de su amo, como en *Beau Geste*, una película que vimos juntos en el cine Victoria.

El barranco nunca terminaba y no quise mirar hacia abajo, tenía la camisa y la cazadora destrozada, sucias de sangre y de tierra, sangre de Gaspar Arenales, el hombre y el niño, porque había matado a los dos, y la mía también y la más humilde de Popea, mezcladas. Junto a la roca volví a enterrar el tesoro, los once reales, y con cuidado lo recubrí de tierra, luego abrí la cámara de fotografías y velé el rollo, que guardé en mi bolsa. Entonces oí llorar a Popea, pero no se quejaba de sus heridas, era un lamento largo y terrible, un aullido muy bajo, la expresión absoluta del dolor que le producía la muerte de su amo, porque así de valientes son los perros. En aquel momento pensé en matarme y empezó a llover, gruesas gotas, muy frías, como si no fueran de agosto, y un relámpago alumbró Cabezas de Hierro.

XXI

El lenguaje del abanico

(Testimonio del comisario Arruza)

El mes de diciembre se presentó triste y grisáceo, como era su obligación, y al barrio de Lavapiés llegaron las bombillas de Navidad, subidas a los árboles o en guirnaldas en las calles pudientes —tendidas de esquina a esquina—, y se llenaron los escaparates de campanillas y falsos abetos y los parados se disponían a disfrazarse de Papá Noel, y aunque aún no era tiempo de ir deseando felices pascuas y próspero año nuevo al personal, ya amenazaban las fiestas, y a mí me llevan los diablos, no por mala leche, sino por aplastamiento, y sólo me sostiene la mañana del día de Reyes, beneficio de la niña Marga y de su ilusión por los juguetes, que lo más seguro es que termine el próximo año por razones biológicas de la propia niña Marga. Para mi fortuna, a Pilar le va bien con su novio y el nuevo paisaje sentimental del *fúrer* —del que todos disfrutamos en la calle de Relatores— se refleja en mi tranquilidad y en la de Popea.

Bajaba yo por la calle Atocha, camino del paseo de El Prado, reflexionando en voz alta, según mi costumbre, y dándole vueltas a la llamada que había recibido de la señora que hace algún tiempo me citó en el hotel Ritz. Me pasé la tarde del miércoles y la mañana del jueves buscando su tarjeta de visita o alguna nota olvidada, que tiene que estar en algún sitio, tal vez escondida en el cajón de los calcetines o entre los papeles del buró. Recordaba haber quedado con Xarradell en su casa y parte de la entrevista con el notario González Chamorro y la existencia de personas que yo amaba en mis entrañas, como decía mi inolvidable abuela, y sentía los ojos de Popea, siguiéndome ya en la butaca de ruedas, olisqueando entre los libros o metido en la cama, arrebujado entre sábanas y mantas, en el vano afán de negar mi condición, y encima eso: ojalá me olvidara de mí mismo, como de otras cosas. En algunos momentos de sosiego —muy pocos— trataba de buscar amparo en la memoria y sólo encontraba películas mudas y personajes descoloridos, en sepia ellos, como mis padres, el abuelo cabo Andrés Ríos, la abuela *Pringá*, Antoñito Arlis de mozo, don Valentín San Roldán y algún comisario sin nombre. Al cerrar los ojos, me venían de un fondo electrónico —como de las tripas del ordenador *Ginesillo*— la cara enojada del *fúrer*, la sonrisa de la niña Marga, mi querida Linda Lebreles, la inquietante Teresa Zivor y Xarradell de joven y de viejo, con casquete o bonetillo, asesino y cómplice y a lo último, cerrando aquel falso *spot* de la tele, el rostro taimadamente risueño de la señora que me había citado en el hotel Ritz, a la una en punto de la tarde.

El pobre conserje no entendía una palabra y mira que yo preguntaba bien: es una señora alta, rubia ella, mayor pero no lo parece, que vive aquí de estable, en una suite con muebles de casa. Y el conserje sin aclararse, hasta que vino un caballero vestido de etiqueta que escuchó mis explicaciones y sin cambiar sonrisa pulida me aconsejó investigar en el vecino Palace. Es una señora alta, rubia ella, mayor pero no lo parece, que vive de estable. El conserje del hotel Palace no me dejó terminar:

—La señora Castañón Spencer le espera en sus habitaciones, señor: 1937, tercer piso.

Me indicó el ascensor, yo le di al botón del tercero y aterricé en un pasillo largo y mullido de alfombra. En una de las paredes había una flecha que indicaba los pares y otra los impares, y naturalmente yo no recordaba por dónde se iba a la dichosa

1937. Siempre me he perdido en los hoteles, nunca he acertado con el camino correcto, pero aquella vez y como si me llevaran de la mano me encontré en la 1937 de la señora Castellón Spencer, Luz Ángela, que me vino de repente el aire. Llamé al timbre y me respondió una voz joven advirtiéndome que empujara la puerta, y así lo hice, cerrando luego a mi espalda. Al fondo, un poco iluminada teatralmente, la señora Castañón Spencer sonreía. Iba vestida con falda y chaqueta de punto de color claro entre azul y avellana, blusa camisera, un pañuelo de gasa al cuello, y cruzaba las piernas con aplomada satisfacción. Quise disculparme y ella me ofreció la mano con indolencia, y cuando yo le di la mía la utilizó para levantarse. Sin preámbulos me agradeció la visita y se dispuso a preparar media combinación con su vermut, su ginebra y su correspondiente trocito de naranja. Yo estaba de pie en un extremo del cuarto y ella en el otro, y ambos bebimos sin ceder un palmo de terreno. Luz Ángela dejó la copa, se puso en jarras y dijo:

—*C'est la guerre, mon commissaire.*

No me gustó nada la frase, ni el gesto mundano de la señora Castañón, ni sus intenciones, pero a cambio advertí un destello enternecedor en sus ojos dorados y sentí, por primera vez, que aquella hermosa anciana vacilaba al borde del trapecio, que me estaba pidiendo ayuda, y recordé sus palabras: porque tengo miedo. El miedo nos juntaba y yo sabía de qué raza era el mío, pero ignoraba si el suyo se quedaba en la 1937 del hotel Palace o escapaba de su propio egoísmo. Así me miró un instante —que es mucho rato— y sin previo aviso cambió el sentimiento de sus ojos volviendo a su particular película en blanco y negro. Durante unos minutos charlamos del tiempo, del atmosférico y del irremediable, y yo quise disculparme por mi falta de puntualidad y le conté que iba perdiendo la memoria, sobre todo de los acontecimientos recientes, del ayer mismo, y ella me sonrió ilusionada y me dijo que era una gran noticia, la mejor de la semana, y que teníamos que celebrarla. Luego me rogó que aceptara su invitación, que le gustaba comer temprano, su yogur de siempre y unas galletitas, y yo que estaba a la recíproca y en deuda, y entonces me miró como si le hablara un patán y dijo que eso de corresponder a las invitaciones es ruin costumbre de taberna, y que además, aquel refrigerio, si almuerzo me parecía excesivo, formaba parte del negocio que llevábamos entre manos y, al pronunciar la palabra negocio, afiló la mirada burlonamente. Juro por mis muertos, sobre todo por mi abuela *Pringá*, y por mis vivos, más que nadie por la niña Marga, que estuve a punto de irme; pero los ojos de Luz Ángela me estaban ofreciendo una tregua, como si pudiera hacer algo por ella, olvidando que era un viejo desmemoriado, inútil y sin la menor influencia en el ministerio del Interior.

—Lo que es usted es un viejo cínico, mi querido don Leopoldo.

—No le consiento que me llame querido, para que lo sepa.

El asesino Xarradell dejó a un lado el jersey de lana, que estaba tejiendo, se quitó las gafas, se rascó por encima del bonetillo y me propuso hacer una lista de las personas que nos querían a ambos —a nuestro juicio, claro—, que retiraba lo de querido, pero no lo de cínico, y que tuviera a bien continuar si era mi deseo, o en caso contrario ya sabía dónde estaba la puerta. Acepté la primera parte, porque al fin y al cabo aquello era una encuesta y sólo Xarradell conocía los detalles del suceso y, por decirlo de una manera ampulosa, sólo Xarradell podía poner en marcha la máquina de la justicia. Como es lógico, mucho me guardé de pronunciar tan solemnes palabras y volví con gusto al hotel Palace.

Luz Ángela Castañón —mirándome pícaramente— descolgó el teléfono y ordenó que le subieran el tentempié que había encargado. Aposentados cada uno en su butaca, con nuestra media combinación al alcance de la mano, aguardamos la llegada del refrigerio o tentempié, y Luz Ángela, como si tuviera prisa o quisiera descargar algún peso de su conciencia, me confesó que me había mentido y que odiaba la mentira. Después rió, echando la cabeza hacia atrás para que yo pudiera ver sus dientes impecables, y dijo que no odiaba la mentira, que adoraba la mentira bien urdida, que desde niña fue fabuladora y embustera, que acababa creyendo lo que decía, pero jamás utilizó malas artes en perjuicio de nadie y luego levantó un dedo y añadió: excepto tres o cuatro veces. El caso es que me conocía de vista y que no necesitaba el periódico *Le Monde* para identificarme. Luego tomó, en sus manos, un abanico de nácar, que bien pudiera haber pertenecido a su bisabuela y cada vez en mejor forma lo abrió, cubriéndose el rostro, dejando fuera los ojos risueños y brillantes, y me preguntó qué significaba aquel gesto. Algunas veces me turbo, aunque no llegué a la torpeza absoluta a juzgar por la expresión de Luz Ángela, que utilizaba el abanico y no por casualidad. Con magistral zorrería aprovechó el saque: usted es un experto, Leopoldo, no me falle en mármoles funerarios del mes de agosto. Frase enigmática, que me hizo viajar a «supersonido» —una de las palabras favoritas de la niña Marga— y caí en la cuenta de que, la muy farsante, sabía mi secreto, y entonces recuperé el aplomo, porque el tiempo me sobraba y estaba a gusto en la 1937.

—Soy demasiado joven para entender el lenguaje del abanico —eso le dije.

La impertinente alusión a la juventud no le hizo ninguna gracia a Luz Ángela, pero sus ojos aguantaron brillo y tipo, y así, desde el escondite del abanico, me preguntó con inesperada vulgaridad:
—¿Demasiado joven o demasiado hortera?
Pudo haber empezado la guerra —*c'est la guerre, madame*—, pero yo no estaba para hilar juegos florales, y así ofrecí mi entrega levantando las dos manos, como cuando Popea se rinde y enseña la tripa. Llevar parte del rostro cubierto por el abanico significa que nos vigilan, me informó la señora, que ante mi gesto servil había recobrado el buen tono. Pero ignoro quién nos vigila. Luego cerró el abanico y se lo llevó a los labios sin besarlo: el abanico en los labios quiere decir dudo de ti y de usted dudo, Leopoldo. Después simuló contar las varillas: contar las varillas es quiero hablarte; golpear el abanico con la mano, estoy inquieta. Por fin se lo puso en el pecho: llevarlo al corazón, sufro, pero te amo, y cerrarlo apresuradamente, tengo celos. Y volvió a reír echando la cabeza hacia atrás. Me sorprendí a mí

mismo escuchando placenteramente tan estrambótico código de señales que ya no le correspondía a la señora Luz Ángela, y sentí que con la jubilación había ganado en libertad y que la palabra traición podía administrarla a mi conveniencia.

El asesino Xarradell abandonó, otra vez, su labor entre apenado y haciéndose el gracioso, pero yo no se lo tuve en cuenta, porque él tenía el reloj a las nueve y veinticinco y el calendario parado en la comisaría de Málaga, y yo pensaba entonces en la valiente defensora de González Chamorro y en la falla que pudo producirse entre el notario y el cazador de Kenia cuando dejaron de ser niños y no se entendieron. Siempre fui honrado, que no es virtud, sino defecto, y ahora, si me daba la gana, podía pactar con Dios bendito.

—A mí no me hubiera usted dado cancha, señor comisario —dijo Xarradell.

—Eran otros tiempos.

—Suponga que le ofrezco un millón de francos por su silencio.

—Usted no es una mujer fascinante.

De tal manera sentía yo la presencia de Luz Ángela Castañón Spencer, que me dejó pensar hasta un cierto punto y luego siguió abanicándose muy despacio y me dijo que significaba me eres indiferente.

—Usted, en la Sacramental de San Isidro, se abanicaba deprisa o sea iba diciendo mucho te amo o, quizá, tengo calor, y yo conté las varillas de mi abanico, lo cual significa quiero hablarte.

Luz Ángela Castañón Spencer —según sus confidencias— me había visto en la Sacramental de San Isidro, y abanico aparte, no le gusté nada. Para convencerme del caso me recordó que vestía un ridículo traje mil rayas, que hablaba solo y que mi presencia evitó que rematara a Popea de un tiro en la cabeza, aunque añadió que iba dispuesta a disparar a la perra por piedad y que aquel peligroso animal le producía verdadero dolor. La frase peligroso animal —aplicada a Popea— me dejó de un aire y aún más lo de la pistola, porque supongo que se refería a una pistola y no a una escopeta de cañones recortados. Ella advirtió mi duda, se puso en pie y de entre los libros sacó un precioso revólver, casi de juguete, que me enseñó a distancia. Después volvió a sentarse, tan satisfecha como si hubiera creado una inesperada situación teatral. Recordará usted, Leopoldo —aún me llamaba Leopoldo—, que la última tarde le dije que si alguien hacía daño a mi Martín yo, sin remordimiento, lo mataba, y me da igual, porque me voy a morir pronto. Claro que yo no recordaba casi aquella tarde.

—Para eso me tiene usted, señor comisario —me interrumpió Xarradell.
—Y de aquí no salimos usted ni yo vivos.
—Pero salieron ustedes vivos.
—La señora Castañón Spencer me estaba encañonando con su precioso revólver empavonado y yo no entendía nada: morir a manos de una hermosa mujer, en una suite del hotel Palace, era un magnífico final.
—Usted merece eso y mucho más, señor don Leopoldo.
Incliné la cabeza para no escuchar a Xarradell, que se estaba pasando en sus atribuciones, cerré los ojos y volví al Palace y a la voz muy baja de Luz Ángela

Lo que yo no le puedo perdonar es lo del perro. Lo recordaba perfectamente, porque aquella frase me había desbaratado y además no la entendía. La señora Castañón Spencer añadió un nuevo matiz y me confesó que ella intentó envenenar a Popea, porque alguna ventaja tiene ser amiga del boticario. En aquel momento dos golpes discretos sonaron a la puerta, Luz Ángela se levantó, se metió el revólver entre la blusa y la falda y se abrochó la chaqueta: era el tentempié. Un camarero de lánguido aspecto nos saludó con toda propiedad y dio la venia a otro, que empujaba un carro cubierto por una enorme tapadera de alpaca. El lánguido destapó la tapadera y ante mi asombro surgió una enorme bandeja llena de ostras y el correspondiente complemento de pan negro y pan blanco, mantequilla, limón y fina vajilla, cristalería, servilletas de hilo y aguamaniles de plata. Por último un tercer servidor hizo su entrada con una botella de *champagne* en una cubitera con hielo. Una vez preparado el refrigerio, la señora Castañón Spencer ordenó que exactamente en tres cuartos de hora —ni un minuto más, ni uno menos— le subieran la segunda botella de *champagne*. Mientras aquellos hombres se afanaban en su delicado trabajo, yo pensé que no tenía nada de particular que la señora Castañón Spencer defendiera su envidiable posición aun a costa de asesinar a Popea y a mí mismo, y menos mal que yo era partidario de las ostras, que si llego a aborrecerlas sin remedio hago el ridículo. Y así nos sentamos frente a frente, ella con el revólver al cinto y el abanico a mano, yo con mi copa de *champagne* esperando el brindis.

—Parece usted un poeta lírico, señor don Leopoldo —me interrumpió el asesino Xarradell por segunda vez.

—Y usted no puede negar su condición de presidiario.

Comeremos sólo ostras, beberemos *champagne* y luego Dios dirá, y aprenda cuatro cosas o cinco, Leopoldo, usted que ha vivido en la lóbrega ordinariez de las comisarías de barrio: no deben comerse menos de trescientas a la hora del vermut, siempre acompañadas de buen *champagne*; si tiene usted que poner a prueba su virilidad no se fíe de las ostras, pero si quiere guardar secretos en la memoria sumérjase en un baño de ostras, que saldrá ganando en fósforo y nitrógeno, conservará hermosos los dientes y alargará su vida. Antes de llegar a la tercera copa, Luz Ángela me contó que había tenido singulares maestros como Julio Camba, Álvaro Cunqueiro y la condesa de Pardo Bazán, y entonces yo le dije que por ahí no pasaba, que doña Emilia Pardo Bazán murió en 1921, a lo que ella respondió con una estruendosa carcajada burlándose de mí descaradamente, porque o era embustero o incapaz de recordar fecha alguna, y menos con tan exacta precisión: quizá no fuera doña Emilia Pardo Bazán, sería doña Concha Espina. Con el año de la muerte de la condesa se le metió en el cuerpo la desconfianza y yo tuve que repetir que mi mala memoria es cosa reciente, y que podía recitarle, sin temor a errar, muchos poemas de Rubén Darío y casi todas las rimas de Becquer. La señora Luz Ángela asintió distraída y dedicó sus afanes a las ostras y al *champagne*, advirtiéndome que el *champagne* era una bebida muy de mujeres femeninas, que se le subía a la cabeza con frecuencia y que las ostras —al menos por su experiencia personal— no constituían alimento afrodisíaco y que en su opinión no había alimentos afrodisíacos. Luego, suspirando con admiración, susurró: valiente y sin temores asquerosos fue el primer hombre que comió una ostra, y añado percebe, almeja o sesos de cordero. Yo incliné la cabeza y avergonzado de mi zafiedad oculté una sonrisa culpable, como de colegio, que no pasó por alto la señora Castañón Spencer, que murmuró con distinguido refinamiento: no se puede comparar, Leopoldo. Después quedó en silencio y, siguiendo la costumbre del diestro *Fronterita*, no se manifestó hasta llegar a la ostra número quince, y ya me llevaba seis de ventaja.

—¿Le interesa la mitología, Leopoldo? —me preguntó Luz Ángela sorbiendo la ostra final.

—No estoy muy puesto —respondí sin mucho interés.

Ella dijo entonces que me iba a contar una historia y ya conozco el paño, porque a mí también me gusta contar cuentos y recordar los de mi abuela *Pringá*, que vienen de herencia y sangre de gitanos *coloraos* y solían ser truculentos, feroces y morbosos, muy del gusto de los niños de casa. La señora Castañón Spencer tuvo la gentileza de servirme una tercera copa de *champagne* y así me dijo: iba a referirme a la diosa Kasual, que no quiso ejercer, porque le aburría la formalidad, pero que sin embargo manda en nuestros destinos y ahora estoy hablando de usted y de mí, comisario. Supongo que no ignora que Urano, el cielo, casó con Gea, la tierra, y que uno de sus hijos llamado Crono —pronunció la palabra haciendo vibrar la erre como en un redoble de tambor— casó con su hermana Rea, algo muy común entre dioses, y sonrió, como si una idea desvergonzada le viniera al recuerdo. Crono castró a su padre con una hoz que arrojó al mar y no sé si trastornado por aquella desproporcionada acción o simplemente hambriento, se dedicó a merendarse a sus propios hijos, ya que uno de ellos lo destronaría, según los presagios de la época. Entre los hijos de Crono sólo se salvaron Zeus y Kasual, que eran partidarios de los cíclopes y enemigos de los titanes. Ganó Zeus, como se sabe, y Crono vomitó a todos sus hijos, que fueron colocados en puestos magníficos, excepto Kasual, que renunció a la gloria de los altares, desdeñó la mano de Tifón y se escondió en el mundo entero, debajo de tierra, en lo más profundo de los océanos, en el metro, en los grandes almacenes, en los teatros, en los picos de las montañas e incluso en los cementerios. Kasual, Casualidad, Azar o Albur es tan poderosa como su abuelo el Tiempo y fue culpable de que nos juntáramos usted y yo, y tentada estoy de pedir otras dos docenas de ostras. Me costó convencer a la señora de que tanta ostra podía ser perjudicial y tuve que aguantar su exagerada risa y su mirada de desprecio.

En la Sacramental de San Isidro tropecé, por casualidad, con un viejo loco, un jueves del mes de agosto. Mucho me temo que el viejo loco fuera yo. Iba abanicándose y recitaba en voz alta: *la noche se entraba, reinaba el silencio, perdido entre las sombras.* Aquel ridículo caballero también estaba perdido entre las sombras, yo llevaba un ramo de dalias blancas apretadas contra el pecho y dentro del ramo un revólver. ¿Por qué era loco y por qué estaba perdido? Loco por recitar en voz alta «¡Dios mío, qué solos se quedan los muertos!». Perdido porque miraba, daba vueltas en vano, retrocedía y buscaba, hasta que dio, por casualidad, con la tumba donde se moría la perra. Nunca nos hubiéramos visto, nunca jamás en la vida. ¿Sabe lo que le dijo a la perra? Mañana te voy a traer jamón de York, leche y aspirina, y luego recogió flores de la corona de Arenales. Y todo por perder el rumbo. Aquello era cierto y también el encuentro con el *Coco* Fulgencio Majada, que me sacó del cementerio. El camarero Rafa —que seguía órdenes precisas de Luz Ángela— volvió con otra botella de *champagne* y nos cambió las copas. Yo sentía como un salto atrás, un regreso al tiempo joven, a las pesquisas, los interrogatorios, incluso a las imaginadas *hermanas sardineritas.*

—Puede que estuviera borracho, comisario —me atajó el asesino Xarradell— o que presintiera que la señora Castañón Spencer al fin iba a confesar, y a lo mejor yo era la misma señora Castañón Spencer y estábamos en el penal de Ocaña, corredor de la muerte o algo así.

—Si no hubiera toreado el joven Arruza aquel domingo, quizá no nos habríamos encontrado en el metro, Xarradell.

—Mala suerte o casualidad, según se mire.

La mirada opaca de Xarradell me estaba diciendo lo contrario y por no hacer de aquella visita una emocionante escena de película, volví al hotel Palace y quise saber por qué la señora Castañón Spencer quería matar a Popea. Porque sabía demasiado, señor comisario, y porque un perro agonizando en la tumba de su amo, después de haber recorrido tantos kilómetros, llama la atención y sale en los periódicos, pero fallé dos veces y ahora lo celebro: larga vida a la perra Popea. Y levantó la copa de *champagne*. Luz Ángela Castañón Spencer era la caritativa señora de las albondiguillas envenenadas que rechazó Popea y que —por glotona— se almorzó la urraca.

—Yo fui al entierro de Gaspar Arenales y no porque me lo mandara nadie, como usted supone maliciosamente. Fui por devoción y por curiosidad.

Mucho me guardé de interrumpir a Luz Ángela, que siguió hablando, ahora con los ojos húmedos, fenómeno que yo atribuía a una rayita, a la tercera botella de *champagne* o a la predisposición de la dama, que vacilaba:

—Aquella mañana de agosto llovía sobre Madrid y por tanto era ideal para el entierro del pobre Arenales. Justificaba el escenario, era fiel a la tradición, y si he dicho fui, miento, porque estuve, pero no me manifesté. Entré el mausoleo coronado por una Dolorosa del escultor José Planes y un túmulo con dramática Resurrección del mismísimo Juan Cristóbal, me escondí y lloré, Leopoldo, porque yo quería bien a Gaspar Arenales, que estaba desarraigado de estas tierras, sin amigos ni familia, casi sin mujeres. Pude contar cinco personas y ni una más: dos sepultureros corrientes y discretos, una pareja que parecía arrancada de un almanaque de 1934 y una mujer pequeñita, muy bien hecha, que valía la pena mirar, y lo sé porque yo también entiendo de mujeres, Leopoldo.

Algo no encajaba bien en aquel entierro y era Teresa Zivor. El asesino Xarradell vino en mi ayuda, recordaba el detalle y para mayor seguridad abrió el cuaderno número cinco, que me tradujo amablemente del francés: la señorita Zivor dijo que en Madrid no llovía y que el entierro fue muy triste, sin flores apenas, sólo las de la propia señorita Zivor, un ramo de azucenas blancas —como los que se ofrecen a los niños— y una corona de flores chillonas, de muy mal gusto. Probablemente Teresa Zivor llevaba razón y la madrina ponía la lluvia por estética y costumbre funeraria.

Luz Ángela se refirió entonces a las flores, porque aquellas *chillonas, de muy mal gusto,* las había enviado ella en forma de corona y en tres colores simbólicos: claveles rojos por fuera, dalias pompón en medio y lirios morados por dentro. Tres franjas que corresponden a la bandera republicana. Pensé entonces que la señorita Zivor no entendía de banderas, aunque era muy refinada en gustos, y recordé que en la capilla de la Virgen de las Nieves también lucían los colores de la bandera republicana. Los claveles, las dalias y los lirios —así lo dijo la señora Castañón Spencer— fueron homenaje y recuerdo a Lola Chamorro, la madre republicana del notario, gobernadora de derechas y viuda heroica, cuyo cuerpo se perdió en las aguas del Atlántico. A Luz Ángela le temblaban los labios y sus propias palabras le emocionaban:

—Lola Chamorro me dejó al niño de sus entrañas, lo que ella más quería en este mundo, y yo se lo agradecí con unas flores, muchos años después de su muerte, en una tumba que no le cuadraba, porque —aunque le parezca mentira, Leopoldo— nunca en mi vida pisé cementerio alguno, en primer lugar por miedo y superstición, y también porque en mis tiempos las señoras no solían ir a los entierros, y ahora le he tomado el gusto y casi todas las semanas adecento la sepultura de Gaspar Arenales, saco brillo a las letras de bronce y como antes de Reyes no hayan puesto su nombre en el sitio debido, yo me encargo del tema.

Sonreí entonces y volví a beber el helado y rico *champagne.* Detrás de un ciprés —añadió la señora—, medio escondida tras una columna truncada, seguí el humilde entierro de Gaspar

Arenales. Luz Ángela se puso en pie, se me cruzó por delante sin vacilar, abrió un cajoncito y sacó unos gemelos de teatro. Con estos gemelos —que fueron de la pobre María Dolores Chamorro— seguí el entierro y pude observar cómo, al otro lado del mausoleo de los parientes de Arenales, venía la perra, de no sé dónde, como un pequeño fantasma acusador, bamboleándose, llena de sangre, y se escondió detrás de una tumba y seguramente le llamó la atención el brillo de los cristales de mis gemelos, porque sus ojos y los míos se encontraron y ya no se dijeron adiós, que íbamos de la tumba a nuestra mirada y allí nos quedamos hasta que se fueron los sepultureros y la perra se echó sobre el mármol, que guardaba el cuerpo del niño Arenales a quien ofrecí una sola flor. Allí mismo la hubiera matado de haber tenido el revólver y estoy por decirle que más por afecto que por otra cosa. La voz de la señora Luz Ángela Castañón Spencer me enredaba tanto como el *champagne* y le doy mi palabra, señor Xarradell, de que ya no me importaba si en la sierra se había cometido un crimen, ni si era el asesino González Chamorro, porque yo no tenía instinto, ni memoria, pero me sentía sorbido por la brujería de una mujer absurda que debió de comprender por dónde iban mis tiros, porque se sacó el revólver del cinto y lo puso a mi disposición. Yo no quería que el tiempo transcurriera, estaba atrapado en la 1937 y aunque llevaba las blancas, no moví caballo ni alfil. Luz Ángela bailaba la misma danza que yo: ¿por qué no me preguntas si Martín González Chamorro asesinó a Gaspar Arenales? Porque me da lo mismo. Pero eso no forma parte del juego. Sí y no.

Xarradell dejó la labor, me miró con curiosidad y me atrevo a decir que con cierta voluntad, encendió la luz y echó los visillos:

—Hay frases terribles, señor comisario, y no me gustaría oírselas, y si digo frases terribles quiero decir ridículas y manoseadas. Ni usted es don Quijote, ni la señora Luz Ángela es Beatriz, ni la vejez se puede convertir en belleza, ni el delirio en noticia.

Mala puñalá te den, eso es lo que pensé, asesino mío, secretario, esclavo y colaborador, que yo no te he contratado para que me desdigas, que no en balde pasamos las setenta y dos horas más llenas que hubo en la historia de las comisarías de España y no hago mención del penal de Ocaña.

—Aquella madrugada del mes de agosto —continuó hablando Luz Ángela Castañón Spencer— me llamó desde Salamanca Martín González Chamorro y, como si nos hubiéramos visto la víspera, me dijo que fuera al Gran Hotel y que le llevara ropa, y yo noté en su voz que ocurría algo muy terrible, y al día siguiente compré todo lo necesario, incluso un maletín con sus iniciales y una cartera de negocios, me fui a Salamanca, alquilé una habitación en el Gran Hotel, junto a la suya y lo llamé. Pensé que había huido de casa, que se había hartado definitivamente de la reina de la vendimia, que escapaba con una rubia y tonterías así. También pensé que había estafado a alguien, pero ninguna de las dos cosas encajaba con mi personaje. Me abrazó y sentí que sus mejillas estaban húmedas, y no quería oírle, pero era mi niño y mi amante, el hombre que me mantenía con pacto de sangre incluido, por los siglos de los siglos. Así que, haciéndome la valiente, doblé la almohada, me eché en la cama, me puse las manos detrás de la nuca y él sonrió por primera vez. De esa forma nos colocábamos en tiempos de oposición a notarías: Martín se sentaba en una silla, al borde de la cama, o andaba por el cuarto e iba diciéndome los temas, y yo, de cuando en cuando, miraba el reloj y si pasaban diez minutos gritaba ¡tiempo! Entonces me gastó una broma y dijo: «El Estado moderno se caracteriza por su sumisión al Derecho y por la infiltración de éste en todos los aspectos de la actividad de los órganos públicos». Pero sus ojos no gastaban bromas, ni siquiera para tranquilizarme, que parecían de plomo, y como si le diera vergüenza o necesitara valor, fingió mirar por la ventana.

Quedé en silencio, escuchando las palabras de Luz Ángela Castañón pero sin entender lo que decían, porque mi pensamiento —si es que a esto se le puede llamar pensamiento— estaba muy lejos, como futuro perdido, que para mí no existía y es lo suyo, porque ya no tengo destino, y si me permite usted tampoco lo tiene, Xarradell, ni siquiera la señora Castañón Spencer, que seguía hablando. Creo que al cabo de un rato me levanté, fui al abanico de Luz Ángela y lo abrí con el desparpajo que me dieron mis años de experiencia, y lo que son las cosas me lo llevé al corazón, me abaniqué muy deprisa y lo cerré rápidamente. Ella se echó a reír y me dijo que no tenía por qué sentir celos, que su amor por el notario González Chamorro pertenecía a la historia, pero que de todas formas no teníamos edad de ir por el mundo haciendo tonterías. Después se acercó a mí, llamándome de tú quizá sin advertirlo:

—¿Sabes por qué fue a verte a tu casa?

—Porque se lo mandó una mujer, según me dijo.

—Se lo mandó una bruja de nombre Reliquia Correas, a quien yo también he visitado alguna vez, y no debe usted reírse de la eficacia de las brujas, que en muchas ocasiones aciertan o al menos calman ciertas dolencias del corazón o de los ojos.

La voz de Luz Ángela Castañón sonaba grave y melodiosa y me iba alejando del cementerio de San Isidro, y no digamos de las dependencias de la Dirección General de Seguridad.

—Parece ser que la bruja Correas —continuó la armoniosa madrina— recomendó a Martín que fuera a casa de su perseguidor, o como quieras llamarlo, y que en su terreno natural, o sea, en la habitación donde duermes, escondiera algo que hubiera pertenecido a Gaspar Arenales, algo cercano, un anillo, un reloj, una pluma estilográfica, una moneda de oro, por ejemplo, y así el sueño le volvería y quizá le dejara a usted las pesadillas, don Leopoldo: pero no dio resultado.

El perfume de la madrina Luz Ángela me inquietaba tanto como su confianza al ponerme ahora una mano en la solapa, intentando hacerme cómplice o confidente de un secreto. Yo le dije —e ignoro la razón— que no podía devolverle el sueño, pero a mí no me vinieron sus pesadillas, entre otras cosas porque padezco insomnio. Nunca encontrará usted el arma del crimen, porque sigue en poder del criminal. Y Luz Ángela levantó el dedo índice de la mano que descansaba en mi solapa. Con un dedo tocó en el pecho de Gaspar Arenales y así le hizo caer al barranco, y murieron besándose y reconciliados los dos niños, juntando su sangre por última vez. Pero con la muerte de Gaspar Arenales no han desaparecido las pesadillas, que ahora están reunidas en una sola, que se repite todas las noches: Martín empuja a Gaspar en el pico de Peñalara y lo asesina, una y otra vez como en un anillo sin fin, luego intenta huir, pero le alcanza la perra, le destroza la garganta a mordiscos y entonces se despierta. Yo era incapaz de moverme, la mano de Luz Ángela Castañón Spencer recorría mi solapa y de cuando en cuando me golpeaba su dedo índice, que lucía una sortija con una esmeralda. Martín es muy supersticioso. Recordé las botas descabaladas, el paso adelante, siempre con el pie derecho, y supuse que el notario llevaba en el bolsillo izquierdo de su chaqueta un trozo de madera. Es verdad: lleva un trozo de madera en el bolsillo. Después Luz Ángela me quitó la corbata y sonriendo me puso una de ositos crema y fondo azul marino y me explicó que así completaba mi figura de viejo estrafalario, que se abanica, habla solo, maquina venganzas y lleva una corbata de ositos. Luego me besó en la boca y yo noté que mis dientes separados —los que heredé un día de mi abuelo el cabo Andrés Ríos— se juntaban con los suyos, y cerré los ojos y no quiero ampliar la descripción porque siento vergüenza.

—No hay quien entienda a las mujeres —reflexionó gravemente el asesino Xarradell.

—Bueno, yo antes las entendía, pero ahora ya no me acuerdo.

Me puse en pie y di por terminada aquella última entrevista con Xarradell y ya en la puerta le informé de que volvería en breve para aclarar algunos detalles, él me preguntó si archivaba el caso y yo le respondí que, de momento, íbamos a archivarlo. Los ojos del asesino brillaban burlonamente como si hubiera ganado la vieja batalla de la comisaría de Málaga, y es posible que tuviera razón: yo era un joven policía corrupto que me había dejado embaucar por una mujer arrebatadora.

Como me apetecía dar un paseo, a pesar del frío me fui de la preciosa plazuela de la Cruz Verde hasta la calle del Almendro y de allí a la de Don Pedro, más o menos, porque no estaba muy seguro, y dando vueltas acabé en la Plaza Mayor, que estaba animadísima, ya con sus puestos de Navidad. Un sujeto un poco astroso destrozaba un tango al acordeón callejero y yo pensé que me gustaría conocer Buenos Aires. De pronto me detuve y me dirigí a mí mismo, iluminado o mejor como un juez que dictara sentencia o algo parecido, porque —a pesar de mi oficio— no estoy muy puesto en leyes:

—El 22 de agosto de 1944 —iba diciendo en voz alta— cuando aún no había cumplido trece años, el niño Martín González Chamorro mató a su amigo Gaspar Arenales, que aún no había cumplido quince. El arma del crimen fue un dedo, el escenario el pico de Peñalara en la sierra del Guadarrama, y hubo un testigo, la perra Popea a quien le faltaban más de cincuenta años para venir al mundo. El crimen ya ha prescrito y además el homicida —si le llamamos así— es menor y, por tanto, no puede ser castigado con pena alguna.

Entonces sonreí liberado de mi responsabilidad, porque ya no necesitaba ni suicidarme ni dimitir, y continué mi paseo invernal, recitando un poema de Rubén Darío. Dos chicas se cruzaron conmigo y las dos rieron: una pensó que estaba loco y la otra que estaba borracho. Probablemente las dos tenían razón. Lo malo es que había olvidado dónde vivía, claro que aquello no tenía mucha importancia, porque recordaba perfectamente que el hotel Palace estaba en la plaza de Las Cortes.